BESTSELLER

Biblioteca

ROBIN COOK

La cura

Traducción de
Eduardo G. Murillo

DEBOLS!LLO

Papel certificado por el Forest Stewardship Council®

MIXTO
Papel procedente de
fuentes responsables
FSC® C117695

Penguin
Random House
Grupo Editorial

Título original: *Cure*

Tercera edición: noviembre de 2014
Segunda reimpresión: febrero de 2021

Printed in Spain – Impreso en España

ISBN: 978-84-9989-532-1
Depósito legal: B-14.284-2012

Compuesto en Comptex & Ass., S. L.

Impreso en QP Print

P 9 9 5 3 2 A

Para Jean y Cameron,
mis compañeros en la vida

*¡Oh, qué intrincada red tejemos
cuando practicamos por primera vez el engaño!*

Sir WALTER SCOTT,
Marmion, canto VI, estancia 17

Agradecimientos

Como de costumbre, la redacción de *Cura* requirió la ayuda de muchos amigos, colegas e incluso desconocidos que aceptaron de buen grado recibir una llamada telefónica inesperada y responder a una pregunta. Poseo la inmensa suerte de tener acceso a una amplia gama de expertos dispuestos a cederme parte de su tiempo. Os doy las gracias a todos. Aquellos a quienes deseo agradecer en especial su colaboración, por haber demostrado una paciencia excepcional, son (por orden alfabético):

Jean E. R. Cook, MSW, CAGS, psicóloga

Joe Cox, J.D., LLM, doctor en derecho tributario, planes de patrimonio y derecho de sociedades

Rose A. Doherty, A.M., académica

Mark Flomenbaum, M.D., Ph.D., patólogo forense

Tom Janow, detective, NYPD

Carole Meyers, ayudante de investigación, IML, NYC

Marina Stajic, Ph.D., directora de toxicología, IML, NYC

Personajes principales

AIZUKOTETSU-KAI: organización yakuza radicada en Kioto, Japón

VINNIE AMENDOLA: técnico del depósito de cadáveres del IML

LOUIE BARBERA: capo provisional de la familia mafiosa Vaccarro

DOCTOR HAROLD BINGHAM: director del IML

CLAIR BOURSE: recepcionista en iPS USA

MICHAEL CALABRESE: agente bursátil

PAULIE CERINO: capo de la familia mafiosa Vaccarro, encarcelado en la actualidad

GROVER COLLINS: experto en secuestros y uno de los fundadores de CRT Risk Management

DOCTOR BENJAMIN (BEN) COREY: fundador y director general de iPS USA LLC

CRT RISK MANAGENT: iniciales de Collins, Rupert y Thomas, un equipo de ex agentes de las Fuerzas Especiales que se han asociado para ayudar a víctimas de secuestros

TOMMASO DELUCA: joven pistolero de la familia mafiosa Vaccarro, contratado por Louie Barbera

JOHN DEVRIES: jefe de toxicología del IML

VINNIE DOMINICK: capo de la familia mafiosa Lucia

YOSHIAKI ETO: pistolero de la Aizukotetsu-kai en Nueva York

Kenichi Fujiwara: viceministro de Economía, Comercio e Industria del gobierno japonés

Hiroshi Fukazawa: *oyabun*, o jefe, de la Yamaguchi-gumi

Saboru Fukuda: *saiko-komon* de la Yamaguchi-gumi en Nueva York

Kaniji Goto: pistolero de la Yamaguchi-gumi en Japón

Carl Harris: director financiero de iPS USA LLC

IML: Instituto de Medicina Legal, Nueva York

IMLS: investigadores médico-legales del IML. Poseen conocimientos forenses, pero no son médicos. Investigan muertes

Inagawa-kai: organización yakuza radicada en Tokio

IPS Patent Japan: empresa japonesa ficticia dedicada en exclusiva a patentes japonesas

IPS USA: empresa estadounidense ficticia dedicada a patentes de células madre pluripotentes inducidas y la propiedad intelectual asociada

Hisayuki Ishii: *oyabun*, o jefe, de la Aizukotetsu-kai

Tom Janow: teniente de detectives de la policía del condado de Bergen

Kenji: nombre que dio Laurie al cadáver de Satoshi Machita antes de que fuera identificado

Tokutaro Kudo: *saiko-komon* de la Yamaguchi-gumi en Japón

Familia Lucia: familia de la mafia de Long Island dirigida por el capo Vinnie Dominick

Arthur MacEwan: pistolero de la familia mafiosa Vaccarro

Satoshi Machita: investigador con esposa, Yunie-chan, e hijo, Shigeru

Duane MacKenzie: joven pistolero de la familia mafiosa Vaccarro, contratado por Louie Barbera

Rebecca Marshall: funcionaria de identificación del IML

Brennan Monaghan: pistolero de la familia mafiosa Vaccarro

Hank Monroe: director de identificación del IML

Laurie Montgomery-Stapleton: médico forense del IML

Mitsuhiro Narumi: *saiko-komon* de la Inagawa-kai

SUSUMU NOMURA: pistolero de la Aizukotetsu-kai en Nueva York

MAUREEN O'CONNER: supervisora del laboratorio de histología del IML

OYABUN: jefe de una organización yakuza, o jefe de la mafia

CARLO PAPARO: pistolero de la familia mafiosa Vaccarro

TED POLOWSKI: pistolero de la familia mafiosa Vaccarro

TWYLA ROBINSON: jefa de recursos humanos del IML

JACQUELINE ROSTEAU: ayudante de Ben Corey

SAIKO-KOMON: principal asesor de una organización yakuza, un peldaño por debajo del *oyabun* en la ciudad natal de la yakuza, o el jefe de un grupo escindido en otra ciudad

HIDEKI SHIMODA: *saiko-komon* de la Aizukotetsu-kai en Nueva York

LOU SOLDANO: capitán de detectives, Nueva York

JACK STAPLETON: médico forense del IML

RON STEADMAN: detective del Departamento de Policía de Nueva York en la comisaría de Midtown North

NAOKI TAJIRI: gerente del club Paradise de Tokio

COLT THOMAS: experto en secuestros y uno de los fundadores de CRT Risk Management

TADAMASA TSUJI: *saiko-komon* de la Aizukotetsu-kai

FAMILIA VACCARRO: familia de la mafia de Long Island dirigida por el capo Louie Barbera

DOCTOR CALVIN WASHINGTON: subdirector del IML

RIKI WATANABE: pistolero de Hisayuki Ishii

LETICIA WILSON: canguro de J. J., hijo de Laurie y Jack

MARLENE WILSON: recepcionista del IML

WARREN WILSON: compañero de baloncesto de Jack, líder de la banda del barrio

YAKUZA: organización criminal japonesa

YAMAGUCHI-GUMI: organización yakuza radicada en Kobe, Japón

CHONG YONG: pistolero de Hisayuki Ishii

Prólogo

Domingo, 28 de febrero de 2010, 2.06 h
Kioto, Japón

Sucedió en un abrir y cerrar de ojos. En un momento dado todo iba bien, teniendo en cuenta que Benjamin Corey estaba allanando un laboratorio biológico extranjero; al momento siguiente un desastre se avecinaba, y Ben Corey había pasado de estar razonablemente relajado a sentir pánico. Al cabo de escasos segundos de que las luces del techo se encendieran, inundando toda la planta de una áspera luz fluorescente, su frente se cubrió de sudor frío, el corazón empezó a martillear en su pecho y, para colmo, notó entumecidas las yemas de los dedos, una reacción instintiva que no había experimentado jamás. Lo que debía ser coser y cantar, tal como lo había descrito la noche anterior en Tokio su contacto con la yakuza, amenazaba ahora con convertirse en todo lo contrario. Un guardia uniformado bastante mayor se acercaba por el pasillo central del laboratorio, con el gorro provisto de visera retirado de la frente y una linterna en la mano derecha, a la altura de la cara. Mientras avanzaba, miraba a un lado y a otro y dirigía el haz hacia las filas que separaban las hileras de bancos del laboratorio. Apretaba un móvil contra el oído izquierdo y hablaba en voz baja y acelerada, seguramente para informar a la oficina central de seguridad de la Universidad de Kioto sobre sus progresos en la investigación de una luz solitaria que se había encendido de repente en una oficina del tercer piso, en un edificio completamente a oscuras y, en teoría, desierto. Cada paso que daba producía un ominoso tintineo del enorme llavero ceñido a su cinturón.

Era el primer episodio de robo con allanamiento de Ben Corey, y se prometió que sería el último. No debería estar allí, teniendo en cuenta que era doctor en medicina y graduado en la Harvard Business School, así como director general y fundador de una prometedora empresa llamada iPS USA LLC. Había fundado la empresa con la esperanza de liderar la comercialización de células madre pluripotentes inducidas (iPS), y de paso convertirse en multimillonario.

La razón concreta de que Ben estuviera allí en aquel momento estaba debajo de su brazo: varios cuadernos de laboratorio pertenecientes a un ex investigador de la Universidad de Kioto, Satoshi Machita. Los libros contenían la prueba de que él, Satoshi Machita, había sido el primero en obtener células iPS. Ben había encontrado los cuadernos en la oficina auxiliar de la que acababa de salir. Satoshi había descrito a Ben dónde se hallaban exactamente los cuadernos, y en esencia le había dado permiso para apoderarse de ellos, permiso que Ben había utilizado para explicar su participación en el robo. Pero había otros factores en juego: durante los dos años anteriores, Ben había padecido una crisis de los cuarenta que le había despojado de la madurez propia de su edad. Se había divorciado de su esposa, con la que había tenido tres hijos, ya adultos; renunciado a su trabajo fijo en un gigante de la biotecnología montado en el dólar; contraído matrimonio con su ex secretaria, Stephanie Baker, y engendrado un nuevo hijo varón; perdido dieciocho kilos y participado en triatlones y esquí extremo, y embarcado en la arriesgada aventura de iPS USA en un momento en que reunir capital era difícil, en el mejor de los casos, y para ello había tenido que hacer sacrificios significativos, sobre todo en lo tocante al origen del dinero.

Tras unos cambios tan importantes en su vida, Ben empezó a enorgullecerse de ser más un «actor principal» que uno «secundario». Cuando se puso en contacto con Satoshi Machita y escuchó la historia del investigador, había aprovechado la oportunidad para implicarse. Ben no tardó en considerar los cuadernos de laboratorio de Satoshi un potencial maná del cielo. Si era cierto que Satoshi había sido la primera persona en obtener células iPS de sus propios fibroblastos, Ben confiaba en que el contenido de los cuadernos significara un terremoto en el mundo de las patentes de biotecnología y pusiera los cimientos de la propiedad intelectual de iPS USA.

Desde aquel momento, y durante un período de muchos meses, Ben se había responsabilizado en persona de su recuperación. Aun así, no pensó en participar en la incursión en la Universidad de Kioto hasta que el jefe de la yakuza, al que había conocido en Tokio durante una entrevista organizada por un jefe de la mafia de Nueva York, quien proporcionaba el capital inicial a Ben, le convenció de lo sencillo que iba a resultar. «Hasta dudo que la puerta del laboratorio esté cerrada con llave», le había dicho el hombre atildado, vestido con un traje de Brioni, cuando se había reunido con él en el bar del club Peninsula de Tokio. «Es posible incluso que, a las dos de la mañana, haya estudiantes trabajando en sus bancos. No les haga caso, consiga lo que pertenece a su empleado y salga. No habrá problemas, según mis fuentes. Le acompañará uno de nuestros mejores hombres de la Yamaguchi-gumi, quien se reunirá con usted en su hotel de Kioto. Ni siquiera tendrá que entrar en el laboratorio si no quiere. Descríbale lo que desea obtener y dígale dónde cree que lo encontrará.»

En aquel punto, Ben, el nuevo «actor principal», consideró una justificación poética participar en la fase final de lo que había sido un proceso de meses de duración. Dada la importancia de los cuadernos, quería estar seguro al cien por cien de que se llevaba los que quería. Además, el propietario había autorizado su recuperación, de modo que para él no se trataba de un robo. Se veía actuando como un moderno Robin Hood.

—Hemos de largarnos de aquí —chilló el atemorizado Ben a su cómplice, el presunto «auténtico» profesional, Kaniji Goto. Los dos hombres estaban acuclillados detrás de uno de los bancos del laboratorio. Además del tintineo de las llaves, oían las sandalias del guardia uniformado deslizarse sobre el suelo embaldosado de la sala.

Kaniji, con evidente irritación, indicó a Ben con un ademán que se callara. Ben se tomó la orden con calma, pero le sacó de quicio que Kaniji hubiera extraído un cuchillo del interior de su indumentaria. La repentina luz encendida en la sala arrancó destellos cegadores de la hoja de acero inoxidable del cuchillo. Ben tenía muy claro que Kaniji albergaba la intención de enzarzarse en alguna acción violenta, en lugar de salir corriendo del edificio.

A medida que transcurrían los segundos y el guardia se iba acercando, Ben se reprendió por no abortar la misión cuando el presunto profesional Kaniji había aparecido una hora antes para recogerlo en su *ryokan*, u hostal tradicional japonés. Ante el horror de Ben, Kaniji llegó vestido todo de negro, como si se dirigiera a un baile de máscaras. Sobre un jersey negro de cuello cisne y unos pantalones holgados negros tipo pijama, llevaba una chaqueta negra de artes marciales, ceñida con un cinturón negro. Iba calzado con zapatillas deportivas negras. Aferraba en la mano un pasamontañas negro. Para colmo, su inglés era muy limitado, lo cual dificultaba que se entendieran.

Pero la deficiente comunicación, junto con un escenario desconocido y el ansia por apoderarse de los cuadernos de laboratorio solo contribuyó a que Ben quisiera seguir adelante con el plan, pese a los timbres de alarma que se dispararon en su cabeza. Y ahora, mientras Kaniji avanzaba centímetro a centímetro blandiendo el cuchillo, la angustia de Ben se disparó sin freno.

Con la esperanza de evitar cualquier enfrentamiento entre Kaniji y el guardia, Ben se lanzó hacia delante y alcanzó a su compañero. Desesperado, agarró el cinturón del japonés y tiró de él.

Kaniji perdió el equilibrio y cayó de culo, pero se levantó con celeridad dándose la vuelta al mismo tiempo, como el experto en artes marciales que era. Desconcertado un instante a causa de aquella inoportuna intervención de su compañero de andanzas, consiguió reprimir su ataque reflejo. Plantó cara a Ben con una postura defensiva agresiva. La punta del cuchillo temblaba a escasos centímetros de su nariz.

Ben se quedó petrificado, mientras intentaba con desesperación dilucidar el estado mental de Kaniji, temeroso de que un leve movimiento por su parte desencadenara el ataque que el japonés estaba reprimiendo. No fue fácil. El pasamontañas con el que Kaniji se había cubierto la cara antes de entrar en el laboratorio ocultaba su rostro por completo, de modo que resultaba imposible descifrar su expresión. Hasta las rendijas eran agujeros negros insondables. Un segundo después, la linterna del guardia los cegó a ambos.

Kaniji reaccionó por puro instinto. Dio media vuelta, lanzó un grito y cargó contra el sorprendido guardia, al tiempo que alzaba el cuchillo sobre la cabeza y lo sujetaba como un puñal. Ben también saltó y volvió a agarrar el cinturón de Kaniji, pero en vez de frenarlo, se sintió propulsado hacia delante. Cuando Kaniji se estrelló contra el guardia, Ben colisionó contra la espalda de su compañero y los tres cayeron al suelo en una especie de emparedado confuso, con el guardia debajo y Ben encima.

En el momento en que sus cuerpos se encontraron, Kaniji había clvado el cuchillo al guardia, hasta hundir la punta en el surco que separaba la clavícula del borde superior del hombro. Cuando el grupo se desmoronó, la hoja seccionó el arco carotídeo del hombre.

Aparte del silbido del aire expulsado por los pulmones de Kaniji y del guardia cuando cayeron al suelo, lo primero de lo que Ben tomó conciencia fueron los chorros intermitentes de líquido. Tardó un confuso momento en darse cuenta de que era sangre. Mientras se apartaba a gatas, vio que la sangre brotaba a borbotones cada vez más pequeños, a medida que el corazón iba expulsando el resto de los seis litros aproximados que contiene el cuerpo humano.

Aunque Kaniji estaba cubierto de sangre, tan solo unas cuantas gotas habían alcanzado a Ben, que resbalaron sobre su frente cuando se incorporó. Se las secó frenéticamente con el dorso de la mano libre, y después la sacudió.

Durante un segundo, Ben contempló los dos cuerpos entrelazados teñidos de rojo, uno que todavía luchaba por recuperar el aliento, el otro pálido e inmóvil. Sin pensarlo dos veces, Ben huyó. Aferró los cuadernos de laboratorio bajo el brazo, como si fueran un balón de rugby, y recorrió a la inversa la ruta que Kaniji y él habían tomado para llegar al antiguo despacho de Satoshi.

Al salir por la entrada principal del edificio, situada en la planta baja, Ben vaciló un momento, sin saber muy bien qué hacer. Sin las llaves del antiguo Datsun de Kaniji, no era necesario volver al bosquecillo donde estaba aparcado el coche. Mientras su mente repasaba a toda velocidad diversas opciones, ninguna de ellas muy esperanzadora, se vio obligado a entrar en acción cuando oyó sirenas a lo lejos. Aunque perdido en una ciudad extranjera, sabía que el río Kamo corría hacia el oeste y atravesaba Kioto de norte a sur, y se hallaba cerca del *ryokan* donde se alojaba, en la parte antigua de la ciudad.

Con la energía de alguien que participaba en triatlones, Ben corrió hacia el río, guiándose por las estrellas. Corría con agilidad y sin esfuerzo, al tiempo que intentaba ser lo más silencioso posible. Al cabo de tan solo tres manzanas oyó que las sirenas enmudecían, lo cual sugería que las autoridades ya habían llegado al laboratorio. Ben aceleró, con la mandíbula tensa. Lo último que deseaba era que lo detuvieran. Angustiado y tembloroso, le habría costado contestar a las preguntas más sencillas, y mucho más explicar por qué corría a aquella hora de la noche cargado con cuadernos robados de un laboratorio de la Universidad de Kioto. Cuando llegó al río, se desvió hacia el norte y adoptó un ritmo rápido pero constante, como si participara en una carrera.

Tres semanas después
Lunes, 22 de marzo de 2010, 9.37 h
Tokio, Japón

Naoki Tajiri llevaba en el *mizu shobai*, o «comercio de agua», mucho más tiempo del que deseaba admitir. Había empezado desde abajo nada más acabar el instituto, lavando tazas de sake, jarras de cerveza y vasos de *shochu*, una bebida alcohólica similar al vodka, y poco a poco había ido asumiendo responsabilidades mayores. Con el fin de engrosar su currículo, había trabajado en todo tipo de establecimientos, desde los *nomiya* tradicionales, o locales de bebidas, hasta los bares de putas regentados por la yakuza, la versión japonesa de la mafia. Naoki no era miembro de ninguna banda, pero era tolerado e incluso solicitado por la yakuza debido a su experiencia, y ese era el motivo de que fuera gerente del Paradise, uno de los locales nocturnos más famosos del barrio de Akasaka, en Tokio.

Aunque Naoki había empezado su carrera en su pequeña ciudad natal, con los años se había ido desplazando a ciudades más grandes, hasta desembarcar por fin en Kioto, y después en Tokio. Durante esos años, Naoki había visto prácticamente todo lo relacionado con el comercio de agua, incluido dinero, alcohol, juego, sexo y asesinato. Hasta esa mañana.

Todo empezó con una llamada telefónica poco antes de las seis de la mañana. Irritado por haberle despertado al poco de dormirse, respondió malhumorado, pero no tardó en cambiar de tono. Quien llamaba era Mitsuhiro Narumi, el *saiko-komon*, o asesor principal, del *oyabun*, o jefe de la Inagawa-kai, la organización yakuza dueña del Paradise. El que alguien tan importante le llamara a él, un simple gerente de club nocturno, le produjo escalofríos.

Naoki temía que algo horrendo hubiera sucedido en el Paradise durante la noche y, como gerente, era su responsabilidad saberlo todo. Pero se trataba de algo muy diferente, algo bastante extraordinario. Narumi-san llamaba para informarle de que Hisayuki Ishii, el *oyabun* o jefe de otra familia yakuza, iría al Paradise para celebrar una importante reunión con Kenichi Fujiwara, el viceministro de Economía, Comercio e Industria, un burócrata con contactos políticos de muy alto nivel. Narumi-san continuó explicando que Naoki sería responsable personalmente de que la reunión fuera bien.

«Dales todo cuanto necesiten o deseen», fue la orden final.

Aliviado de que la llamada no supusiera ningún problema grave, a Naoki se le había despertado la curiosidad de saber por qué un *oyabun* de otra organización yakuza se desplazaba a una propiedad de la Inagawa-kai, sobre todo para hablar con un ministro del gobierno. Pero no le tocaba a él hacer preguntas, y Narumi-san no le dio ninguna explicación antes de finalizar con brusquedad la conversación.

Cerca de las diez de la mañana, Naoki empezó a tranquilizarse. Todo estaba organizado. Los muebles habituales habían sido retirados, con el fin de colocar una mesa especial en el centro del salón principal, en el segundo piso. Habían sacado de la cama al mejor camarero de Naoki por si pedían bebidas exóticas. Habían llamado a cuatro chicas de compañía por si los visitantes solicitaban sus servicios. El toque final fue un cenicero, junto con un surtido de paquetes de cigarrillos, tanto nacionales como extranjeros, ante cada uno de los dos asientos.

El *oyabun* fue el primero en llegar, junto con una cohorte de esbirros cortados por el mismo patrón, todos vestidos con trajes negros de zapa, gafas de sol y pelo pincho con mucha brillantina. El *oyabun* iba vestido con un estilo más conservador, con un traje italiano de lana oscuro hecho a medida y zapatos ingleses acabados en punta muy lustrados. Llevaba el pelo corto y bien peinado; la manicura, perfecta. Era la personificación del hombre de negocios triunfador, que combinaba una serie de negocios legales con sus responsabilidades como jefe de la familia mafiosa Aizukotetsu-kai, radicada en Kioto. Pasó ante el inclinado Naoki como si formara parte del mobiliario. Una vez situado a la cabecera de la mesa, aceptó con brusquedad un poco de whisky, mientras examinaba con displicencia los paquetes de cigarrillos. A modo de distracción añadida, Naoki había indicado a su encargado que llamara a las mujeres.

Naoki se dirigió a la entrada de abajo para esperar la llegada de su segundo invitado importante. Como el Paradise estaba abierto las veinticuatro horas del día, trescientos sesenta y cinco días al año, no había puerta propiamente dicha. La sustituía una cortina invisible de aire en movimiento que mantenía a raya el frío del invierno o el calor y la humedad del verano. La idea era capitalizar el capricho de los transeúntes, de manera que entrar fuera de lo más fácil. No era raro que un transeúnte entrara, con la intención de quedarse un momento, y después prolongara su estancia una o dos horas.

La planta baja del Paradise era un amplio salón de *pachinko*. Incluso a aquella hora de la mañana había más de cien jugadores, al parecer en estado comatoso, sentados delante de ruidosos *pinball* verticales. Con una mano lanzaban las bolas en vertical, que luego descendían en picado tras el cristal de las máquinas. Durante el descenso, las bolas de acero inoxidable se estrellaban contra diversos obstáculos y senderos. El *pachinko* inspiraba una devoción casi fanática en muchos jugadores, y aunque Naoki no lo entendía, le daba igual. El juego era responsable de casi el cuarenta y cinco por ciento de los ingresos del Paradise.

Vio en la calle los sedanes negros en que habían llegado el *oyabun* y su séquito. Entre los Toyota Crown se encontraba el vehículo del *oyabun*, un impresionante Lexus LS 600h L negro, el nuevo buque insignia de la marca Lexus y de la industria automovilística japonesa. Todos los coches estaban aparcados en una zona prohibida, pero eso no preocupó a Naoki. La policía reconocería los vehículos y haría la vista gorda. Naoki conocía muy bien la fluida y muy poco ortodoxa relación entre las autoridades gubernamentales, incluida la policía, y la yakuza, como demostraba sin la menor duda la inminente reunión que apadrinaría aquella misma mañana.

Naoki consultó la hora y notó que su nerviosismo se renovaba. Pese a la leve sonrisa de complacencia que había detectado en el rostro del *oyabun* cuando habían aparecido las chicas, Naoki era consciente de que el *oyabun* tal vez interpretaría la espera como una señal de falta de respeto por parte del viceministro. Para alivio de Naoki, no obstante, en cuanto volvió la vista a la derecha divisó la comitiva del viceministro.

A media manzana de distancia, avanzaban hacia él tres Toyota Crown, tan juntos que parecían yuxtapuestos. El del centro se detuvo justo delante de Naoki. Aunque este extendió una mano para abrir la puerta posterior del vehículo, un ejército de hombres vestidos de negro con auriculares saltó de los otros dos coches y rechazaron su esfuerzo con un ademán. Él se apresuró a obedecerlos.

Naoki hizo una profunda reverencia cuando Kenichi Fujiwara bajó a la acera. El hombre, que iba vestido casi con tanta elegancia como el *oyabun*, titubeó un momento mientras inspeccionaba la fachada del Paradise. Los cinco pisos superiores del edificio eran una casa de citas, cuyas habitaciones temáticas podían alquilarse por horas o por días. La expresión de Kenichi era de leve desprecio, como insinuando que no era él quien había elegido el lugar. No obstante, entró en el Paradise a través de la cortina de aire, pasando ante el inclinado Naoki con la misma indiferencia exhibida por el *oyabun* cuando llegó un cuarto de hora antes.

Naoki se incorporó, corrió para adelantarse a su invitado, y se dirigió a los recién llegados en voz lo bastante alta para que le oyeran por encima del estruendo de las bolas de *pachinko*.

—La reunión se celebrará en el segundo piso. Síganme, por favor.

Arriba, las chicas estaban riendo, y se cubrieron la boca con timidez. Un momento después, fueron barridas a un lado cuando el *oyabun* se levantó con brusquedad al ver al viceministro. Sin la menor queja, las chicas se replegaron en el bar.

Aunque los dos séquitos se miraron con una mezcla de desdén y una pizca de hostilidad reprimida, el saludo entre las dos autoridades fue cordial y penosamente equivalente, como el de dos ejecutivos amigos.

—¡Kenichi Fujiwara Daijin! —dijo el *oyabun* con voz tensa y forzada, imprimiendo idéntico énfasis a cada sílaba.

—¡Hisayuki Ishii Kunicho! —respondió el viceministro de forma similar.

A la vez que hablaban, se hicieron una mutua reverencia en el mismo ángulo exacto y bajaron los ojos en señal de respeto. Después, intercambiaron tarjetas. Primero el viceministro, que extendió la tarjeta sujeta con ambas manos por los pulgares y los índices al tiempo que repetía una reverencia menos profunda. El *oyabun* le imitó con suma precisión.

Tras el ritual de intercambio de tarjetas, los hombres se volvieron un momento hacia sus respectivos séquitos, y con una simple mirada y un movimiento de cabeza los dirigieron a lados opuestos de la sala. En aquel momento, el *oyabun* y el viceministro se sentaron, uno frente al otro, separados por la larga mesa de biblioteca hecha de caoba que habían encontrado para la ocasión. Cada uno colocó la tarjeta del otro delante y en el centro, exactamente paralela al lado de la mesa.

Sin instrucciones concretas que indicaran lo contrario, Naoki, que debía pasar inadvertido, permaneció cerca por si alguno de los distinguidos invitados solicitaba algo. Intentó en vano no escuchar lo que decían. En su negocio, poseer información podía ser peligroso.

Tras una serie de cortesías, mediante las cuales afirmaron su mutuo respeto, Kenichi fue al grano.

—No nos queda mucho tiempo antes de que echen de menos mi presencia en el ministerio. En primer lugar, permítame expresarle mi sincero agradecimiento por haber consentido en efectuar el tedioso viaje entre Kioto y Tokio.

—No ha sido ninguna molestia —respondió Hisayuki con un ademán displicente—. Tenía que venir a Tokio por negocios.

—En segundo lugar, el ministro le envía recuerdos y confía en que comprenda que habría preferido celebrar esta reunión con usted en mi lugar. Por desgracia, le convocaron a una reunión inesperada con el primer ministro.

Hisayuki no respondió verbalmente. Se limitó a asentir para indicar que le había oído. En realidad, el repentino cambio de agenda, sucedido a primera hora de la mañana, le había enfurecido, pero por temor a exagerar su reacción había aceptado la nueva situación. Un encuentro de alto nivel con el gobierno, fuera con el ministro o con el viceministro, era algo demasiado excepcional para desaprovecharlo. Además, en muchos sentidos el viceministro era más poderoso que el ministro. No había sido elegido por este, sino que era un funcionario de reconocido prestigio. Además, Hisayuki sentía curiosidad por saber qué le iban a ofrecer. Las relaciones entre la yakuza y el gobierno siempre exigían negociaciones.

—También quiero que sepa que nos habría gustado ir a Kioto, pero teniendo en cuenta el estado de la economía mundial y la economía nacional, los medios no cesan de acosarnos y creemos que no podemos correr ese riesgo. Es importante que esta entrevista sea ocultada a los medios. El gobierno necesita su ayuda. Usted sabe tan bien como yo que Japón no posee un equivalente de la CIA o el FBI.

Hisayuki reprimió con cierto esfuerzo una sonrisa de satisfacción. Como negociador nato, era un placer para él que alguien susceptible de serle útil le abordara para pedirle un favor. Interesado, Hisayuki se inclinó hacia delante para acercar su rostro más al de Kenichi.

—¿Puedo suponer, en esta circunstancia en particular, que mi posición de *oyabun* de una familia yakuza me concede la oportunidad de poder ayudar al gobierno?

Kenichi también se inclinó hacia delante.

—Ese es precisamente el motivo.

Pese a los intentos de Hisayuki de evitarlo, una leve sonrisa apareció en su cara, lo cual le obligó a contradecir su mantra de no expresar la menor emoción cuando negociaba.

—Perdone si considero esto irónico —dijo, mientras controlaba su expresión—. El que ahora pide ayuda, ¿no es el mismo gobierno que aprobó las leyes antibandas en 1992? ¿Cómo es eso posible?

—Como usted sabe, el gobierno siempre ha sido ambivalente con la yakuza, y esas leyes fueron aprobadas por motivos políticos, no para imponer su cumplimiento. Además, no se han llevado a la práctica. Más en concreto, no se aprobado nada equivalente a la Ley RICO norteamericana, y sin una ley semejante nuestras leyes antibandas nunca podrán ser llevadas a la práctica.

Hisayuki juntó las yemas de los dedos. Le gustaba el sesgo que tomaba la conversación.

—La ironía reside en que las leyes antibandas no han influido tanto en las actividades delictivas como en nuestros negocios legales. ¿Sería reacio a estudiar algunas de estas circunstancias concretas si me avengo a ayudarle a usted y al gobierno?

—Eso es justo lo que pensábamos ofrecer. Cuanto más legales sean las operaciones comerciales o la empresa, y cuanto más libres parezcan del control de la yakuza, más podremos intervenir. Será un placer para nosotros.

—Otra pregunta antes de decirme qué desean: ¿por qué yo? ¿Por qué la Aizukotetsu-kai? Comparados con la Yamaguchigumi, o incluso con la Inagawa-kai, somos muy pequeños.

—Hemos acudido a usted porque usted y la Aizukotetsukai, como principal yakuza de Kioto, ya están implicados.

Las cejas del *oyabun* apenas se enarcaron, reflejando tanta sorpresa como confusión.

—¿Cómo saben que estamos implicados, y cuál es exactamente el problema?

—Sabemos que están implicados debido a la fuerte inversión que han hecho en la empresa, relativamente nueva, iPS Patent Japan a través de su empresa RRTW Ventures. Con tantas acciones en juego, suponemos que creen, al igual que el gobierno, que la tecnología de las células madre pluripotentes inducidas va a dominar la industria de la biotecnología durante el próximo siglo. La mayoría creemos que, en cuestión de una década o así, estas células iPS van a ser claves para curar, no solo tratar, multitud de enfermedades degenerativas. Y de paso, darán lugar a una industria muy rentable. ¿Estoy en lo cierto?

Hisayuki no se movió.

—Voy a tomar su silencio como una afirmación. También voy a asumir, debido al tamaño de su inversión, que cree que la Universidad de Kioto no estaba preparada para manejar los aspectos de las patentes de los grandes avances que surgían de sus laboratorios de células madre, pues eso era lo que iPS Patent Japan se proponía rectificar y controlar.

Kenichi hizo una nueva pausa, pero Hisayuki permaneció tan inmóvil como una estatua, estupefacto por la exactitud de lo que estaba escuchando. No tenía ni idea de que el gobierno estuviera enterado de la inversión que había hecho en iPS Patent Japan, puesto que la empresa todavía no había salido a la luz pública.

Después de carraspear y esperar un momento por si el *oya-bun* quería responder, el viceministro continuó.

—Decir que el Ministerio de Economía, Comercio e Indus-tria está preocupado por el hecho de que nuestra nación corre el peligro de perder su ascendencia en este campo tan importan-te, el de comercializar la tecnología de las iPS, a manos de los estadounidenses, sería una burla de nuestros verdaderos senti-mientos. Estamos desesperados, sobre todo porque el pueblo ja-ponés ya ha aceptado la preponderancia de Japón en dicho campo como una cuestión de orgullo nacional. Todavía peor, hemos ave-riguado hace muy poco que se ha producido una deserción gra-vísima, la de un investigador del laboratorio de células madre de la Universidad de Kioto.

Como si despertara de un trance, Hisayuki se enderezó.

—¿Adónde ha desertado? —soltó.

Los yakuza de la vieja escuela, como la extrema derecha ja-ponesa, eran apasionadamente patrióticos. Para él, ese compor-tamiento de un investigador japonés era anatema.

—A Estados Unidos, por supuesto, por eso estamos tan preocupados: a Nueva York, para ser más concreto. La deser-ción ha sido orquestada por una nueva empresa llamada iPS USA, que planea aprovechar el caos de las patentes en el campo de las células madre, y la tecnología iPS en particular. Aunque se dice que la empresa se encuentra en «modo sigiloso», parece ser que su objetivo es monopolizar toda la propiedad intelectual importante en este campo tan prometedor.

—Lo cual significa que podrían terminar controlando lo que promete ser una industria billonaria, una industria que Japón debería controlar por derecho propio.

—Bien dicho.

—¿Este desertor plantea una amenaza muy grande?

—Enorme. iPS USA se alió con una cohorte de la Yamagu-chi-gumi aquí en Tokio, con la ayuda de algunos contactos de la mafia de Nueva York, a fin de llevar a cabo espionaje industrial en Kioto. Hubo un robo en las instalaciones (un guardia de seguridad de la universidad fue asesinado) y consiguieron apoderarse de las únicas copias en papel del trabajo del desertor. Estos valiosos cuadernos de laboratorio estaban irresponsablemente guardados en un archivador del laboratorio de la Universidad de Kioto, que ni siquiera estaba cerrado con llave. Es un desastre complicado y muy peligroso.

Hisayuki había oído vagos rumores acerca del robo en la Universidad de Kioto, incluso de la muerte del guardia de seguridad, pero que no involucraban a la banda rival Yamaguchi-gumi. Sabía que la Yamaguchi-gumi había intentado en otras ocasiones invadir su territorio. A diferencia de las demás familias yakuza, la Yamaguchi, radicada en la ciudad de Kobe, despreciaba la tradición al extenderse a otras localidades de Japón. Pero la idea de que estuvieran colaborando con una empresa estadounidense para llevar a cabo espionaje industrial en Kioto era de lo más indignante. Como *oyabun* de la Aizukotetsu-kai tenía que proteger la inversión hecha en iPS Patent Japan.

—¿Por qué es tan importante el trabajo de este investigador?

—Debido a lo que hizo a espaldas de todo el mundo. Según tengo entendido, estaba trabajando en células madre y en células iPS de ratones, tal como le habían ordenado sus superiores. Pero en sus ratos libres trabajaba con células humanas. De hecho, estaba trabajando con sus propias células, a partir de una biopsia de sus antebrazos. Como resultado, fue el primero en producir células iPS humanas, no sus jefes, que se han adjudicado el mérito. Cuando intentó señalar esto a sus superiores de la universidad, no le hicieron caso, le despidieron, y después le prohibieron el acceso al laboratorio para recoger sus efectos personales. Dichos efectos personales incluían copias en papel de su trabajo, las cuales respaldaban sus reclamaciones, y que habían sido borradas a propósito del ordenador de la universidad. Trataron a ese hombre de una manera abominable, aunque al defender sus derechos estaba saltándose la tradición japonesa. La competencia en el ámbito académico actual, tan íntimamente relacionado con la industria, puede ser brutal.

—¿Qué cree que va a pasar?

—¡Lo que ya está pasando! —dijo Kenichi, indignado—. De hecho, nos enteramos de este desastre gracias a la oficina de patentes de Japón. Con la ayuda de iPS USA, nuestro desertor ya ha presentado una querella contra la Universidad de Kioto y contra la validez de sus patentes iPS, y ha contratado a uno de los abogados expertos en patentes más prestigiosos de Tokio. Al contrario que sus anteriores jefes de laboratorio, no tenía contrato con la universidad relativo a la propiedad de su trabajo, lo cual significa que es de él y no de la universidad. Posee ahora una serie de patentes estadounidenses pendientes, que sin duda pondrán en entredicho a las patentes de Kioto en el WTO de Japón, así como a las que son propiedad de una universidad de Wisconsin, porque Estados Unidos reconoce el momento de la invención, no el momento de la presentación de los documentos. Es el único país del mundo que lo hace.

—Se trata sin duda de una emergencia —replicó Hisayuki, con el rostro congestionado. Por dentro, se estaba arrepintiendo de su decisión de invertir tanto dinero en iPS Patent Japan. Si la realidad que el viceministro estaba describiendo llegaba a materializarse, el valor en el mercado de iPS Patent Japan descendería a cero—. ¿Cómo se llama ese desertor traicionero? —preguntó airado.

—Satoshi Machita.

—¿Es de Kioto?

—Sí, pero ahora él y su familia más próxima, incluidos los abuelos, se encuentran casi domiciliados en Estados Unidos, y muy pronto obtendrán la residencia. Esto ha ocurrido gracias a la connivencia entre la Yamaguchi-gumi e iPS USA, pero sobre todo por culpa de la Yamaguchi-gumi, responsables de sacarles de Japón e introducirles en Estados Unidos. No estamos seguros de por qué Yamaguchi lo hizo, pero podría deberse a una relación económica con iPS USA.

—¿En qué lugar de Estados Unidos vive Satoshi?

—Carecemos de información fidedigna. No tenemos la dirección. Suponemos que está en Nueva York, pues ahí se encuentra la sede de iPS USA, y es miembro de la junta consultiva científica de la empresa.

—¿Le queda familia en Kioto?

—Me temo que no. Al menos, familiares próximos no. La Yamaguchi trasladó a todos, incluida su esposa, una hermana soltera y los cuatro abuelos.

—Da la impresión de que me está transmitiendo esta información un poco tarde.

—Casi todo lo que le he contado nos ha sido comunicado durante estos últimos días, después de que avisaran a la oficina de patentes del inicio de acciones legales. La Universidad de Kioto tampoco ha sido de mucha ayuda. Solo nos informaron de lo que habían sustraído después de cometido el robo, y porque se lo preguntamos directamente.

—¿Qué es lo que usted aconsejaría hacer a la Aizukotetsu-kai si estuviera en mi mano transmitir tales sugerencias, cosa que no pienso admitir?

El viceministro carraspeó y tosió sobre su puño. No le sorprendía en absoluto la ridícula cautela del *oyabun*, y respondió de la misma forma.

—No voy a suponer que puedo decir a la Aizukotetsu-kai cómo dirigir su organización. Pensé que era importante para mí contar a alguien cuál era la situación actual y cuáles eran los peligros inmediatos para la Aizukotetsu-kai y su paquete de acciones, pero nada más que eso.

—¡Pero hay que hacer algo, y pronto!

—Estoy totalmente de acuerdo, así como el ministro, e incluso el primer ministro; pero por motivos evidentes, tenemos las manos atadas. Ustedes no, sin embargo. Tienen sucursales en Nueva York, ¿verdad?

—¿A qué sucursales se está refiriendo, Fugiwara-san? —preguntó el *oyabun* en tono inocente, al tiempo que enarcaba sus pobladas cejas para subrayar sus palabras. No iba a aceptar de forma tácita tal afirmación, pese a que se trataba de algo bastante conocido.

—Con el debido respeto, Ishii-san —dijo el viceministro con una leve reverencia—, no es momento de fingimientos. El gobierno conoce muy bien las operaciones de la yakuza en Estados Unidos, y sus vínculos con las organizaciones criminales locales. Sabemos lo que está pasando y, para ser sincero, nos encanta que envíen tanto cristal a Estados Unidos, pues eso significa menos problemas aquí. No nos entusiasman tanto sus otras actividades, en términos de contrabando de armas, juego y vicio, pero han sido toleradas por si sus contactos podían ser beneficiosos en alguna circunstancia futura, tal como ocurre con la actual calamidad.

—Tal vez pueda transmitir la información que ha sido tan amable de proporcionarme a ciertos conocidos —dijo Hisayuki tras una breve pausa—. Puede que se les ocurra algo beneficioso para los intereses de ambos.

—Esa era la idea general, y el ministerio, de hecho, el gobierno en pleno, estaría muy agradecido.

—No puedo prometer nada —se apresuró a añadir Hisayuki, mientras sopesaba varias ideas. Sabía que tenían que encontrar al desertor de inmediato, lo cual no creía que planteara ningún problema. Pero la perfidia de alguna banda de la Yamaguchigumi, violando las normas establecidas y operando en la ciudad de Kioto sin su permiso, era un problema diferente. No podía tolerarse. Confiaba en que se tratara de una banda renegada aislada, que actuaba sin que lo supiera el *oyabun* de la Yamaguchigumi. Antes de tomar alguna decisión en su feudo, juró descubrir la verdad sobre aquella cuestión vital. Pero estaba limitado por la realidad de que la Aizukotetsu-kai se veía eclipsada por la Yamaguchi-gumi, como una nación en vías de desarrollo ante una superpotencia.

—Una cosa que me gustaría subrayar —dijo el viceministro— es que, hagan lo que hagan, sobre todo en Estados Unidos, ha de hacerse con la máxima discreción. Cualquier daño que sufra el desertor debe parecer natural, y el gobierno japonés no puede verse implicado en ello de ninguna manera.

—Trato hecho —dijo el *oyabun*, distraído.

Dos días después
Miércoles, 24 de marzo de 2010, 16.14 h
Nueva York

Satoshi Machita firmó con desenvoltura y aplicó su sello *inkan* personal a las cinco copias del acuerdo que concedía a iPS USA derechos de licencia mundiales en exclusiva por sus patentes de iPS pendientes.

El contrato le proporcionaba un justo y lucrativo tanto por ciento, incluidas generosas opciones de compra de acciones que se prolongarían durante los veinte años siguientes. Con una floritura final, Satoshi levantó la pluma hacia los presentes y agradeció los aplausos de entusiasmo. La firma representaba un nuevo capítulo tanto en la vida de Satoshi como en el futuro de iPS USA, que ahora se encontraba en posición de controlar el desarrollo comercial a escala mundial de las células madre pluripotentes inducidas, las cuales, según la opinión de casi todos los biólogos moleculares, curarían las enfermedades degenerativas humanas. Sería una revolución en la historia de la medicina, un adelanto que eclipsaría a todos los demás.

Como fundador y director general de iPS USA, el doctor Benjamin Corey fue el primero en adelantarse y estrechar la mano de Satoshi. Destellaron flashes entre vítores, que bañaron de manera intermitente a los dos hombres con estallidos de una luz azul gélida. Corey, de pelo rubio y metro noventa de estatura, empequeñecía a su compañero de pelo oscuro, pero nadie se dio cuenta. Ambos se encontraban a la misma altura a los ojos de los testigos: el hombre de mayor tamaño en la parcela del capital riesgo biotecnológico, el más menudo en el campo cada vez más avanzado de la biología celular.

En aquel momento, los demás miembros del equipo de iPS USA se acercaron para estrechar la mano del futuro multimillonario. El equipo incluía al doctor Brad Lipson, director general de operaciones; Carl Harris, director de finanzas; Pauline Hargrave, jefa de la asesoría jurídica; Michael Calabrese, agente bursátil responsable de conseguir una cantidad importante del capital inicial de la empresa, y Marcus Graham, presidente de la junta asesora científica, de la cual Satoshi era miembro. Mientras continuaban las felicitaciones mutuas, y como todos los presentes estaban convencidos de que iban a ser mucho más ricos, Jacqueline Rosteau, secretaria y ayudante personal de Ben, descorchó varias botellas muy frías de Dom Pérignon del 2000, y todo el mundo lanzó vítores al oír el festivo sonido.

Ben y Carl, que se habían alejado con las copas llenas de champán, miraron satisfechos por las ventanas del despacho de Ben, que daban a la Quinta Avenida. El edificio estaba cerca de la esquina con la Cincuenta y siete, una zona muy bulliciosa de la ciudad, sobre todo cuando se acercaba la hora punta. Como caía una fina lluvia de primavera, muchos peatones llevaban paraguas y desde arriba parecían insectos apresurados con caparazones negros.

—Cuando empezamos a hablar de iPS USA —musitó Carl—, jamás habría adivinado ni en un millón de años que llegaríamos tan lejos en tan poco tiempo.

—Ni yo —admitió Ben—. Mucho del mérito por haber descubierto a Michael y su firma de inversiones, además de sus exclusivos clientes, es tuyo. Eres único entre un millón. Gracias.

Ben y Carl se hicieron amigos en la universidad, pero después cada uno había seguido su camino. Mientras Ben iba a la facultad de medicina, Carl había estudiado para obtener una licenciatura en contabilidad. A partir de ahí había saltado al mundo de las finanzas, del que Ben le había reclutado para fundar iPS USA.

—Gracias a ti, Ben —dijo Carl—. Procuro ganarme el pan.

—Y esto no habría sucedido si no nos hubiéramos enterado de la existencia de Satoshi, sus logros y lo mal que le habían tratado.

—En ese aspecto, el gran avance fue apoderarnos de sus cuadernos de laboratorio.

—Tienes toda la razón, pero no me lo recuerdes —dijo Ben con un estremecimiento. Pese a que ya habían transcurrido más de tres semanas, pensar en la experiencia y en su descerebrada decisión de participar todavía le ponía los pelos de punta. Había sido un milagro que no le hubieran detenido junto con su cómplice aquella noche.

—¿Ha habido consecuencias en Japón?

—No, que yo sepa, y Michael insiste en que sus contactos tampoco han oído nada. Es cierto que el gobierno japonés siempre ha mantenido una relación extraña, ampliamente conocida pero jamás reconocida, en plan compañeros de cama, con sus yakuza, que es la antítesis de la relación de nuestro gobierno con nuestra mafia.

—Hablando de la mafia —dijo Carl, al tiempo que bajaba la voz—, ¿no te preocupa su continua implicación?

—No me gusta, por supuesto —admitió Ben—, pero siendo nuestro «ángel» inversor más importante, junto con sus socios de la yakuza, y teniendo en cuenta el papel que han desempeñado a la hora de obtener los cuadernos de laboratorio y traer aquí a Satoshi y su familia con tanta rapidez, has de reconocer que no estaríamos donde estamos de no ser por su intervención. Pero tienes razón. Permitir que sigan participando es jugar con fuego, y eso debe cambiar. Ya hablé con Michael sobre este asunto antes de que llegara Satoshi, y él y yo vamos a reunirnos en su despacho mañana a mediodía. Lo comprende y está de acuerdo. Le dije que, a partir de hoy, el papel de sus clientes ha de volver a ser el de inversores silenciosos, nada más. Podemos ofrecer algunas opciones de compra de acciones para conseguir que se esfumen.

Carl enarcó las cejas, escéptico por que pudiera ser tan fácil, pero no contestó. Satoshi se había acercado para despedirse y excusarse de la fiesta.

—Quiero volver a casa con mi familia y darles la buena noticia —dijo, al tiempo que hacía una reverencia a Ben y Carl.

—Lo comprendemos —contestó Ben, y entrechocó las manos con el diminuto investigador de apariencia juvenil. Cuando Ben le conoció, pensó que era todavía adolescente, aunque ya tenía unos treinta y cinco años—. ¿Pudiste reunirte con Pauline para solucionar lo del testamento y el fondo fiduciario?

—Sí, y lo firmé todo.

—Estupendo —respondió Ben, y volvieron a entrechocar las manos.

Satoshi se había doctorado en Harvard y conocía bien las costumbres estadounidenses. Después de otra ronda de apretones de manos, felicitaciones mutuas y promesas de volver a reunirse en circunstancias más lúdicas, Satoshi dio media vuelta para marcharse, pero regresó tras dar unos pasos.

—Quería preguntarle una cosa —dijo mirando a Ben—. ¿Me ha conseguido ya acceso a algún laboratorio?

Todavía en pañales, iPS USA solo contaba con espacio para oficinas en el edificio de la Quinta Avenida. Carecía de instalaciones de investigación, y era probable que jamás las tuviera. Su plan comercial era aprovecharse del caos relacionado con las patentes relativas a las células madre en general, y a las células madre pluripotentes inducidas en particular. La idea consistía en monopolizar el mercado de células madre a base de controlar la propiedad intelectual relacionada con los descubrimientos de otras personas, y lograrlo antes de que otros conocieran las intenciones de iPS USA: una especie de guerra relámpago de la propiedad intelectual.

—Aún no —admitió Ben—, pero creo que estamos haciendo progresos en el Columbia Medical Center para alquilar espacio en su nuevo edificio de células madre. Nos lo comunicarán de un momento a otro. Pásate por aquí o llámame mañana. Les telefonearé a primera hora de la mañana.

—Gracias —dijo Satoshi, al tiempo que hacía una reverencia—. Soy muy feliz.

—Seguiremos en contacto —dijo Ben, y dio una palmada en el hombro del diminuto hombre.

—*Hai, hai* —contestó Satoshi, y salió.

—¿Espacio de investigación? —preguntó Carl después de que Satoshi abandonara la sala.

—Arde en deseos de trabajar. Se siente un poco como un pez fuera del agua cuando no está en el laboratorio.

—Debo decir que habéis acertado de pleno.

—Supongo. Jacqueline y yo hemos ido a cenar con él y su mujer un par de veces. Tiene un niño pequeño, de un año y medio. Te aseguro que el niño ni siquiera parece real, y es muy silencioso. Ni un sonido. Se limita a pasear la vista a su alrededor con esos ojos enormes, como si lo absorbiera todo.

—¿Qué hará en el laboratorio? —preguntó Carl, siempre controlando los gastos—. ¿No saldrá muy caro?

—Quiere trabajar en técnicas de electroporación para generación de iPS —dijo Ben con un encogimiento de hombros—. No lo sé con exactitud, y tampoco me importa. Lo que me interesa es tenerle contento, por eso nos apresuramos a traerle a él y a su familia a Estados Unidos cuanto antes, sin esperar a que finalizaran las formalidades. Es un investigador nato, y considera todas las negociaciones legales una pérdida de tiempo. No queremos que se distraiga o cambie de opinión hasta que lo tengamos todo atado, me refiero a las patentes. Va a ser nuestra gallina de los huevos de oro, pero solo si conseguimos que se sienta a gusto en el nido.

—O sea que, de momento, es un inmigrante ilegal.

—Supongo, pero eso pronto cambiará. No me preocupa. Gracias al secretario de Comercio, el consulado de Estados Unidos en Tokio está trabajando para conseguirles a todos la tarjeta de residencia permanente.

—¿Dónde viven él y su familia? —preguntó Carl. Teniendo en cuenta la importancia de Satoshi para el éxito de iPS USA, Carl consideraba prudente saber dónde estaba el hombre en todo momento.

—No lo sé. Ni quiero saberlo, por si las autoridades vienen a preguntar. Creo que ni siquiera Michael lo sabe. Al menos, esa fue mi impresión la última vez que hablamos al respecto. Lo que sí tengo es el móvil de Satoshi.

Carl rió en voz baja, más asombrado que divertido.

—¿Qué es eso tan gracioso?

—Oh, qué intrincada red tejemos cuando practicamos por primera vez el engaño.

—¡Muy listo! —dijo con sarcasmo Ben—. ¿Intentas decir que no habríamos debido meter a Satoshi en esto, cuando nuestros esfuerzos en la parcela del espionaje industrial nos proporcionaron su nombre e historial?

—No, no necesariamente. Es que me inquieta nuestra implicación con la familia Lucia.

—Razón de más para cortar todo contacto. Tal vez hagan falta más opciones de compra de acciones de las que sospecho para terminar con ellos, pero valdrá la pena. Dejaré las negociaciones en tus hábiles manos, y en las de Michael.

—¡Muchísimas gracias! —murmuró Carl con idéntico sarcasmo—. Oye, ¿qué era eso de Pauline y el fondo fiduciario? ¿Qué tipo de fondo?

—Satoshi está un poco paranoico con la Universidad de Tokio y el hecho de haber sido expulsado de Japón. Está preocupado por su mujer y su hijo si le pasara algo a él. Me di cuenta de que era una buena idea que iPS USA tomara precauciones. Pedí a Pauline que hablara con él, y ella le endosó un par de testamentos para él y su mujer, y un fondo fiduciario para el crío. Introdujimos una cláusula que protegerá nuestro acuerdo de licencia, por supuesto.

—¿Quién es el fideicomisario del chico?

—Yo. No fue idea mía, pero podemos considerarlo una capa extra de seguridad.

Satoshi Machita estaba entusiasmado. Mientras bajaba en el ascensor art déco, de trabajados adornos, se dio cuenta de que jamás había sido más feliz en su vida. Acababa de trasladarse a Estados Unidos, y su familia y él ocupaban una casa justo al otro lado del puente George Washington. Sin duda añoraría una serie de cosas de su antigua vida en Japón (los cerezos en flor que rodeaban los gloriosos templos de Kioto, su ciudad natal, y la vista del amanecer desde el pico del monte Fuji), pero aquellos placeres serenos no podrían compararse con la sensación de libertad que experimentaba aquí: una vida que había aprendido a amar mientras estudiaba en Harvard y vivía en Boston. Lo que no iba a añorar de Japón sería el abrumador peso del deber con el que había cargado desde que tenía uso de razón: deberes para con sus abuelos, deberes para con sus padres y profesores, deberes para con los jefes de su laboratorio y para con las autoridades universitarias, incluso deber para con su comunidad y, en definitiva, con su país. Nunca se lo había podido sacar de encima.

Se detuvo antes de salir para mirar a través del cristal escarchado los peatones que pasaban a toda prisa, así como la confusión de taxis amarillos y autobuses urbanos que intentaban avanzar hacia el centro bajo la llovizna y la espesa niebla. Por un momento, Satoshi pensó en parar un taxi, pero después cambió de idea. Pese a reconocer que el contrato que acababa de firmar le convertiría en multimillonario en un futuro no demasiado lejano, aún se sentía como el chico pobre que había sido en su adolescencia. A pesar de que el sueldo que iPS USA le pagaba por pertenecer a la junta consultiva científica de la empresa era generoso, teniendo en cuenta el escaso trabajo que representaba, no era gran cosa, pues aún tenía que pagar ocho meses de manutención y alquiler. Como temía represalias por haber abandonado Japón, había ido a Estados Unidos con los abuelos de ambos, su hermana soltera, su mujer y su hijo. Con tales pensamientos en la cabeza, decidió recorrer a pie las tres manzanas hasta Columbus Circle y luego ir en metro hasta la terminal de autobuses del puente George Washington. Desde allí, como había aprendido durante las últimas semanas, tomaría un autobús que cruzaría el puente en dirección a Fort Lee, New Jersey, donde le habían encontrado un alojamiento provisional para él y su familia.

Cuando Satoshi salió por la puerta giratoria, cambió la bolsa de deporte, que contenía el contrato recién firmado, de la mano derecha a la izquierda con el fin de poder utilizar aquella para sujetar las solapas de la chaqueta y mantenerlas cerradas sobre la base del cuello. La niebla que había observado desde dentro era más fría y húmeda de lo que había imaginado. Después de recorrer unos pocos pasos, pensó de nuevo en tomar un taxi, pero daba la impresión de que todos estaban ocupados.

Satoshi se paró en el bordillo hasta que el semáforo se puso en rojo para los vehículos que circulaban por la Quinta Avenida en la esquina de la calle Cincuenta y siete. Mientras buscaba en vano un taxi libre, sus ojos se posaron en un japonés parado en la acera de enfrente. Lo que llamó su atención y le sobresaltó fueron dos cosas: en primer lugar, el hombre sostenía lo que parecía una fotografía en la mano izquierda, que miraba de vez en cuando para luego desviar la vista en dirección a Satoshi. Era como si le estuviera comparando con aquella foto. Y en segundo lugar, y eso era tal vez lo más desconcertante, Satoshi estaba bastante seguro de que la apariencia del hombre era la de un miembro de la yakuza japonesa. Llevaba el típico traje negro de zapa, pelo pincho y gafas oscuras, pese a la ausencia absoluta de sol. Aún más definitivo era el hecho de que le faltaba la última articulación del dedo meñique de la mano que sostenía la fotografía. Como la mayoría de japoneses, Satoshi sabía que los miembros de la yakuza, si necesitaban pedir perdón a su jefe u *oyabun*, tenían que cortarse el extremo del dedo meñique.

Al instante siguiente, para empeorar todavía más la situación, Satoshi se dio cuenta de que eran dos los hombres, y que el primero estaba señalando en dirección a Satoshi, mientras el segundo asentía como para darle la razón.

Al temer que aquellos dos tipos fueran a cruzar la calle para abordarle, Satoshi dejó de buscar un taxi, giró en redondo y empezó a caminar a toda prisa hacia Central Park, abriéndose paso entre la muchedumbre. Aunque la yakuza Yamaguchi-gumi le había ayudado en fechas recientes a él y a su familia a huir de Japón, y les había encontrado alojamiento a instancias de Ben Corey e iPS USA, nunca había visto a esos individuos, y supuso que debían pertenecer a otra familia yakuza. No tenía ni idea de por qué otra organización yakuza quería hablar con él, pero no le interesaba averiguarlo. Sospechaba que solo podía acabar de la peor de las maneras.

Cuando llegó a la calle Cincuenta y ocho, el semáforo le animó a cruzar la Quinta Avenida en lugar de esperar a cruzar la Cincuenta y nueve. Mientras lo hacía, miró a la izquierda para ver si podía divisar a los dos hombres entre la multitud. Aunque no se detuvo para ello, no los vio, y empezó a confiar en que el incidente no fuera más que una jugarreta de su imaginación hiperactiva. Apretó el paso y cruzó bajo las ramas esqueléticas del árbol rechoncho que crecía en el pequeño parque situado delante del hotel Plaza, y caminó a toda prisa bajo la mirada de la escultura en bronce de Pomona desnuda, que se bañaba eternamente en su fuente.

Cuando Satoshi estaba a punto de doblar la esquina nordeste del hotel Plaza y encaminarse al oeste por la calle Cincuenta y nueve, miró un momento hacia atrás. Lo que vio le dejó sin respiración. Los mismos dos hombres que había visto antes estaban rodeando la fuente y se dirigían hacia él, al tiempo que conversaban con los dos hombres que avanzaban en dirección contraria a bordo de un 4×4 negro por la calzada que pasaba delante del hotel. Los dos japoneses se dieron cuenta de que Satoshi les había localizado, y reaccionaron poniéndose a correr e interrumpiendo la conversación.

Satoshi también empezó a correr, convencido ya de que le seguían y de que los miembros de la yakuza habrían estado esperando delante de iPS USA a que él apareciera. No tenía ni idea de quiénes eran ni de qué deseaban. Ben había negociado con la Yamaguchi los detalles de su emigración e inmigración. Pero el hecho de que le siguieran debía de estar motivado por su relación con iPS USA y su brusca huida de Japón a Estados Unidos.

Sin dejar de sujetar la bolsa de deporte con una mano y las solapas con la otra, Satoshi se abrió paso entre la masa de gente, sin saber muy bien qué hacer. Columbus Circle siempre es una estación de metro complicada y muy concurrida, donde convergen múltiples líneas ferroviarias, y se le antojaba un oasis que prometía seguridad, pero ¿cómo llegaría sin que sus seguidores le alcanzaran? Estaba angustiosamente convencido de que los yakuza aparecerían detrás de él de un momento a otro.

La salvación se materializó en el último instante cuando un taxi frenó en el bordillo y un pasajero bajó. Sin vacilar ni un segundo, Satoshi esquivó a los demás transeúntes y saltó dentro del taxi antes incluso de que el pasajero hubiera cerrado la puerta.

—¡Columbus Circle! —dijo sin aliento Satoshi.

Frustrado por un trayecto tan corto, el conductor dio la vuelta de manera ilegal, lo cual provocó que Satoshi saliera disparado contra la puerta que acababa de cerrar. Con la cara apretada contra el cristal, se sujetó para oponer resistencia a la fuerza centrífuga que le había inmovilizado un momento. Una vez el taxi dejó de girar, Satoshi se enderezó y miró por la ventanilla trasera, a tiempo de ver a los dos japoneses doblar la esquina del hotel y detenerse. Satoshi ignoraba si le habían visto subir al taxi, pero esperó que no fuera así.

Satoshi llegó a una de las entradas de la estación de metro de Columbus Circle sin ver a los dos japoneses ni al 4 4 detrás de él. Tranquilizado al descender al abarrotado y laberíntico mundo subterráneo, pasó a través del torniquete a toda prisa.

Al otro lado del torniquete se encontró con dos policías de Nueva York muy grandes. Satoshi volvió la cabeza cuando pasó a su lado, debido a un acto reflejo. Como inmigrante ilegal, tenía tanto miedo de la policía como de los hombres sospechosos que le seguían. Era engorroso sentir miedo de ambos extremos, y ardía en deseos de tener en su poder las tarjetas de residencia permanente que Ben le había prometido.

Se dirigió a la vía del tren A, se acercó al borde del andén y contempló la boca del túnel por el que llegaría su tren. Aguardaba su llegada con impaciencia. Si bien se sentía bastante seguro de haber evitado una confrontación con los dos japoneses, no sabía qué haría si aparecían de repente.

Retrocedió del borde del andén y contempló con suspicacia a los demás pasajeros, todos los cuales evitaron el contacto visual. El andén se llenó enseguida mientras esperaba. Los pasajeros leían periódicos, jugaban con sus móviles o contemplaban la lejanía. Llegó más gente, y cada vez iba quedando menos espacio libre. Entraron varios trenes en la estación, pero siempre por otras vías.

Fue entonces cuando Satoshi le vio. Era el mismo hombre que le había observado desde la acera de enfrente de la Quinta Avenida sujetando la fotografía. Solo les separaban unos dos metros, y miraba de soslayo a Satoshi con sus ojos negros penetrantes. Un escalofrío recorrió la espina dorsal de Satoshi. Con una renovada sensación de temor, intentó desplazarse a un lado, lejos del desconocido, pero era difícil, porque no paraban de llegar más y más pasajeros.

Tras conseguir recorrer unos pocos metros, Satoshi miró hacia delante para ver cuál era el obstáculo que le impedía continuar. Fue entonces cuando vio al segundo hombre, que fingía leer un periódico, pero en realidad estaba observando a Satoshi. Estaba tan cerca de él por delante como el otro hombre por detrás, de forma que le habían acorralado entre la vía y una pared embaldosada.

Ahora que el miedo de Satoshi había llegado al punto álgido, el formidable tren A llegó por fin, precedido por el rugido que surgió de la boca del túnel. Apenas había anunciado su aparición inminente. En un momento dado reinaba un relativo silencio, y al siguiente se produjeron un crescendo de viento furioso, un ruido ensordecedor y una vibración estremecedora. Y fue durante este torbellino de escasa magnitud cuando Satoshi tomó conciencia de que los dos hombres se estaban abriendo paso a empujones entre la muchedumbre, acercándose a él. Estaba dispuesto a chillar si alguno le tocaba, pero no lo hicieron. Solo percibió un silbido que sintió más que oyó, pues el ruido del tren ahogó por completo el sonido. Al mismo tiempo, notó un dolor agudo y candente en la parte posterior de la pierna, en la articulación que une la extremidad con la nalga, seguido justo después por una oscuridad y un silencio absolutos.

Susumu Nomura y Yoshiaki Eto habían trabajado juntos como pistoleros desde que habían llegado a Estados Unidos, hacía más de cinco años, a las órdenes directas de Hisayuki Ishii, el *oyabun* de su familia yakuza, Aizukotetsu-kai. Había sido un buen matrimonio, que combinaba la audacia de Susumu con la planificación cautelosa de Yoshiaki. Cuando habían recibido la orden de eliminar a Satoshi Machita, Susumu estaba tan entusiasmado y ansioso por complacer a Hideki Shimoda, el *saiko-komon* y jefe de la sucursal neoyorquina de la Aizukotetsu-kai, que quiso resolver el asunto de inmediato. Para colmo, deseaba consumar el asesinato a plena luz del día, en la Quinta Avenida. Para Susumu, era una oportunidad que ni pintada para demostrar al jefe su lealtad y osadía, rasgos de personalidad muy apreciados por los yakuza.

Pero Yoshiaki se había opuesto, insistiendo en que necesitaban unos cuantos días para urdir un plan y ejecutar la segunda parte de la orden: conseguir que el atentado pareciera la muerte natural de un individuo no identificado. Como les habían explicado, era importante evitar que la policía, y tal vez el FBI, investigara el caso.

Tras ceñirse al plan de Yoshiaki, que consistía en seguir al hombre por Manhattan durante unos cuantos días, cuando iba desde el trabajo hasta el tren A, el golpe se había desarrollado a la perfección, sin que nadie sospechara siquiera que se estaba gestando. A instancias de Yoshiaki, Susumu había esperado a que el tren A entrara en la estación para disparar a Satoshi con la pistola de aire comprimido oculta en el eje del paraguas que Hideki Shimoda le había proporcionado. En cuanto apretó el gatillo, Yoshiaki había agarrado al hombre para mantenerlo erguido cuando sus piernas cedieron. Mientras los impacientes pasajeros se abalanzaban a bordo del tren, nadie se había percatado de nada extraño cuando Susumu despojó a toda prisa a Satoshi de su bolsa de deporte, el billetero y el móvil. La única sorpresa habían sido unas leves convulsiones, pero ni siquiera eso frustró el atentado. Como ya les habían advertido de que esa circunstancia entraba dentro de lo posible, Yoshiaki había sostenido erguido a Satoshi hasta que su cuerpo se quedó sin fuerzas. En ese momento, cuando los últimos pasajeros corrían hacia el tren mientras las puertas intentaban cerrarse, Yoshiaki había depositado el cuerpo inerte sobre el andén de cemento, y Susumu y él se habían alejado sin prisas.

Cinco minutos después, los dos pistoleros yakuza subían el último tramo de escaleras y salían a la esquina de Columbus Circle, donde habían bajado tan solo un cuarto de hora antes. Ambos se sentían complacidos y orgullosos de que el asunto hubiera salido tan bien. Mientras Yoshiaki utilizaba su móvil para llamar a los hombres del 4×4 negro, Susumu abrió la cremallera de la bolsa de deporte y sacó el grueso contrato. Después de comprobar que la bolsa no contuviera nada más de interés, devolvió su atención al documento, cuyas páginas pasó a toda prisa, sin saber muy bien qué era. Su dominio del inglés era muy limitado.

—¿No están los cuadernos de laboratorio? —preguntó Yoshiaki mientras esperaba a que le contestaran. Abrió con el pulgar la bolsa de deporte que Susumu todavía sujetaba y escudriñó su interior. Se quedó muy decepcionado al ver que estaba vacía, salvo por unas cuantas revistas. Lo que esperaba ver eran un par de cuadernos de laboratorio, pues su misión consistía en asesinar a Satoshi y conseguir los cuadernos. Yoshiaki, en concreto, estaba convencido de que los valiosos cuadernos estarían en la bolsa de deporte, porque durante los días que habían seguido a Satoshi para planificar el atentado, este siempre había llevado la bolsa con él.

—Solo este puñado de papeles —dijo Susumu, al tiempo que levantaba el contrato.

Yoshiaki apoyó el teléfono en el hueco del cuello y cogió el contrato. Mientras examinaba la primera página, contestaron a su llamada.

—Ya hemos salido —dijo en inglés—. Estamos en la misma entrada del metro donde nos dejasteis.

—Nosotros estamos al otro lado de la plaza. Llegaremos dentro de un momento.

—Es un contrato legal —dijo Yoshiaki, mientras colgaba y volvía a emplear el japonés. Aunque ambos hombres llevaban más de cinco años en Nueva York, su inglés era muy poco fluido.

—¿Es importante? —preguntó esperanzado Susumu. Si no iban a poder entregar los cuadernos, Susumu deseaba entregar algo valioso en su lugar. Era un hombre ansioso por complacer.

Un Denali GMC negro frenó ante el bordillo. Yoshiaki y Susumu se apresuraron a subir al asiento trasero, y en cuanto cerraron la puerta el vehículo se adentró en el tráfico de la hora punta.

El hombre que iba en el asiento del pasajero se volvió a medias. Se llamaba Carlo Paparo. Era un hombre grande y musculoso de calva lustrosa, grades orejas y nariz respingona. Iba vestido con un jersey negro de cuello cisne, chaqueta deportiva de seda gris y pantalones negros.

—¿Dónde está vuestro investigador? ¿Le perdisteis?

Susumu sonrió.

—No le perdimos.

Se volvió hacia Yoshiaki y repitió en japonés la pregunta sobre el contrato, pero Yoshiaki se encogió de hombros para indicar que no lo sabía, mientras lo guardaba de nuevo en la bolsa de deporte.

—¿Qué ha pasado? —preguntó Carlo—. Con lo deprisa que habéis ido, no habrá sido un registro muy minucioso.

Las órdenes de Carlo no habían sido demasiado concretas. Después de que le recordaran lo importante que era la relación comercial entre los Vaccarro y la Aizukotetsu-kai, tan solo le habían dicho que debía ayudar a los dos tipos que trabajaban para la Aizukotetsu-kai a establecer contacto con un individuo japonés que había huido en fecha reciente de Japón. La ayuda consistía en acompañarles en coche por la ciudad adonde quisieran ir.

—Sufrió un infarto —dijo Yoshiaki, que deseaba dar por finalizada la conversación.

—¿Un infarto? —preguntó Carlo con escepticismo.

—Eso nos ha parecido —respondió Yoshiaki, mientras intentaba reprimir las carcajadas de Susumu. Este comprendió el mensaje y se controló al instante.

Carlo fulminó a los dos hombres con la mirada.

—¿Qué coño está pasando aquí? ¿Os estáis quedando conmigo o qué?

—¿Qué quiere decir «quedarse contigo»? —preguntó Yoshiaki. Nunca había oído esa expresión.

Carlo los dejó por imposibles y se volvió. Al mismo tiempo, intercambió una veloz mirada con su compañero, Brennan Monaghan. Tanto Brennan como Carlo eran ayudantes de Louie Barbera, y solían trabajar en equipo. Louie Barbera estaba dirigiendo las operaciones de la familia Vaccarro desde Queens, mientras Paulie Cerino continuaba cumpliendo condena en Rikers Island. Brennan llevaba el coche de Carlo porque este detestaba conducir cuando había mucho tráfico. Era demasiado impaciente, y siempre terminaba poniendo en peligro la vida de alguien, incluida la suya.

Después de recoger a los dos japoneses, Brennan había girado a la derecha por Central Park West, en dirección norte, con la intención de llegar al East Side atajando a través del parque. Pero no iba a ser rápido, porque paraban más que avanzaban.

—A ver, vosotros dos —dijo de repente Carlo, al tiempo que se volvía. Estaba claro que la situación le había frustrado, aunque no estuviera conduciendo—. ¿Habéis terminado el trabajo o qué?

Yoshiaki levantó la mano.

—Estamos intentando decidir. ¡Concédenos un momento!

—¡Mierda! —masculló Carlo, y se volvió de nuevo. Había pensado en bajar del coche y caminar, y dejar que Brennan le recogiera cuando le alcanzara. Se volvió otra vez hacia sus dos pupilos—. Tendréis que tomar una decisión, estúpidos. De lo contrario, os dejo plantados aquí hasta que encontréis un taxi. Yo también tengo cosas que hacer.

—¿Dónde está Fort Lee, New Jersey? —preguntó Susumu.

Sostenía una tarjeta. Sobre el regazo descansaba el billetero abierto de Satoshi.

—Al otro lado del río —respondió Carlo con cierta vacilación. Con aquel tráfico espantoso, uno de los últimos lugares a los que deseaba desplazarse era Fort Lee, New Jersey, lo cual exigía cruzar el puente George Washington. A aquella hora del día, lo que en circunstancias normales exigiría unos veinte minutos se convertiría con facilidad en una hora, tal vez incluso dos, y solo si tenían suerte y no se producían accidentes.

Susumu miró a su compañero y habló en japonés.

—Como tenemos la dirección, deberíamos ir a ver si encontramos los cuadernos. El *saiko-komon* dijo que quería los cuadernos de laboratorio. Después de apoderarnos de los libros, borraremos todas las huellas. Nadie se enterará.

—No sabemos si los cuadernos estarán allí.

—No sabemos si no están allí.

Yoshiaki clavó la vista al frente un momento, mientras meditaba sobre las ventajas y las desventajas.

—Vale —dijo al fin en inglés—. ¡Vamos a Fort Lee!

Carlo exhaló un suspiro y se volvió para mirar a través del parabrisas. Vio un mar de coches parados en ambas direcciones, aunque había un semáforo en verde a lo lejos.

—Creo que vamos a New Jersey —dijo con voz cansada.

Tal como Carlo temía, tardaron dos horas en llegar a Fort Lee, y otros veinte minutos en localizar la calle concreta. Era corta, como una callejuela, con varios edificios comerciales de dos plantas de ladrillo rojo cubiertos de pintadas, así como cierto número de diminutas casas ruinosas con anticuadas tablillas de amianto color hueso. El sol casi se había puesto y estaba nublado, por lo que Brennan tuvo que encender los faros. Las luces de la pequeña casa que coincidía con la dirección encontrada en el billetero de Satoshi estaban encendidas, en contraste con las de los vecinos, oscuras y con apariencia de estar abandonadas.

—Aquí es —dijo Brennan—. ¡Menudo palacio! ¿Cuál es el

plan? —Estaba mirando por la ventanilla el patio invadido de malas hierbas y lleno de toda clase de desperdicios, incluidos una bicicleta oxidada, un balancín roto, varios neumáticos desgastados y una colección de latas de cerveza vacías—. ¿Qué queréis que hagamos?

Susumu abrió una de las puertas traseras, y Yoshiaki y él salieron. Yoshiaki se asomó al interior por una de las ventanillas.

—Seremos rápidos. Tal vez sería mejor que apagarais las luces.

Brennan obedeció. Una oscuridad neblinosa los envolvió, lo cual difuminó al menos la mayor parte de la basura diseminada por los patios. Al mismo tiempo, destacaba los árboles esqueléticos de aspecto mortuorio, perfilados contra el cielo pálido y turbulento.

—Este lugar me pone la carne de gallina —dijo.

—A mí también —dijo Carlo.

Los dos matones vieron que los japoneses subían a toda prisa los inseguros escalones hasta un pequeño porche cubierto. En aquel momento, eran simples siluetas contra la apagada luz incandescente que surgía a través de la puerta principal vidriada. Hicieron una pausa y los dos desenfundaron sus pistolas.

Al instante siguiente, uno de los intrusos utilizó la culata de su arma para romper el cristal de la puerta principal, introdujo la mano en el interior y abrió la puerta. En un abrir y cerrar de ojos, ambos desaparecieron dentro, y la puerta quedó colgando de los goznes. Brennan se volvió hacia Carlo.

—¡Esto no me gusta! Se está convirtiendo en algo mucho más grave de lo que yo imaginaba. En el peor de los casos, creía que esos payasos iban a dar una paliza a alguien.

—A mí tampoco me gusta —dijo Carlo—. Preferiría no mezclarme en esto. —Consultó su reloj—. Dentro de cinco minutos nos largamos de aquí. Ya volverán por su cuenta a la ciudad.

Ambos hombres se revolvieron nerviosos en sus asientos, con la vista clavada en la entrada de la pacífica casa. Pocos minutos después, oyeron el sonido apagado de un disparo, seguido de otros dos. Los dos hombres pegaron un bote cada vez, pues ya sabían qué significaba aquel sonido: habían asesinado a alguien a sangre fría, y ellos, Brennan y Carlo, eran cómplices.

Durante el minuto siguiente se produjeron tres disparos más, dando un total de seis, lo cual provocó que el miedo y la angustia de Brennan y Carlo alcanzaran niveles alarmantes. El problema era que ninguno sabía lo que debían hacer, o sea, ignoraban lo que su jefe, Louie Barbera, querría que hicieran. ¿Acaso prefería que se quedaran y correr el riesgo de ser detenidos y acusados de cómplices, o que se largaran de allí para no poner en peligro a toda la organización Vaccarro? Como no había forma de saber la respuesta a esa pregunta, se quedaron paralizados hasta que a Carlo se le ocurrió de pronto la idea de llamar a Barbera.

Debido al repentino movimiento de sacar el móvil, Carlo consiguió que Brennan se sobresaltara de nuevo.

—¡Jesús! —se quejó Brennan—. ¡Avísame antes!

—Lo siento —dijo Carlo—. He de hablar con Louie. Tiene que saber lo que está pasando aquí. Esto es una locura.

Concentrado en marcar el número, Carlo no se dio cuenta de que Brennan le estaba dando golpecitos en el hombro, hasta que este aumentó la fuerza de sus golpes.

—¡Ya salen! —dijo angustiado Brennan, y señaló por la ventanilla lateral.

Carlo miró. Susumu y Yoshiaki estaban bajando a toda prisa los peldaños de la entrada y corrían hacia el Denali, cargados con fundas de almohada sobre los hombros. Carlo cerró el teléfono justo cuando los hombres llegaron al vehículo y se apiñaron en el asiento trasero. Sin que nadie dijera nada, Brennan puso en marcha el 4×4 y se alejó. Esperó casi una manzana a encender los faros.

Brennan y Carlo guardaron silencio durante casi diez minutos, mientras los dos japoneses mantenían una animada conversación en su idioma. Era evidente que no se sentían contentos con lo ocurrido en el interior de la casa. Cuando llegaron al puente George Washington, Carlo se había relajado lo suficiente para hablar.

—¿Algo ha ido mal? —preguntó. Procuró aparentar escaso interés.

—Estábamos buscando unos cuadernos de laboratorio, pero no los encontramos —contestó Yoshiaki.

—Lo siento. Oímos algo parecido a disparos. ¿Lo eran?

—Sí. Había seis personas en la casa, más de las que esperábamos.

Carlo y Brennan intercambiaron una mirada de preocupación. Su intuición les decía que Louie iba a llevarse una sorpresa, y no precisamente agradable.

1

Jueves, 25 de marzo de 2010, 5.25 h

Laurie Montgomery se puso de costado para mirar el desperta-
dor. Aún no eran las cinco y media de la mañana, la alarma tardaría casi media hora en sonar. En circunstancias normales habría sido un placer darse media vuelta y continuar durmiendo.
Toda su vida había sido un incurable ser nocturno incapaz de
irse a dormir, pero le costaba todavía más madrugar. Sin embargo, ese no iba a ser un día normal. Era el día en que se reincor-
poraba al trabajo tras una baja por maternidad inesperadamente
larga, de casi veinte meses.

Después de echar un breve vistazo a su marido, Jack Stapleton, que estaba dormido como un tronco, Laurie sacó las piernas de debajo del edredón y apoyó los pies descalzos en el suelo
gélido. Pensó un momento en cambiar de idea y volver a acostarse, pero resistió la tentación, apretó con más fuerza la cami-
seta de Jack contra el pecho y corrió en silencio hacia el cuarto
de baño. El problema era que no podría volver a dormirse, pues
su mente ya corría a kilómetro por minuto. Se sentía confusa
debido a su ambivalencia por el hecho de volver al trabajo. Su
principal preocupación era su hijo de año y medio, John Junior,
y si era apropiado dejarle con una canguro durante lo que serían

con frecuencia largos días. Pero también existía un problema personal, le asustaba comprobar si seguía siendo competente después de un período tan largo sin trabajar: ¿sería capaz todavía de ejercer su labor de médico forense en la delegación del Instituto de Medicina Legal que se consideraba la más prestigiosa del país, cuando no del mundo?

Laurie había trabajado en la delegación del IML de la ciudad de Nueva York durante casi dos décadas. La confianza que tenía en sí misma siempre había significado un problema para ella, algo que se remontaba a sus años de adolescencia. Cuando empezó a trabajar en la delegación, se sentía preocupada por su capacidad para un cargo tan exigente y retador, y no había logrado vencer dicha preocupación durante años, mucho después de que sus colegas hubieran superado temores similares. La patología forense era un campo en que el aprendizaje a través de los libros no era suficiente. La intuición desempeñaba un papel fundamental a la hora de ejercer su especialidad, y la intuición se derivaba de una práctica constante. Cada día, todo buen patólogo forense tenía que enfrentarse a algo que jamás había visto antes.

Laurie se examinó en el espejo y gimió. Desde su punto de vista tenía un aspecto horrible, con ojeras oscuras y una palidez más propia de sus pacientes. La maternidad resultó ser más difícil y agotadora, tanto física como mentalmente, de lo que había imaginado, sobre todo porque había tenido que afrontar una enfermedad grave, con frecuencia fatal. Al mismo tiempo, también la había recompensado más de lo esperado.

Cogió su bata del colgador que había detrás de la puerta y se la puso, al tiempo que se calzaba las babuchas con borlas rosa sobre los dedos. Sonrió cuando miró las zapatillas. Eran el único recordatorio de una época en que podía sentirse sexy en ropa interior y disfrutar de la sensación. Se preguntó vagamente si alguna vez recuperaría dicha sensación. Ser madre había cambiado la percepción de sí misma en muchos aspectos.

Laurie salió al pasillo y se encaminó hacia la habitación de J.J. La puerta estaba entreabierta y entró en el cuarto, lo bastante iluminado para ver. Se estaba acercando el amanecer, pero lo importante era que había varias lamparillas de noche encendidas a intervalos en los rodapiés. Gracias a su madre, la habitación estaba decorada con un papel pintado azul muy divertido y cortinas a juego, cubiertas con imágenes de aviones y camiones.

Los muebles consistían tan solo en una mecedora, que Laurie utilizaba para darle el pecho, un moisés rodeado por un volante festoneado, y una cuna. El moisés seguía en el cuarto por motivos sentimentales, al igual que la mecedora, aunque la utilizaba de vez en cuando si J.J. estaba nervioso y necesitaba su presencia para dormir.

Laurie se acercó a la cuna y contempló a su hijo, agradecida por su aspecto saludable. Con un estremecimiento, recordó la época en que había sido todo lo contrario. A la edad de dos meses habían diagnosticado a J.J. un neuroblastoma de alto riesgo, un cáncer infantil muy grave y, con frecuencia, mortal. Pero Laurie había podido dar las gracias a su buena estrella, a Dios, a lo que fuera o a quien fuera, de que el cáncer hubiera remitido. Tanto si había sido por la intervención de la divina providencia o de una curandera de Jerusalén, por la dedicación de los médicos del Sloan-Kettering o por el hecho de que, en ocasiones, los neuroblastomas desaparecen de manera espontánea, Laurie nunca lo sabría, ni tampoco le importaba, a decir verdad. Lo único que le importaba era que J.J. era ahora un niño normal de un año y medio, cuyo crecimiento y desarrollo, pese a la quimioterapia y lo que llamaban terapia de anticuerpos monoclonales, habían alcanzado los percentiles normales en todos los aspectos, lo suficiente para que Laurie se planteara volver al trabajo.

Echó un vistazo al niño plácidamente dormido y una sonrisa invadió su cara, pese a las preocupaciones y la ambivalencia que estaba padeciendo acerca de volver al trabajo. El rostro angelical de J.J. le recordó una conversación que había mantenido con Jack la noche anterior. Había empezado cuando ambos habían entrado en el cuarto de J.J. para ver al niño antes de irse a dormir. Mientras lo contemplaban, ella admitió algo que nunca había dicho a nadie: estaba tan convencida de que J.J. era el niño más guapo del mundo, que cuando hablaba con las demás madres del barrio en el parque infantil de la acera de enfrente, no podía comprender por qué ninguna lo admitía. «Es que salta a la vista», había dicho a Jack.

Ante su sorpresa, la reacción de su marido había sido estallar en unas carcajadas tan estentóreas que tuvo que reprenderle para que no despertara al niño. No fue hasta que salieron al pasillo cuando él le explicó su reacción. Para entonces, Laurie estaba indignada, y creía que Jack se burlaba de ella.

—Lo siento —dijo él—. Tu comentario me ha hecho mucha gracia. ¿No te das cuenta de que todas las madres piensan lo mismo?

La indignación de Laurie se disipó enseguida, al igual que su ceño fruncido.

—El amor maternal debe llevarse en los genomas —había continuado Jack—. De lo contrario, como especie, no habríamos sobrevivido a la edad de hielo.

Laurie volvió al presente y se dio cuenta de que no estaba sola en el cuarto de J.J. Volvió la cabeza y contempló la cara de Jack, semioculta en las sombras. Lo único que veía era el blanco de sus ojos, aunque había luz suficiente para distinguir que iba en cueros.

—Te has levantado temprano —dijo Jack. Sabía que a Laurie le gustaba dormir hasta tarde, y parte de su rutina diaria era levantarse antes, ducharse, y luego expulsar a Laurie de la cama a empujones—. ¿Te encuentras bien?

—Nerviosa —admitió Laurie—. ¡Muy nerviosa!

—¿Por qué? —preguntó Jack—. ¿Por dejar a J.J. con Leticia Wilson?

Leticia Wilson era prima de Warren Wilson, uno de los vecinos con los que Jack jugaba a baloncesto. Warren la había recomendado a Jack una tarde, cuando este había dicho que buscaban una canguro para que Laurie pudiera volver al trabajo.

—En parte —admitió Laurie.

—Pero dijiste que estos últimos días habíais ensayado y todo había salido a pedir de boca.

Laurie había pedido a Leticia que fuera dos días, diera de comer a J. J., le sacara al parque, tanto al parque infantil del barrio como a Central Park, y le hiciera compañía hasta la hora en que Laurie calculaba que llegaría de la oficina. No se había presentado el menor problema, y lo mejor de todo fue que J. J. y Leticia se habían entendido a la perfección y se habían mostrado muy a gusto en su mutua compañía.

—Todo fue bien —admitió Laurie—, pero eso no significa que no me sienta culpable por la situación. Sé que voy a sufrir el dilema maternal, lo cual significa que cuando estoy aquí con J. J., me invade la culpabilidad por no trabajar, pero hoy, mientras esté trabajando, me sentiré culpable por no estar en casa. J. J. echará de menos a su mamá, y su mamá echará de menos a J. J. Además, aunque no tiene síntomas desde hace más de un año, siempre estoy preocupada por la posibilidad de que recaiga. Creo que no dejaré de ser un poco supersticiosa, en el sentido de que la continuidad de su recuperación está relacionada de una forma mística con mi presencia.

—Supongo que es comprensible. ¿Cuál es el otro motivo de tu nerviosismo? No es nada personal con la oficina, ¿verdad? Todo el mundo tiene ganas de que vuelvas, y me refiero a todo el mundo, desde Bingham hasta el personal de seguridad. Todo el mundo con el que me he cruzado ha dicho que aguarda con impaciencia tu regreso.

—¿De veras? —preguntó con incredulidad Laurie. Pensaba que era una enorme exageración, sobre todo lo de incluir a Bingham, a quien sabía que irritaba con su independencia y tozudez.

—¡Pues claro! —respondió animoso Jack—. Eres una de las

personas más populares del IML. Si estás nerviosa, no puede ser por volver a integrarte en el equipo. Tiene que ser por otra cosa.

—Bien, puede que estés en lo cierto —admitió de mala gana Laurie. Tenía bastante claro lo que diría él si admitía que estaba preocupada por su competencia, y no estaba segura de querer oírlo, pues nada de lo que dijera conseguiría que cambiara de opinión.

—Vamos a continuar esta conversación —dijo Jack con voz temblorosa—, pero ¿podría ser en el cuarto de baño? Me estoy helando aquí, sin otra cosa para cubrirme que mi orgullo.

—¡Buena idea! —contestó Laurie—. ¡Vamos! Tengo frío hasta con la bata.

Después de subir la manta de J.J. sobre sus hombros y arroparlo con delicadeza, corrió detrás de Jack, que se había ido directo al baño. Cuando entró, ya había abierto del todo el grifo del agua caliente y la habitación se había llenado de vapor tibio.

—Bien, ¿qué más motivos tienes para estar nerviosa? —preguntó Jack, que alzó la voz para imponerse al ruido de la ducha, al tiempo que ajustaba la temperatura antes de meterse—. Y no me digas que estás preocupada por tu grado de competencia, porque no pienso hacerte caso.

Ya había escuchado sus temores acerca de su competencia cuando empezó a trabajar en el IML, y era lo bastante intuitivo para saber que la estaban aguijoneando de nuevo.

—¡En ese caso, mejor no digo nada! —gritó como respuesta Laurie.

Jack apartó la cara del chorro de agua, se secó los ojos y abrió unos centímetros la mampara de la ducha.

—¡Así que es miedo por tu aptitud! Bien, no voy a intentar obligarte a cambiar de opinión, porque sé que nada de lo que diga servirá, así que sigue preocupándote. Pero sí debo decirte que esa preocupación es lo que, probablemente, te convierte en una forense tan buena. Eres la mejor patóloga forense, en mi opinión, de todo el departamento, porque siempre estás dispuesta a cuestionar y a aprender.

—Tus palabras me halagan, aunque no te creo. Estaba bien antes de la baja por maternidad, pero han pasado casi dos años desde la última vez que practiqué una autopsia o miré una placa al microscopio.

—Es posible, pero durante el último mes te has quemado las pestañas leyendo varios libros de medicina forense. Es muy probable que vayas por delante de todos los que no hemos tocado un libro de texto desde hace años. Hasta es posible que hoy volvieras a aprobar el examen de admisión, cosa que ninguno de los demás seríamos capaces de hacer.

—Gracias por tu apoyo, pero leer y practicar son dos cosas muy diferentes. Me preocupa muchísimo meter la pata, tal vez incluso en mi primer caso.

—¡Eso nunca podría ocurrir! —afirmó Jack con seguridad—. Con tu experiencia, imposible. Podríamos estudiar nuestros casos en mesas contiguas y comentar lo que vamos haciendo. Después, tras acabar las autopsias, las repasamos juntos para asegurarnos de que ambos hemos dado en el clavo. ¿Qué te parece la idea?

—Me gusta —admitió Laurie—. Me gusta mucho.

La idea no la liberó de sus angustias, pero las apaciguó. Lo más importante fue que, al aliviar en parte su nerviosismo, supo que podría dedicar su atención a lo que debía hacer antes de ir al IML. Faltaba menos de una hora para que Leticia llegara, y Laurie tenía muchas cosas que hacer antes de eso.

2

El chófer de Ishii, Akira, entró en la rotonda que había frente al hotel Okura Kobe y frenó ante la entrada principal. Delante de ellos se había detenido el primer coche de la comitiva de tres que habían trasladado al *oyabun* de la organización yakuza Aizuko-tetsu-kai, y a su *saiko-komon*, Tadamasa Tsuji, durante los setenta kilómetros que separaban Kioto de Kobe. Los guardaespaldas habían bajado del primer vehículo, todos con las manos dentro de la chaqueta, aferrando la culata de sus armas ocultas para poder desenfundarlas en caso de emergencia. Nadie se sentía cómodo cuando visitaban Kobe, el hogar tradicional de la familia rival Yamaguchi-gumi, sobre todo con ocasión de una reunión improvisada con el *oyabun* de la organización. Si la Yamaguchi-gumi así lo deseaba, gozaba de amplias oportunidades para tender una emboscada.

Akira bajó, dio la vuelta al sedán LS 600h L blindado de Hisayuki y despidió con un ademán al portero del hotel. Hisayuki prefería que fuera su chófer quien le abriera la puerta, con el fin de evitar sorpresas desagradables. Detrás llegó el tercer coche, con su grupo de guardaespaldas adicionales.

El traslado desde el vehículo hasta el interior del hotel duró unos segundos. Ya dentro, Hisayuki fue recibido oficialmente por el director, quien le acompañó hasta un ascensor privado, en el que subieron él, su *saiko-komon* y dos de sus lugartenientes de más confianza hasta el ático, donde les guiaron hasta un comedor privado. Allí, Hisayuki fue recibido por su homólogo de la Yamaguchi-gumi, el *oyabun* Hiroshi Fukazawa. Él también estaba acompañado por su *saiko-komon*, un hombre menudo con gafas llamado Tokutaro Kudo, a cuyo lado, debido a su escaso tamaño, su jefe parecía un gigante.

De hecho, Hiroshi era grande. Aunque no un gigante, casi le pasaba una cabeza a Hisayuki, y tenía una cara ancha y seria. Iba vestido con tanta elegancia como su invitado, con un traje de corte europeo.

Además de los dos líderes, sus respectivos *saiko-komon* y dos guardaespaldas personales, las demás personas de la sala incluían al gerente del hotel, un camarero y un chef. El chef, todo vestido de blanco con un gorro alto y almidonado, esperaba con paciencia en mitad de una mesa en forma de U con una parrilla empotrada. La mesa se encontraba al final de la estrecha sala, cerca de la ventana. Al otro lado de la ventana se extendía la impresionante vista de la bahía de Osaka, con el puerto de Kobe al fondo.

Después del típico recibimiento ritual y el intercambio de tarjetas, Hiroshi indicó a sus dos invitados que se sentaran cerca de la entrada de la sala, al otro lado del lavabo privado. Cuando Hisayuki se acercó a una de las sillas, no pudo dejar de observar que Hiroshi no hacía una reverencia más pronunciada que la de él, lo cual era tradicional, pues Hisayuki era el de más edad. Hisayuki se preguntó si el patinazo era deliberado o accidental, y, en caso de ser deliberado, si se trataba de una señal de falta de respeto o tan solo una sutil declaración de que Hiroshi no se consideraba ligado por las mismas normas culturales antiguas de la yakuza.

—Qué sorpresa tan agradable, Ishii-san —dijo Hiroshi en cuanto los cuatro hombres se sentaron y pidió su marca favorita de whisky escocés. Los cuatro guardaespaldas se retiraron a lados opuestos de la sala, no sin antes fulminarse con la mirada.

—Gracias por acceder a vernos con tan poca antelación, Fukazawa-san —dijo Hisayuki con otra leve reverencia.

—Me alegro de verte con un aspecto tan estupendo. Ha pasado demasiado tiempo desde la última vez que estuvimos juntos, amigo mío.

—Más de un año. No deberíamos ser tan negligentes. Al fin y al cabo, menos de setenta y cinco kilómetros nos separan.

Las cortesías continuaron hasta que el camarero trajo sus respectivos whiskies. Cuando el camarero se retiró, el tono cambió. No se notó mucho, pero sí lo suficiente.

—¿Qué podemos hacer por el *oyabun* de la Aizukotetsu-kai? —preguntó Hiroshi con un estilo más tenso y un tono más impaciente del utilizado hasta el momento.

Hisayuki carraspeó y vaciló, como si hubiera esperado hasta aquel momento para decidir lo que quería decir.

—Hace varios días, tres para ser exactos, fui llamado a Tokio para reunirme con Daijin Kenichi Fujiwara-san.

—¿El viceministro Fujiwara? —preguntó Hiroshi con cierta sorpresa. Dirigió una veloz mirada a su *saiko-komon*, y a cambio recibió un breve encogimiento de hombros, como sugiriendo que él también estaba sorprendido. Una reunión del gobierno a nivel ministerial con un *oyabun* de la yakuza era algo de lo más inusual.

—¡Exacto! El viceministro de Economía, Comercio e Industria —dijo Hisayuki. Se inclinó hacia delante y estableció contacto visual directo con su invitado. Sabía que había conseguido monopolizar la atención del hombre—. El viceministro me contó diversas cosas sorprendentes e inquietantes de las que necesitamos hablar. En primer lugar, me dijo que la Yamaguchigumi estaba detrás del robo perpetrado en un laboratorio de la

Universidad de Kioto, durante el cual se produjo una muerte. Estoy seguro de que te habrás enterado. En el curso del mismo incidente fueron robados unos cuadernos de laboratorio importantes, un asunto que tal vez desconozcas, puesto que no fue comunicado a los medios. El gobierno está preocupado por estos cuadernos de laboratorio, pues han puesto en peligro la legitimidad de las patentes de la Universidad de Kioto relacionadas con la tecnología iPS.

Hiroshi se reclinó en la silla y tomó un sorbo de whisky, mientras sostenía la mirada de Hisayuki. Era evidente que estaba estupefacto, más por la franqueza de los comentarios de Hisayuki que por el contenido, aunque este también le había sorprendido. Los medios no habían nombrado a la Yamaguchi-gumi en concreto, solo que el robo había sido obra de la yakuza.

—Me interesa saber si estabas enterado de este robo. Puede que fuera obra de algún grupo escindido de la Yamaguchi. Todos sabemos que la Yamaguchi se está expandiendo muy deprisa, lo cual podría significar que carece de la misma cohesión interna que el resto de nosotros.

Hisayuki deseaba proporcionar una vía de escape a su rival, pero el esfuerzo no sirvió de nada. La expresión de Hiroshi se ensombreció.

—Nos adherimos a la misma estructura de hermandad *oyabun-kobun* que todos los demás —afirmó Hiroshi con cierta indignación—. Soy el *oyabun* de la Yamaguchi-gumi. Sé lo que mi hermandad está haciendo en todos los aspectos.

—Mis comentarios no pretenden menospreciar a la Yamaguchi-gumi de ninguna manera. Todos sentimos un gran respeto por la Yamaguchi-gumi, tal vez incluso un poco de envidia por sus éxitos recientes. Pero interpreto tu respuesta como que estabas al corriente del robo. Si tal es el caso, debo presentar una queja oficial por no haberme informado de lo que estabas haciendo ni solicitar mi ayuda. A lo largo de los años, la yakuza se ha mantenido fiel a esta política de colaboración para evitar guerras intestinas, y me gustaría recibir la confirmación de que, en el futuro, te pondrás en contacto conmigo si necesitas algo en la zona de Kioto. No es mi intención llegar a una confrontación grave, y espero que no sea así. Hemos de mantener el respeto entre nuestras organizaciones, como ha sido el caso a lo largo de los años entre todas las yakuza.

—La Yamaguchi siente el más profundo respeto por la Aizukotetsu-kai —dijo Hiroshi sin cambiar la expresión.

Como era realista, Hisayuki sabía que la respuesta de Hiroshi esquivaba el problema en lugar de abordarlo. No existían disculpas implícitas, pero Hisayuki se quedó satisfecho con aceptar la respuesta como primer paso hacia una solución. Por cerca que estuvieran Kobe y Kioto desde el punto de vista geográfico, era imperativo que el problema se aceptara, y de momento, al menos, se había abordado de manera oficial.

Hisayuki pasó al siguiente punto del día, o sea, la amenaza muy real a la cartera de inversiones de la Aizukotetsu-kai debido a la acción de la Yamaguchi-gumi.

—Si me permites la pregunta, ¿por qué tú, *oyabun* de la Yamaguchi-gumi, deseas los cuadernos de laboratorio de la Universidad de Kioto, y por qué ayudaste a su propietario y a su familia a desertar a Estados Unidos? ¿No te diste cuenta de que era contrario a los intereses de nuestro gobierno, lo cual significa a nuestros intereses como ciudadanos japoneses, y sobre todo a los intereses de aquellos ciudadanos que han invertido en la empresa japonesa iPS Patent Japan?

—Puede que como ciudadano japonés parezca contrario a nuestros intereses, pero no como hombre de negocios yakuza que lucha en una economía global. El capital y los esfuerzos deberían dirigirse a ganar el máximo de dinero posible, sin hacer caso de las sugerencias de un gobierno burocrático y egoísta como el nuestro. Este gobierno no está al servicio del pueblo japonés, digan lo que digan. Recuerda lo que sucedió aquí en Kobe cuando el terremoto de 1995. ¿Quién rescató a la gente y mantuvo el orden durante aquellos días terribles? ¿Fue el gobierno? Pues no. Fuimos nosotros, la Yamaguchi-gumi. El gobierno solo apareció más tarde, cuando cayó en la cuenta de que se avecinaba una pesadilla de relaciones públicas.

»Di la orden de ayudar a ese tal Satoshi porque recibí una solicitud directa de nuestro *saiko-komon* de Nueva York, Saboru Fukuda. Tal vez le conozcas. Nació en Kioto, pero se trasladó aquí a Kobe para trabajar en los muelles como simple peón, y terminó uniéndose a la familia Yamaguchi. Reconocimos sus aptitudes al principio de su carrera. Es un hombre de negocios muy inteligente, un buen administrador y un inversor intuitivo.

—No le conozco —dijo Hisayuki al tiempo que sacudía la cabeza, sin apenas escuchar. Estaba sorprendido por la afirmación de Hiroshi de que era un hombre de negocios yakuza, pero no un patriota. La yakuza siempre había sido patriótica. Formaba parte del contrato no escrito entre la yakuza y el gobierno.

—No solo Fukuda-san ha triplicado nuestras ganancias con el juego en Nueva York, sino que también ha blanqueado el dinero gracias a astutas inversiones y a la ayuda de un inteligente agente bursátil neoyorquino. Este agente es muy hábil, y no tiene miedo del dinero sucio, que utiliza de buen grado como capital de riesgo para financiar empresas médicas y de biotecnología, que son su especialidad. Por lo general, blanquear dinero cuesta dinero, como bien sabes, pero con él estamos recibiendo hasta un cuarenta por ciento más del valor original. Por lo tanto, los ingresos que Fukuda-san envía aquí a Kobe ya están limpios. Con tales antecedentes, he llegado a apoyarle al cien por cien. Le doy todo cuanto me pide, y lo hago con confianza, sin hacer preguntas. Tal vez, como asociaciones hermanas, podríamos presentarte a este agente.

—Como ya he dicho, no le conozco —contestó distraído Hisayuki.

—Lo que Kioto pierde, Kobe lo gana —dijo Hiroshi, como un padre orgulloso—. Desde que le nombré delegado en Nueva

York, hace más de cinco años, ha dirigido las operaciones de la Yamaguchi-gumi. Ha convertido Nueva York en nuestra sucursal extranjera más provechosa. ¿Cómo va vuestra sucursal allí, si me permites la pregunta?

—Razonablemente bien —contestó Hisayuki.

En circunstancias normales, ni siquiera habría reconocido que existía una sucursal en Nueva York, y mucho menos explicado qué tal marchaba, pero estaba formulando a Hiroshi preguntas de una naturaleza confidencial similar, e Hiroshi las contestaba. Hisayuki pretendía que Hiroshi continuara hablando, porque necesitaba descubrir si este tenía alguna idea de por qué su *saiko-komon* deseaba la ayuda de Satoshi. Cuando Hisayuki estaba tratando de formular la siguiente pregunta sin desvelar por qué quería saberlo, lo comprendió todo de repente, y se quedó asombrado de haber tardado tanto en dilucidarlo. El viceministro había dicho la verdad. La Yamaguchi, por mediación de su *saiko-komon* de Nueva York, Saboru Fukuda, estaba invirtiendo en iPS USA, la empresa de la que el viceministro había hablado. Esa tenía que ser la explicación.

—Si vuestras operaciones en Nueva York solo van razonablemente bien —continuó Hiroshi, ignorante del descubrimiento de Hisayuki—, ¿por qué no nos aliamos, refundimos nuestras sucursales de Nueva York y repartimos las ganancias en proporción a nuestro personal respectivo? Debería haber más colaboración en estos tiempos duros entre todas las organizaciones yakuza, incluso aquí, en Japón.

Hisayuki miró un momento a su *saiko-komon*, y se preguntó si habría llegado a la misma conclusión, porque estaba ansioso por saberlo en cuanto subieran al coche. Volvió a mirar a Hiroshi, quien seguía dando vueltas a la idea de unir sus dos organizaciones, y meditó si osaría hacerle una pregunta directa, por ejemplo si la Yamaguchi tenía acciones en iPS USA. Le preocupaba que Hiroshi llegara a una conclusión similar, que la Aizukotetsu-kai mantuviera una fuerte relación comercial con iPS Patent Japan, lo cual significaría que sus respectivas organizaciones yakuza estaban en un conflicto económico directo. Por supuesto, Hisayuki no tenía manera de saber si la envergadura de sus inversiones era equivalente, pero tampoco creía que importara tanto. Era una situación delicada, puesto que los valores de mercado de ambas empresas estaban relacionados a la inversa, como en un juego de suma cero: si una subía, la otra tendría que bajar por fuerza. Las guerras intestinas yakuza se habían librado en circunstancias todavía menos vinculadas, e Hisayuki experimentó el repentino temor de que fuera a estallar otra. La Aizukotetsu-kai no podía permitirse el lujo de perder lo que había invertido en iPS Patent Japan, ni tampoco podía echarse atrás, puesto que las reservas líquidas de la empresa eran nulas. «Estallará una guerra», profetizó Hisayuki, y se descubrió calculando cómo limitar los daños colaterales, y también cómo solucionar el desastre de Nueva York.

—¿Qué opinas? —preguntó Hiroshi.

Había continuado hablando de su sugerencia de formar una especie de sociedad entre la Yamaguchi-gumi y la Aizukotetsu-kai, una idea que Hisayuki desechó con un ademán, pues sabía que si eso sucedía la Yamaguchi absorbería a la Aizukotetsu-kai.

—Voy a decirte una cosa, Ishii-san —continuó Hiroshi cuando Hisayuki no le respondió al instante—. Hemos de aceptar que el mundo que conocíamos está cambiando a marchas forzadas, y que los yakuza también hemos de cambiar. El gobierno no va a dejarnos en paz, como en el pasado, tal como demuestran las leyes antibandas aprobadas en 1992. La situación solo puede empeorar.

—Cuando me reuní con el viceministro el otro día, se suscitó la cuestión.

—¿Y qué dijo?

—Dijo que las leyes se habían aprobado por razones políticas, y que no existía la menor intención de hacerlas cumplir.

—¿Le creíste?

—Dijo que si el gobierno se hubiera tomado el problema en serio, habría aprobado algo similar a la Ley RICO de Estados Unidos, cosa que no han hecho, y sé con absoluta certeza que no maquinan nada por el estilo. De modo que le creí, en efecto.

—Con el debido respeto, Ishii-san, creo que eres demasiado confiado, e incluso ingenuo —dijo Hiroshi, que se lanzó a un largo monólogo sobre su visión del futuro con el gobierno japonés—. Muy pronto, la benevolente negligencia que ha caracterizado nuestra relación va a cambiar, y cada vez será más antagonista. Es lógico. Incluso ahora, el gobierno tiene envidia del dinero que, desde su punto de vista, estamos chupando de la economía, por apenas pagar impuestos, o ninguno.

Mientras Hiroshi hablaba, Hisayuki se sintió cada vez más incómodo como invitado, y cayó en la cuenta de lo fácil que resultaría para la Yamaguchi-gumi aplastar a la Aizukotetsu-kai, algo que tal vez consideraran adecuado si Hiroshi llegaba a establecer la relación entre sus inversiones en conflicto, en lo que sería una industria billonaria.

Hisayuki permitió que Hiroshi continuara su diatriba contra el gobierno sin llevarle la contraria, como cuando dijo que el ejecutivo necesitaba a la yakuza. Esperaba y deseaba que, mientras Hiroshi abundara en el tema del antagonismo entre el gobierno y la yakuza, existiría menos peligro de que comprendiera cuál era la realidad.

—¡Los yakuza hemos de estar unidos! —clamó Hiroshi como un político en una tribuna, y regresó a su argumento anterior de alentar algún tipo de asociación entre ambas organizaciones. Hisayuki le dejó perseverar, incluso le animó hasta cierto punto asintiendo y sonriendo en los momentos adecuados, con el fin de dar la impresión de que estaba meditando sobre la idea.

Mientras Hiroshi peroraba, Hisayuki dio gracias a los dioses por haber callado al principio de la reunión y no haber empezado como había planeado, o sea, explicando a Hiroshi lo que había averiguado aquella mañana gracias a Hideki Shimoda, su *saiko-komon* de Nueva York. Hideki le había llamado a las nueve y media para informarle de que, tal como le habían ordenado, la amenaza contra las patentes de iPS de la Universidad de Kioto se había reducido de forma significativa porque Satoshi y sus familiares habían sido eliminados. Le habían dicho que el atentado contra Satoshi se había desarrollado sin errores, y que la muerte sería interpretada como natural. El único problema era que no habían encontrado los cuadernos de laboratorio.

Hisayuki exhaló un suspiro de alivio, y pensó que había estado muy cerca de desencadenar un desastre si hubiera iniciado la reunión con dicha revelación. Habría conseguido justo el resultado contrario, pues en ningún momento había imaginado que Hiroshi estaba implicado personalmente.

De repente, Hiroshi detuvo su soliloquio en mitad de una frase. Había visto suspirar a Hisayuki, y pensó que era un recordatorio de sus responsabilidades como anfitrión.

—Lamento mi verborrea —dijo, al tiempo que se ponía en pie y hacía una leve inclinación—. Debes de tener hambre. Veo que todos habéis terminado vuestro whisky. Es hora de comer y divertirnos. —Indicó la mesa y el chef vestido de blanco—. Vamos a comer algo y a tomar más alcohol en honor a nuestra amistad.

Hisayuki se puso en pie todavía más aliviado. Sabía que, en cuanto aparecieran el sake, la cerveza y el vino, las conversaciones de negocios habrían terminado.

Más de una hora después, en cuanto pareció cortés, Hisayuki y Tadamasa se excusaron de lo que se había convertido en una gran fiesta, con el pretexto de que volver a Kioto supondría una hora y media de coche. Hiroshi había intentado convencerles de que se quedaran a pasar la noche en el hotel, pero habían declinado la invitación educadamente, afirmando que debían estar en Kioto a primera hora de la mañana para asistir a una serie de reuniones.

Pese a cierta preocupación, la partida fue tan tranquila como la llegada, sin el menor incidente, y al cabo de poco la comitiva de tres coches puso rumbo norte en dirección a Kioto. Hisayuki guardó silencio durante varios kilómetros, mientras reflexionaba sobre todo cuanto había dicho Hiroshi. Tadamasa, consciente de cuál era su lugar, permaneció también en silencio.

—¿Y bien? —preguntó de repente Hisayuki—. ¿Qué te ha parecido la reunión?

—Ha ido bien, pero el futuro parece complicarse.

—Yo pienso lo mismo —dijo Hisayuki, aferrado a la correa de la ventanilla posterior. Estaba contemplando la campiña que desfilaba ante sus ojos. Solo veía las tenues luces de las ventanas de las casas. Solo oía el zumbido apagado del poderoso motor del sedán—. ¿No te dio la sensación de que la Yamaguchi-gumi ha invertido en iPS USA?

Hizo la pregunta en tono indiferente, para no influir en la opinión de su asesor.

—¡Por supuesto! Estuve pensando en alguna forma de comunicártelo, pero luego me quedé convencido de que ya lo sabías. Creo que están muy implicados, a juzgar por la forma en que Fukazawa-san habló del agente bursátil que su *saiko-komon* había encontrado.

—Mañana ordena a nuestros analistas de la oficina de RRTW que intenten averiguar lo que puedan sobre la implicación de la Yamaguchi-gumi en iPS USA.

—El problema es que el mercado de valores de iPS USA e iPS Patent Japan están relacionados a la inversa.

—Y yo qué sabía —murmuró Hisayuki, apesadumbrado.

—Habrá problemas.

—De eso no cabe duda. Necesitamos tiempo para prepararnos para lo peor. A corto plazo, será fundamental que Hiroshi continúe en la inopia lo máximo posible, mientras defendemos la legitimidad de las patentes de iPS Patent Japan de las células iPS. Quitarnos de encima a Satoshi ha sido estupendo, pero hay que encontrar los cuadernos de laboratorio desaparecidos y destruirlos.

—La pregunta es, por supuesto, dónde están los cuadernos de laboratorio. Como Satoshi no los llevaba encima ni estaban en su casa, han de estar en posesión de iPS USA.

—Llama a Hideki y dile que ha de apoderarse de los cuadernos de laboratorio de Satoshi lo antes posible, pero adviértele de que la Aizukotetsu-kai tiene que quedar al margen del asunto.

Tadamasa sacó su móvil y empezó a teclear el número de Hideki Shimoda.

Hisayuki volvió a contemplar el paisaje oscurecido y se preguntó si debía informar de algo más a su *saiko-komon* de Nueva York, ahora que Tadamasa estaba hablando con él. Pensó en la conversación que había mantenido con el hombre aquella mañana, y recordó su afirmación de que la muerte de Satoshi sería interpretada como la muerte natural de un individuo sin identificar. Hisayuki confió en que así fuera, sobre todo lo de la muerte natural, porque si llegaran a considerarla un asesinato y la Yamaguchi-gumi descubriera que la Aizukotetsu-kai estaba implicada, habría muchas posibilidades de que estallara una guerra total casi de inmediato.

3

Jueves, 25 de marzo de 2010, 7.44 h
Nueva York

Laurie fue la primera en bajar del taxi en la esquina de la Primera Avenida con la calle Treinta. El edificio seguía siendo tan poco
atractivo como siempre: una reliquia de los años sesenta con sus
baldosas azules y las ventanas de aluminio. Era feo entonces
y seguía siendo feo. Pero le resultó familiar, como si volviera a
casa después de un largo viaje. En cuanto a sus angustias anteriores acerca de su competencia profesional, ver el edificio no
logró otra cosa que empeorarlas. La jornada laboral estaba a
punto de empezar.

Se volvió hacia el taxi y vio que Jack bajaba después de pagar
la carrera. Se había ofrecido a acompañarla en coche en lugar de
utilizar su amada bicicleta, que hacía poco había cambiado por
una Cannondale después de que su Trek hubiera resultado herida de muerte por un autobús urbano que la había arrollado. Por
suerte, Jack no montaba en ella en aquel momento, pero había
sido testigo de la tragedia a pocos pasos de distancia.

—Bien, ya hemos llegado —dijo Jack, al tiempo que consultaba su reloj.

Era más tarde lo que deseaba. De hecho, más tarde de la hora en que habrían debido llegar, lo bastante temprano para iniciar las primeras autopsias del día, a las siete y media. Pero nadie empezaba sus casos a las siete y media, salvo Jack los días normales. El jefe, el doctor Harold Bingham, había instaurado la norma de las siete y media, pero a medida que se hacía mayor, su insistencia en el detestado madrugón se había aplacado. Como resultado, la mayoría de los profesionales veteranos empezaban cuando les daba la gana, poco después de las ocho. Jack prefería el madrugón porque le daba la oportunidad de elegir los casos, en lugar de esperar a que se los asignara el forense de guardia, una de cuyas tareas consistía en llegar antes que los demás para estudiar los casos que habían llegado durante la noche, decidir cuáles necesitaban autopsia y quién se encargaría de ellas. La tarea principal del forense de guardia era estar disponible si uno de los investigadores médico-legales necesitaba el respaldo de un patólogo forense en un caso difícil. Era un trabajo del que Jack se encargaba durante una semana tres o cuatro veces al año, cuando le llegaba el turno.

—Siento llegar tarde —dijo Laurie, al fijarse en que Jack consultaba su reloj—. Iré mejorando.

Iban retrasados porque la entrega de J. J. a Leticia había presentado problemas. Cada vez que Laurie bajaba la escalera para reunirse con Jack, que la esperaba en la puerta, se le ocurría algo más y subía corriendo a la cocina, donde J. J. y Leticia estaban desayunando copos de avena y peras, que iban comiendo con parsimonia.

—Ningún problema —dijo Jack—. ¿Cómo te encuentras?

—Tan bien como cabía esperar.

—Todo irá bien —la tranquilizó Jack.

«Sí, claro», dijo para sí Laurie. Subieron la escalinata y atravesaron la puerta. Entró en el vestíbulo con una sensación de *déjà vu*. Había el mismo sofá de aspecto fatigado, con la misma mesita auxiliar delante y su surtido de revistas atrasadas, algunas sin portada. Las mismas puertas cerradas con llave que daban acceso a la sala de identificaciones y a las oficinas administrativas del director y de la jefa de recursos humanos. Y finalmente, el mismo mostrador de recepción custodiado por Marlene Wilson, una amable mujer negra cuya tez sin mácula desmentía su edad, y cuya actitud era siempre alegre y cordial.

—¡Doctora Montgomery! —exclamó Marlene cuando vio a Laurie—. ¡Bienvenida! —gritó con evidente alegría. Sin vacilar ni un segundo, bajó del taburete y salió de detrás del mostrador para dar a Laurie un fuerte abrazo. Al principio, Laurie se quedó sorprendida por el entusiasmo de Marlene, pero enseguida se relajó y disfrutó del cálido recibimiento. Fue estupendo, porque la reacción de Marlene al ver a Laurie se repitió a lo largo del día con todas las personas que encontró a su paso.

Dentro de la sala de identificaciones, donde los parientes examinaban las fotos del fallecido, o el propio cadáver si insistían, Laurie y Jack encontraron al doctor Arnold Besserman, quien llevaba trabajando en el IML más de treinta años. Como era su turno de guardia, estaba sentado al viejo y mellado escritorio metálico de identificación, examinando las llegadas más recientes. A juzgar por la pequeña pila de expedientes, había sido una noche tranquila en la Gran Manzana.

Al igual que Marlene, aunque sin tanto entusiasmo, Arnold se levantó en cuanto Laurie apareció y le dio un abrazo de bienvenida.

En la sala también se encontraba Vinnie Amendola, uno de los técnicos de la morgue. Casi siempre llegaba media hora antes para facilitar la transición entre los dos técnicos de noche, pero su verdadera ocupación era preparar café en una máquina de tamaño institucional. Tuvo que esperar a que terminara Arnold para saludar a Laurie, y después se retiró a una de las antiguas butacas de cuero con su ejemplar del *Daily News*. Jack y él eran íntimos, aunque a veces costaba descubrirlo debido a las pullas verbales que intercambiaban. Casi todos los días, Vinnie y Jack empezaban las autopsias hasta una hora antes que los demás.

—¿Qué tenemos hoy? —preguntó Jack, mientras seguía a Arnold hasta el escritorio.

—Poca cosa —dijo Arnold sin concretar. Sabía muy bien lo que Jack quería, es decir, seleccionar cuidadosamente los casos, algo que siempre le había distinguido de los demás forenses, quienes perdonaban a Jack esta costumbre porque se ocupaba de más casos que cualquiera de ellos. Existía cierta animosidad entre ambos, porque Jack consideraba a Arnold un vago que se limitaba a perder el tiempo, trabajando lo mínimo posible, a la espera de llegar a la edad de la jubilación y conseguir la pensión máxima.

Pese a la mirada amenazadora de Arnold, Jack empezó a examinar los expedientes, buscando en cada caso las circunstancias de la muerte, como herida de bala, acaecida en un hospital pero inesperada, accidente, suicidio, asesinato o algo sospechoso.

Con los brazos en jarras y una expresión impaciente en el rostro, Arnold dejó que Jack continuara mientras silbaba, sin hacer nada por ayudarle, cosa que habría podido hacer, puesto que ya había revisado los casos.

Todavía absorto en su veloz examen de las autopsias del día, Jack reparó en que había otra persona en la sala. En una de las butacas encaradas hacia el radiador había otra figura masculina repantigada, de manera que solo sobresalía el extremo de su sombrero por el respaldo de la butaca. Lo único que se veía del resto del cuerpo eran los zapatos rayados, apoyados sobre el radiador. Al pensar que el sombrero y los zapatos solo podían pertenecer a una persona, Jack dejó caer los expedientes, rodeó el escritorio y se acercó para echar un vistazo a la figura dormida. Tal como sospechaba, era su amigo del alma, el recién ascendido capitán de detectives Lou Soldano.

—¡Mira quién está aquí! —gritó Jack a Laurie, que estaba preparándose un café a su gusto.

Laurie se acercó al instante, se paró al lado de Jack y miró a Lou. No se veía gran cosa de la cara de Lou, porque el sombrero inclinado la ocultaba casi por completo. Tenía los brazos cruzados sobre el pecho. Sobre ellos había un periódico abierto. El abrigo estaba casi desabrochado y colgaba hasta el suelo. Su respiración era profunda, aunque no roncaba, y el periódico abierto sobre su pecho subía y bajaba rítmicamente.

—Debe de estar agotado —comentó Laurie, como la madre que era ahora.

—Siempre está agotado —dijo Jack. Extendió el brazo para levantar el sombrero de Lou y verle la cara, pero Laurie le retuvo.

—¡Déjale dormir!

—¿Por qué?

—Como ya he dicho, debe de estar agotado.

—Está aquí por algún motivo —comentó Jack mientras liberaba su mano de la presa de Laurie y levantaba con delicadeza el sombrero del policía dormido—. Cuanto antes se meta en una cama de verdad, mejor.

Con la cara ahora visible, Lou parecía la viva imagen del reposo más absoluto, pese al entorno. También parecía agotado, con ojeras debajo de los ojos algo hundidos. Las ojeras se destacaban pese a la tez morena del hombre. Era un tipo apuesto, masculino y musculoso; un hombre de pies a cabeza, sin duda italiano. Llevaba la ropa desaliñada y arrugada, como si la hubiera llevado puesta varios días seguidos, y daba la impresión de no haberse afeitado en todo ese tiempo.

—Lleva aquí tanto como yo —dijo Arnold desde el escritorio.

—¡Eh, chavalote! —dijo Jack, al tiempo que propinaba un leve empujón al hombro de Lou—. Ya es hora de que vuelvas a casa para acostarte.

El ritmo de la respiración de Lou cambió un instante, pero no despertó.

—Deja dormir a ese pobre hombre, aunque sea un ratito.

—Vamos, hombre —dijo Jack, sin hacer caso de Laurie y empujando con más fuerza a Lou.

Todo el mundo pegó un bote cuando Lou se incorporó de

repente y sus pies golpearon con fuerza el suelo. Sus ojos se habían abierto de tal manera que se veía todo el blanco alrededor de los iris. Antes de que nadie pudiera reaccionar, vio a Laurie.

—¡Hola, Laurie! ¡Menuda sorpresa! Pensaba que volvías la semana que viene. —Se puso en pie algo vacilante y envolvió a Laurie en un gran abrazo—. ¿Cómo está el pequeño?

Laurie se recobró del sobresalto y devolvió el abrazo a Lou, pese a que apestaba a tabaco. Conocía a Lou desde hacía más tiempo que a Jack, pues se encontraron por primera vez el año en que empezó en el IML, a principios de los noventa. Incluso habían salido juntos una temporada, antes de que ambos se dieran cuenta de que estaban hechos más para ser amigos que amantes. Lou conocía la difícil historia de J. J. mejor que nadie en el IML, pues visitaba con frecuencia la casa de los Stapleton.

Después de un poco más de charla personal, Jack preguntó a Lou qué estaba haciendo en el IML, que Lou insistía en llamar «el depósito de cadáveres». Aunque Lou sabía que el IML era mucho más que un depósito de cadáveres, y de que el depósito en sí era tan solo una ínfima parte de la institución, le resultaba imposible cambiar, y Jack ya había desistido de convencerle.

—Quiero que te encargues de un caso —empezó Lou—. El incidente sucedió en Queens, pero aproveché mis influencias y traje el cadáver aquí en lugar de a la delegación de Queens. Espero que no te importe.

—¿Importarme a mí? —preguntó Jack, divertido—. Ni se te ocurra. Bien, puede que Bingham arme un cirio, con lo legalista que es, y que nuestro hombre de Queens se sienta ofendido y menospreciado, pero estoy seguro de que será capaz de olvidarlo antes de la jubilación.

Lou lanzó una risita.

—¿Tan grave será?

—Lo dudo, al menos en el caso de Dick Katzenburg.

—A Katzenburg no le importará en absoluto —intervino Laurie. Había tenido montones de oportunidades de trabajar con el jefe de la delegación de Queens. El IML de Nueva York tenía cuatro emplazamientos físicos, con el 519 de la Primera Avenida al servicio de Manhattan y el Bronx, y delegaciones independientes en Queens, Brooklyn y Staten Island, correspondientes a dichos barrios.

—Fue una herida de bala —empezó Lou.

—¡Oye, Arnold! —gritó Jack—. ¿Puedo ocuparme de la víctima del disparo?

En última instancia, como forense de guardia, Arnold podía elegir qué caso debía asignarse a cada patólogo. Algunas personas tenían preferencias concretas, sobre todo si estaban llevando a cabo algún estudio sobre un tema forense determinado. Otras personas tenían aversiones concretas, y a nadie le gustaban los desagradables cadáveres descompuestos, que se repartían equitativamente.

—Me es indiferente —gruñó Arnold, mientras tiraba el expediente con cierta agresividad hacia Jack, como si le arrojara un frisbee. Como cabía esperar, parte del contenido salió volando, y Jack se vio obligado a recogerlo del suelo—. Lo siento —mintió Arnold.

Jack blasfemó para sí mientras recuperaba un certificado de defunción relleno a medias, una hoja de identificación terminada y una solicitud del laboratorio del preceptivo análisis de anticuerpos del sida.

—Capullo —masculló Jack, mientras devolvía los papeles a la carpeta y extraía el informe del investigador médico-legal. Le alegró que Janice Jaeger hubiera sido la investigadora en ese caso. Era minuciosa y profesional. Típico de Janice, hasta había dibujado un plano con las distancias y ángulos reales.

—El incidente implicó a dos agentes de policía fuera de servicio, llamados Don y Gloria Morano —empezó a explicar Lou—. Son marido y mujer, después de conocerse en la academia. Buenos chicos y buenos agentes de policía. Han hecho la ronda algo más de dos años, y todavía están un poco verdes, como suele suceder. Anoche, a eso de las tres de la mañana, oyeron el ruido de cristales rotos en la calle Bayside, donde viven, y supusieron correctamente que eran los de su coche nuevo, un Honda. Sea como sea, saltaron de la cama, mientras Gloria cogía su automática reglamentaria. Salieron corriendo al camino de entrada, justo a tiempo de ver a un par de chavales que subían a una furgoneta aparcada al lado de su vehículo. Más tarde averiguaron que los adolescentes habían robado un GPS Garmin del salpicadero de su coche. En ese momento, los acontecimientos se precipitaron. El conductor cargó contra los Morano, que estaban parados frente a su casa, con Don en mitad del camino y en la trayectoria del vehículo, y Gloria un poco delante de Don y a su izquierda, más cerca de la casa y parada en el césped. ¿Te haces una idea?

—Sí, claro —dijo Jack.

—¿El conductor quería arrollar a Don? —preguntó Laurie.

—Nadie lo sabe —admitió Lou—. O eso, o cometió una equivocación debido al nerviosismo, y puso la primera en lugar de dar marcha atrás. Pero eso es algo que nunca sabremos. Sea como sea, con la furgoneta corriendo hacia Don, Gloria dispara una sola bala que atraviesa el parabrisas y alcanza al conductor en el pecho. No muere al instante, sino que frena, baja de la furgoneta y muere unos metros más allá.

—¿Cuál es el problema? —preguntó Jack con el ceño fruncido.

—El problema son los otros dos chicos. Ambos insisten en que la furgoneta no corrió hacia delante. Afirman que el conductor les estaba mirando mientras subían a la furgoneta por la puerta corredera. Incluso insisten en que tenía el brazo encima del asiento delantero de la furgoneta.

—Vale, ya lo pillo —dijo Jack—. Si el conductor fallecido estaba dando marcha atrás, los policías se han metido en un lío grave por utilizar fuerza letal innecesaria, mientras que si corrió hacia delante, fue homicidio justificado.

—Exacto —dijo Lou—. Para acabar de hacerlo más interesante, el casquillo de la bala estaba en el asiento delantero y la víctima tenía una herida en el antebrazo.

—Eso pone las cosas todavía más interesantes —confirmó alborozado Jack—. Vinnie, vamos a ponernos en marcha. Tenemos trabajo que hacer. —Miró a Laurie—. Elige un caso y baja. Te reservaré la mesa contigua, tal como quedamos.

—Fantástico —respondió Laurie, mientras Jack, Lou y Vinnie desaparecían a través de la sala de comunicaciones, donde había operadoras sentadas para recibir llamadas sobre fallecimientos. Se acercó a Arnold—. ¿Ya tienes un caso para mí? Tal vez podría ser uno sencillo, en lugar de algo controvertido. Me gustaría empezar de nuevo, más que zambullirme a fondo. No me gustaría meter la pata.

—Hoy no hay casos para ti, Laurie —dijo Arnold—. Órdenes de Bingham. Dijo que, a menos que estuviéramos muy agobiados, debía concederte el día libre para que te fueras adaptando de nuevo después de tanto tiempo de ausencia. Así que estás libre. ¡Bienvenida!

Laurie exhaló un suspiro con los labios fruncidos. No sabía si sentirse contenta o decepcionada. Por una parte, parecía lógico subir a su despacho y organizar las cosas, puesto que hacía casi dos años que no lo pisaba; pero, por otra, era demorar lo inevitable, y mañana tendría que volver a revivir toda la angustia.

—¿Estás seguro de que insistió, o dijo algo acerca de que eligiera yo?

—Tan insistente como solo puede ser el doctor Bingham. Ya conoces al jefe. No tiene término medio. Dijo que subieras a su despacho en cuanto llegaras para darte la bienvenida.

—De acuerdo —dijo resignada Laurie.

Dejó a Arnold con sus gráficas y siguió a Jack y a los demás. Pensó en bajar al depósito de cadáveres para decirle que no iba a trabajar aquel día. Pero cuando llegó al ascensor de atrás, cambió de opinión. Conociendo a Jack y su marcada inclinación por los casos interesantes, como sin duda lo sería la herida de bala de Lou, y lo concentrado que estaría, decidió decírselo después. Dio media vuelta y se dirigió a administración para averiguar si Harold Bingham había llegado ya. Mientras andaba sacó el móvil para hacer la primera de las numerosas llamadas para interesarse por J. J.

4

Jueves, 25 de marzo de 2010, 9.05 h

Ben Corey iba a la ciudad casi cada día de la semana en su preciado Range Rover Autobiography de 2010 desde su casa de Anglewood Cliffs, New Jersey. Pese al tráfico habitual, disfrutaba del trayecto, sobre todo al cruzar el puente George Washington. Siempre procuraba circular por el carril de la derecha de la calzada elevada, para poder apreciar mejor la línea del horizonte de Manhattan y el cauce del río Hudson. No le molestaba si el tráfico se quedaba detenido a veces, pues eso le permitía disfrutar de la vista más rato. Con el fin de que la experiencia resultara más agradable todavía, siempre cargaba el CD con música clásica. Era el único momento del día en que se permitía estar solo e incluso desconectar el móvil.

Aquel día en concreto, el trayecto había cumplido su misión. Cuando entró en el aparcamiento situado al oeste de la calle Cincuenta y siete, se sentía muy descansado y feliz, así como maravillosamente ignorante de lo ocurrido la noche anterior.

Ben caminó menos de una manzana hasta el edificio de oficinas donde iPS USA había alquilado un espacio en la octava planta, encarada a la Quinta Avenida. El día era templado, cerca de los quince grados, y el sol había salido, muy en contraste con el tiempo neblinoso, frío y nublado del día anterior. En conjunto, prometía ser un día glorioso en todos los aspectos.

Ben se quitó la chaqueta cuando pasó ante la recepcionista, Clair Bourse, a quien su ayudante, Jacqueline, había contratado hacía poco. Dijo buenos días, y ella le devolvió el saludo.

Al entrar en su oficina de la esquina, Ben colgó la chaqueta y se sentó ante el escritorio. Delante y en el centro había una copia firmada y certificada por un notario del contrato de Satoshi, con un post-it amarillo que decía «para tus archivos». También estaban los testamentos de Satoshi y su mujer, y los documentos del fondo fiduciario que Satoshi había firmado a nombre de su hijo, Shigeru, con otro post-it advirtiendo de que Satoshi tenía que conseguir la firma de su mujer tanto en el testamento como en el documento del fondo fiduciario. También había un recordatorio de que Ben debía preguntarle si quería tomar posesión física de ellos, o si prefería que los guardaran en la caja fuerte que iPS USA tenía en la cámara acorazada de JPMorgan Chase, o bien en la caja fuerte de la oficina. Por fin, había un ejemplar actual de una poco conocida revista biomolecular titulada *Reprogramando tecnologías*. En su lustrosa portada había un tercer post-it amarillo, también con letra de Jacqueline: «Mira el artículo de la página 36. Creo que será mejor tomar una decisión». Tras esta sugerencia seguían varios signos de exclamación.

Ben puso los papeles destinados a Satoshi en una esquina del escritorio, con la intención de entregárselos al investigador cuando le viera, que sería dentro de una hora. Las nueve y media era la hora a la que Satoshi solía llegar, y Ben carecía de motivos para pensar que aquella mañana sería diferente. Solo podía pasar que Satoshi hubiera decidido celebrar en serio su contrato la noche anterior y llegara por la tarde. Desde el viaje de Ben a Japón para rescatar los ahora famosos cuadernos de laboratorio, conocía muy bien los efectos del sake.

—¿Has leído el artículo? —preguntó Jacqueline. Había asomado la cabeza desde la oficina contigua a través de la puerta que las comunicaba.

—Lo estoy mirando en este momento.

—Más te vale —le animó Jacqueline—, antes de que firmemos el acuerdo con Rapid Therapeutics en Worcester, Massachusetts.

—Ah, ¿sí?

A Ben no le gustó aquello. Carl Harris y él habían estado negociando con Rapid Therapeutics durante muchos meses para obtener la licencia de sus patentes sobre el aumento de eficacia en la creación de células madre pluripotentes inducidas. El acuerdo era inminente, de modo que no había tiempo que perder si aparecía algo mejor.

Con los pies apoyados en la esquina del escritorio, Ben procedió a leer el artículo, y se dio cuenta de que Jacqueline estaba en lo cierto. El artículo versaba sobre una pequeña empresa de California llamada iPS RAPID que acababa de obtener la licencia de un mecanismo que aumentaba cientos de veces la eficacia de la producción de células madre pluripotentes inducidas humanas, hasta el momento un escollo en su utilización. La nueva técnica incorporaba lo que llamaban «moléculas pequeñas».

Ben estaba sorprendido, no de que el avance fuera tan asombroso, que sí lo era, sino de que hubieran conseguido patentarlo sin que nadie dijera ni pío sobre el descubrimiento. Por lo general, tales invenciones aparecían antes en *Nature* o *Science*, pues su importancia era evidente como paso gigantesco hacia la comercialización de células madre, pero aquí aparecía en una revista prácticamente desconocida como un proceso patentado ya licenciado, lo cual significaba que iPS USA tendría que entrar en liza con retraso y pagar cientos de veces más por su monopolio. Aunque él estaba contribuyendo a ello, Ben reconoció que era un desgraciado signo de los tiempos. Todas las universidades tenían ahora sus oficinas de patentes y consideraban más importante pleitear por patentes relacionadas con el trabajo de los investigadores que la investigación en sí, y dicho comportamiento estaba retrasando sin duda el avance de la ciencia. Antes de la manía de las patentes, era la publicación inmediata de los avances lo que mantenía en marcha la investigación. Para empeorar el problema, las oficinas de patentes gubernamentales, tanto en Estados Unidos como en Europa, también concedían patentes para procesos vitales, cosa que no debían hacer por ley, con Europa mejor que Estados Unidos en ese aspecto. Ben no podía creer las patentes que había visto hacía poco, surgidas de la oficina de patentes de Estados Unidos. Con frecuencia, se asombraba de que alguien pudiera justificar una patente sobre un proceso que las fuerzas evolutivas habían desarrollado a lo largo de millones, cuando no miles de millones, de años. La actual manía de las patentes no solo retrasaría la investigación, sino que tal vez la paralizara. Nadie podría hacer nada sin afectar a la patente de otro, lo cual daría como resultado más pleitos, de los cuales ya había bastantes en la actualidad. Ben lo consideraba similar a tirar arena en los engranajes del progreso en la investigación médica, una consecuencia que iPS USA estaba intentando soslayar, al menos en el campo de las células madre pluripotentes inducidas.

—¡Llama a estos tipos de iPS RAPID! —dijo Ben a Jacqueline a través de la puerta de comunicación—. Tienes razón sobre este artículo. ¡Consigue el nombre del director general y que se ponga al teléfono!

Jacqueline asomó la cabeza por la puerta, con el pelo rojo iluminado por el sol que entraba a chorros en su despacho.

—¿No te has dado cuenta de que iPS RAPID está en San Diego, y de que allí son apenas las seis de la mañana? —preguntó con paciencia.

Por un momento, Ben la miró sin poder distinguir sus facciones a causa del resplandor. Tardó un momento en comprender que en la costa Oeste era demasiado temprano para conseguir que alguien se pusiera al teléfono.

—Pues ponme con Carl —dijo—. ¿Qué tengo programado para esta mañana?

Estaba pensando en cancelar todo para concentrarse en el problema de iPS RAPID.

—Aparte de reuniones internas, estás citado con Michael Calabrese en su despacho del centro a las once menos cuarto. ¿Lo habías olvidado?

—Lo olvidé —admitió Ben.

Agradeció haber contratado a alguien tan bueno como Jacqueline para ocuparse de su agenda. Él se consideraba más un tipo de ideas. Si bien era importante atacar el asunto de esta nueva empresa, a la larga era más importante hablar con Michael y romper la relación con la mafia y la yakuza. Intuía que, cuanto más larga fuera la asociación, más costaría romperla. También sabía que, si alguna vez se filtraba dicha relación, tendría que dimitir, o al menos tendría que despedirse de toda oportunidad de lanzar una OPA. No quería ni pensar en la posibilidad de ser procesado.

Mientras Jacqueline iba en busca de Carl, Ben volvió al artículo, intrigado por el tipo de moléculas implicadas. Supuso que debía de ser una especie de supresión del inhibidor del factor de crecimiento, pero eso solo era lo obvio. Mientras leía, se asombró de la velocidad de los avances biomédicos, sobre todo por saber que dichos descubrimientos siempre apuntaban a otras posibilidades, que a su vez daban lugar a más descubrimientos, en un proceso de predeterminación acelerado. También sabía que había descubrimientos y descubrimientos, lo cual significaba que algunos eran pasos enormes y otros no tanto. Supuso que ese hallazgo reciente sería relativamente grande, al menos con relación a la comercialización de células iPS.

—¿Querías verme? —preguntó una voz desde la puerta del pasillo unos minutos después.

Carl estaba parado en el umbral con la corbata aflojada, el último botón de la camisa desabrochado y las mangas subidas por encima de los codos. Era la viva imagen del contable laborioso, más que la de un director financiero, y por eso era tan bueno en su especialidad. No había nada que no pudiera resolver. Estaba implicado en todos los aspectos de las finanzas del negocio, desde lo mundano hasta lo conceptual, y Ben confiaba en él sin reservas y dependía por completo de él.

—¡Entra! ¡Siéntate y echa un vistazo a esto! —dijo Ben, al tiempo que le pasaba el artículo.

Ben observó la expresión de su director financiero mientras leía, y vio que fruncía cada vez más el ceño. Después, en un aparente momento de frustración al terminar, Carl arrojó el artículo sobre el escritorio y miró a Ben.

—Hay algo que debo aclarar. Es una especie de confesión.

—¿De qué coño estás hablando? —preguntó Ben, preocupado por haber descuidado algún problema económico importante, justo cuando todo parecía de color de rosa.

—Es algo que habría debido admitir hace uno o dos años —dijo Carl, tan contrito que la preocupación de Ben se disparó.

«¿Y ahora, qué?», pensó en silencio, mientras intentaba prepararse para lo peor, como que la empresa se había quedado sin dinero por culpa de alguna estafa u otro desastre. Con la firma del contrato del día anterior, había confiado en que la situación económica era sólida, sobre todo porque el contrato aumentaba su valor en el mercado.

—Debo admitirlo, pero no sé lo bastante sobre células madre —dijo Carl en tono culpable—. Lo entiendo hasta cierto punto, pero cuando me das algo realmente técnico como esto, me sobrepasa. Lo siento. Como director financiero de esta empresa debería poseer más conocimientos, pero la verdad pura y dura es que domino más el aspecto económico que el científico. Recuerda que me reclutaste del mundo financiero, no de la biotecnología.

Por un momento, Ben se quedó estupefacto y sin habla, debido a una combinación de alivio y sorpresa. Como científico biomolecular, estaba tan familiarizado con el material que le costaba creer que los demás no estuvieran tan bien informados como él. Al instante, el alivio y la sorpresa dieron paso al humor, y Ben lanzó una carcajada. En ese momento le tocó a Carl sentirse confuso.

—¿Por qué te ríes? —preguntó, perplejo. Había esperado que Ben expresara sorpresa e irritación, no que riera.

—No puedo evitarlo —admitió Ben—. Me convenciste de que sabías del tema tanto como cualquiera. Joder, te he pedido opinión sobre montones de asuntos y siempre he pensado que me dabas buenos consejos. ¿Cómo es eso posible?

—Casi todos los consejos que te he dado han sido de tipo económico, y tanto si una empresa trabaja con células madre como con naranjas, el consejo suele ser similar. Si me consultabas algo ajeno a la parcela económica, te sugería que preguntaras a Brad, Marcus o Lesley. Eso era siempre un buen consejo, y ha funcionado muy bien. He intentado acumular más información a medida que transcurría el tiempo. Hay tanto que aprender...

—¿Qué te parece un rápido repaso? —preguntó Ben.

—Te lo agradecería mucho.

—De acuerdo —dijo Ben, mientras pensaba en cómo empezar—. Todo comenzó a principios de los sesenta, cuando un par de investigadores canadienses descubrieron las primeras células madre en sangre de ratón. Eran células bastante primitivas capaces de dividirse y procrear, de las cuales la mitad se convertían en glóbulos y la mitad tan solo se autorrenovaban. A continuación se produjo un lapso de unos treinta y cinco años, hasta que un investigador de Wisconsin pudo aislar similares células madre humanas de embriones muy poco crecidos y conseguir que crecieran fuera del cuerpo en probetas, mediante una técnica denominada *in vitro*. Al mismo tiempo, otros investigadores aprendieron a convertir estas células madre en toda clase de células diferentes, como células cardíacas, células renales, etcétera, planteando una posibilidad muy real de crear células y partes corporales sustitutivas con el fin de curar enfermedades degenerativas.

»Por supuesto, llegó el desastre, debido al uso de embriones creados en la industria de fertilización *in vitro* para conseguir células madre. En colisión con el antiguo y emocional debate sobre el aborto, la idea de obtener células madre a partir de embriones provocó que Bush hijo prohibiera que se destinaran fondos federales a la investigación de células madre, salvo de una exigua fuente de líneas de células madre ya existentes.

—Me acuerdo de todo eso —interrumpió Carl—. Pero ¿qué es este rollo de las células madre pluripotentes inducidas? ¿Es lo mismo que células madre embrionarias?

—Aunque parezca asombroso, parecen lo mismo, y en cierta forma su creación desafía lo que la ciencia opinaba sobre el desarrollo. Durante mucho tiempo, los científicos creían que el desarrollo de una célula desde un estadio primitivo a célula madura era un proceso de sentido único. Pero resulta que ese no es el caso. Al estudiar el proceso de desarrollo, daba la impresión de que existían treinta genes implicados en la variación de las cantidades y la cadencia en el proceso de maduración. Al reunir dichos genes en diferentes cantidades y combinaciones, e introducirlos en una célula madura completamente desarrollada con la ayuda de virus, tuvo lugar una reprogramación, que devolvió la célula madura a un estadio embrionario, al parecer el equivalente de una célula madre embrionaria.

—¿Por eso llaman «inducidas» a estas nuevas células madre?

—¡Exacto! Y por eso se llaman también pluripotentes, lo cual significa que, como células madre embrionarias, son capaces de formar cualquiera de las trescientas células o así que forman el cuerpo humano.

—¡Sorprendente! —exclamó Carl.

—Más que sorprendente, en mi opinión. Es increíble. La ciencia de las células pluripotentes inducidas corre a la velocidad del rayo. Hace cuatro años fueron los genes relacionados con el desarrollo, introducidos en células maduras mediante virus, y algunos de estos genes eran oncogenes, estrechamente relacionados con la aparición de cánceres. Era cosa sabida que hasta los vectores víricos eran a veces carcinógenos, o causantes de cánceres, de modo que las células madre pluripotentes inducidas nunca podrían ser utilizadas en pacientes, pues serían demasiado peligrosas. Pero desde ese temprano inicio, hace cuatro años, los genes se han identificado como los agentes que reprograman las células y las revierten a un estadio más primitivo con los productos proteínicos de los genes, y la inserción por mediación de virus peligrosos en potencia se ha cambiado al utilizar una corriente eléctrica llamada electroporación, y, más recientemente, por ciertos elementos químicos que atraen las proteínas del desarrollo a través de las membranas celulares sin dañarlas.

—De acuerdo. «Increíble» es una palabra mejor que «sorprendente».

—Lo más importante es que te facilita una comprensión mejor de la especialidad, ¿verdad?

—Mucho mejor. Por fin cuento con algo de contexto.

—Siempre me complace poder darte explicaciones científicas. Que no te avergüence preguntar.

—Te tomo la palabra —dijo Carl, al tiempo que apoyaba la mano sobre la hoja impresa—. Si no lo he entendido mal, este artículo habla de un procedimiento que acelera la producción de células madre pluripotentes inducidas, y se trata de otro de esos procedimientos clave que hemos de controlar.

—Sí, y creo, a propósito, que iPS RAPID se está comportando como si estuviera en venta, un tema que tú dominas más que yo. Yo diría que sería más fácil de controlar que la empresa de Massachusetts. Sería un golpe genial absorberlos antes de que tengan la oportunidad de sondear el mercado. ¿Tenemos suficiente capital disponible?

—Es probable que no, pero con la firma de ayer nuestra cotización en el mercado ha aumentado, y no tardaremos en poder calcular cuánto podríamos reunir a corto plazo.

—Hazlo —ordenó Ben.

—Lo haré —dijo Carl, y se levantó de la silla—. Gracias de nuevo.

Un momento después, se había ido.

Ben se levantó y asomó la cabeza en el despacho de Jacqueline. Tuvo que entornar la vista para que el sol que entraba por las ventanas encaradas al este no le deslumbrara.

—¿Alguna noticia de Satoshi? —preguntó.

Como la joven estaba hablando por teléfono, Jacqueline se limitó a agitar la mano y negar con la cabeza, con el fin de indicar que no le había visto.

Ben volvió a su escritorio y se dijo medio en broma que, con relación a Satoshi, se sentía como el padre de un hijo adolescente, siempre preocupado hasta cierto punto por dónde estaba el chico y qué hacía. Ya eran cerca de las diez, pero Satoshi no había aparecido ni llamado. Ben suspiró y reconoció que siempre estaba nervioso hasta que Satoshi aparecía en la oficina, aunque el hombre no tuviera nada concreto que hacer. Ben le había pedido que llamara si no tenía la intención de ir, pero Satoshi nunca se tomaba la molestia. En una ocasión, Satoshi no apareció durante una semana, y no se molestó en llamar ni conectar su móvil, lo cual provocó una gran preocupación a Ben. Cuando Satoshi hizo acto de aparición, dijo que había llevado a su familia a las cataratas del Niágara. Aunque la situación era mejor ahora, con el contrato de licencia firmado y certificado por un notario, perder a Satoshi sería más que un inconveniente.

Pensar en Satoshi recordó a Ben que había prometido llamar a Columbia para saber en qué fase se encontraba su solicitud de alquilar un espacio de laboratorio. Mientras llamaba, se reprendió sin demasiada acritud por no haberlo hecho antes. Como conocía bien a Satoshi, y de haber sido más responsable, no tendría que preocuparse por el paradero del japonés, porque el hombre estaría siempre en el laboratorio.

La conversación con los poderes fácticos de Columbia fue breve y agradable, y muy positiva. El espacio estaba libre, el precio era elevado pero justo, y lo único que debía hacer Satoshi era proporcionar una lista de equipo y reactivos, que la universidad aportaría con mucho gusto.

Ben escribió en una tarjeta las palabras «Espacio de laboratorio en Columbia disponible, puedes empezar de inmediato, necesito saber reactivos y equipo especial».

Añadió la ficha a la pila cada vez más gruesa del contrato, los testamentos y el fondo fiduciario. Ben descolgó el teléfono. Ya había esperado bastante y se sentía impaciente. Marcó el número de móvil de Satoshi, que se había aprendido de memoria.

Mientras se apoderaba de él una premonición inquietante a cada tono, Ben tamborileó con los dedos sobre el borde del escritorio. Cuando oyó el mensaje del contestador automático, la premonición de Ben se demostró cierta. Al llegar el momento, dejó grabado un mensaje a Satoshi para que contestara a la llamada, y añadió que tenía buenas noticias para él. Ben confiaba en que ese mensaje sería la mejor manera de conseguir una llamada de respuesta lo antes posible.

Cuando terminó, Ben se dirigió al armario y sacó la chaqueta. Tenía que acudir a su reunión matutina con Michael.

5

Laurie cayó en la cuenta de que no se estaba concentrando cuando regresó al principio del capítulo del libro que estaba leyendo. Sin otra cosa que hacer, se resignó a revisar textos forenses de carácter general, y leyó uno sobre heridas de bala. Había elegido esa modalidad después de haber escuchado la historia de Lou sobre el caso del que Jack se estaba ocupando en aquellos momentos. El problema consistía en que su mente saltaba de un tema a otro. Ya había llamado a Leticia tantas veces que había detectado cierta frustración por parte de la joven. Durante su última llamada, Laurie incluso había detectado irritación. Si bien Leticia dijo que todo iba bien, insinuó que tal vez debería ser ella la que volviera a llamar, y solo si surgía algún problema. En su estado hipersensible, Laurie experimentó la sensación de que le estaban comunicando que no era tan importante como creía, y que era ella quien tenía problemas de adaptación, no J.J.

En cuanto a su recibimiento en el IML, Jack había estado en lo cierto. Todo el mundo, desde los conserjes y el personal de mantenimiento, hasta el director y el subdirector, se había mostrado de lo más efusivo al darle la bienvenida. La reacción unánime había sido cálida, pero no había conseguido calmar sus an-

97

gustias profesionales. En todo caso, las había acentuado en parte, como consecuencia de que no le hubieran asignado un caso. Se había descubierto interpretando de forma equivocada la situación, no como un favor, para que se fuera adaptando, sino porque la gente, es decir, Bingham, no creía que estuviera a la altura de sus expectativas. Sin embargo, el problema concreto era que tenía demasiado tiempo libre sin nada que hacer.

Los ojos de Laurie vagaron alrededor de su despacho. No había post-its pegados encima, a los lados o en la parte inferior de la pantalla del ordenador, como había sucedido en el pasado. No había pilas de expedientes en la esquina del escritorio, a la espera de que los informara, ni resultados de laboratorio para que los firmara. De hecho, toda la habitación parecía tan pulcra como si la hubieran esterilizado. El microscopio sin portaobjetos parecía de lo más solitario, con cubiertas protectoras para los oculares.

Laurie estaba a punto de abandonar la lectura, con la idea de ir a la sala de autopsias para colaborar con Jack y Lou en el caso de la herida de bala. De esa forma esperaba experimentar la sensación de que estaba participando en algo, ya que no contribuía en nada. En ese momento su teléfono la sorprendió al invadir la habitación con su insistente y desagradable timbre. Laurie se apoderó de él como si se tratara de una emergencia desesperada, agradecida de que alguien deseara hablar con ella.

—Laurie, tengo un problema —dijo una voz. Tardó un momento en reconocer que era el doctor Arnold Besserman, el forense de guardia que le había negado un caso por la mañana, y por tanto culpable de haber exacerbado sus angustias, como pensaba ella de manera irracional.

—Ah, ¿sí? —preguntó Laurie con una pizca de esperanza. Tal vez acababa de entrar un caso nuevo.

—Kevin se ha ido a casa enfermo —continuó Arnold. Kevin era el doctor Kevin Southgate, uno de los adláteres de Arnold. Los dos discutían de todo, sobre todo de religión y política, pese a que se apreciaban mucho—. Le encargué un solo caso, por lo visto sencillo: una muerte por causas aparentemente naturales, tras un desmayo en el andén del tren A de la calle Cincuenta y nueve. Un caso rutinario. La cuestión es que dice que ha pillado la gripe A y se va a casa. —Arnold rió—. ¿Ya has visto a Bingham?, y si es así, ¿podrías bajar y ocuparte tú? Sé que te había concedido el día libre, pero voy un poco agobiado, y tú eres la única profesional libre. ¿Qué me dices?

Laurie sonrió. Pues claro que quería el caso, aunque resultara ser una muerte natural. De hecho, pensaba que una muerte natural era un buen comienzo. Era difícil cagarla con una muerte natural. El motivo de su sonrisa fue que Arnold no aclarara si estaba ocupado o no. Con frecuencia, cuando estaba de guardia, en muy pocas ocasiones se autoasignaba casos.

—¿Quién es el técnico del depósito de cadáveres en este caso? —preguntó Laurie, más por curiosidad que por otra cosa.

—Marvin —dijo Arnold—. Otro motivo de que pensara en ti.

Arnold estaba diciendo la verdad. Marvin Fletcher era el técnico favorito de Laurie, y trabajaba con él siempre que podía.

—Estaré encantada —dijo—. Bajo enseguida.

Fiel a su palabra, Laurie salió del despacho en cuanto colgó el teléfono y se proveyó enseguida de un traje de protección química Tyvek, guantes y la mascarilla de plástico. Vestida de esa guisa, entró en la sala de autopsias y paseó la vista a su alrededor. Las ocho mesas estaban ocupadas y Marvin la saludó desde la cabecera de la cuarta. Por casualidad, Jack y Lou trabajaban en la quinta. Estaban terminando de cerrar la incisión de la autopsia. Lou se encargaba del cosido. Se había convertido en un visitante tan frecuente que le encantaba ayudar. Laurie se detuvo un momento para saludarlos.

—¿Cómo va? —preguntó Jack cuando la vio—. Me habían dicho que tenías el día libre, gracias a nuestro intrépido líder. ¿Qué te trae por aquí?

—Eso fue antes de que Kevin Southgate cayera enfermo a vuestro lado, chicos.

Jack echó un vistazo a la mesa que tenía detrás y saludó con un cabeceo a Marvin, que esperaba con paciencia.

—No tenía ni idea —dijo Jack, al tiempo que volvía la vista hacia Laurie—. Arnold no pudo bajar para ocupar el puesto de su amigo, por supuesto.

—Por supuesto —corroboró Laurie—. Pero estoy contenta. Quería un caso, sobre todo un caso normal.

Como no quería enzarzarse en una discusión sobre la propensión a la vagancia de Arnold, uno de los temas favoritos de Jack, preguntó cómo había ido el caso de la herida de bala.

—Yo diría que bien —respondió Jack.

—Estoy totalmente de acuerdo con él —coreó Lou—. La dirección de la bala al entrar en el pecho del conductor fue de derecha a izquierda, lo cual significa que estaba mirando hacia delante cuando le dispararon, y no de frente, como habría pasado si hubiera estado vuelto en el asiento, dando marcha atrás, tal como afirman los cómplices. Y el casquillo, que saltó cuando la bala atravesó el parabrisas, hizo un estropicio en el antebrazo del hombre, cosa que no habría sucedido si este hubiera tenido el brazo sobre el respaldo del asiento de la furgoneta, como también sostienen sus cómplices.

—Felicidades —comentó Laurie, y lo dijo en serio. Era un buen caso para demostrar el poder de la ciencia forense.

Laurie fue a saludar a Marvin, quien le devolvió el saludo con gran entusiasmo. Hasta aquel momento, no se habían visto desde el regreso de Laurie al trabajo. Tras una breve charla sobre los rigores de la paternidad, puesto que Marvin tenía tres hijos, Laurie encaminó la conversación hacia la víctima tendida sobre la mesa de autopsias.

—¿Qué tenemos aquí? —preguntó.

Marvin contempló el cadáver, al que habían practicado la típica incisión en forma de Y para exponer los órganos internos.

—La víctima es un varón asiático, a quien el doctor South-gate calcula una edad de unos treinta y cinco años y un peso de unos sesenta y cinco kilos, que se desmayó en el andén del metro. No existe historial médico conocido y no llevaba medicamentos encima.

Mientras Marvin continuaba su descripción, Laurie levantó el expediente y sacó el informe del investigador médico-legal. Había sido redactado por Cheryl Meyers. Sin dejar de escuchar a Marvin, sus ojos exploraron el informe y destacaron enseguida el hecho de que la víctima no llevaba ningún documento de identificación encima.

—¿Se trata de un individuo no identificado? —preguntó Laurie, interrumpiendo a Marvin.

—Sí.

Laurie abrió el expediente de nuevo y sacó la hoja de la comunicación del fallecimiento y el formulario de identificación del cuerpo. Este último estaba en blanco, y apenas constaba que el cadáver fue recogido por paramédicos de urgencias que acudieron al lugar de los hechos después de una llamada al 911. Habían encontrado a la víctima insensible, sin ritmo cardíaco, presión sanguínea ni respiración. Se procedió a la reanimación cardiopulmonar y continuó hasta la llegada a urgencias del Harlem Hospital Center, donde fue declarado muerto.

Laurie miró a Marvin. Para ella, un caso no identificado era una complicación, y se sentía decepcionada hasta cierto punto. Sabía que no era una reacción racional, porque podía llevar a cabo su trabajo de forense tanto si el cuerpo estaba identificado como si no, pero en su primer caso después de la baja por maternidad quería que los resultados fueran concluyentes, sin cabos sueltos. Para ella, un cadáver sin identificar era un cabo suelto, y, lo más importante, era un cabo suelto en el que no podría influir. No habría historial médico que la ayudara a confirmar sus hallazgos.

—¿Algo especial en el examen externo? —preguntó.

Marvin negó con la cabeza.

—Ni cicatrices, ni tatuajes, si te refieres a eso.

—¿Joyas?

—La policía guarda en custodia una alianza.

Los ojos de Laurie se iluminaron. Una alianza significaba una esposa, y a juzgar por la apariencia general de la víctima sabía que no se trataba de un indigente, porque se veía atildado.

—¿Cómo iba vestido?

—Bien, con camisa, corbata, chaqueta y abrigo. El abrigo parecía nuevo, aunque estaba sucio del andén del metro.

—Buenas señales —dijo aliviada Laurie. Por experiencia, sabía que la identificación de cadáveres dependía en gran medida de que hubieran denunciando a la víctima y, en una situación como la que afrontaba en aquel momento, una esposa que diera aviso en un plazo inferior a veinticuatro horas era la norma, no la excepción. Por contra, identificar un cadáver en una situación en que nadie lo buscara era una tarea muy difícil, incluso en estos tiempos, con herramientas como el ADN—. ¿El doctor Southgate dijo si albergaba alguna sospecha sobre la causa de la muerte? —preguntó.

—No dijo nada, pero creo que se inclinaba por un ataque o algo intracraneal. Un testigo, el hombre que llamó al 911, dijo que tal vez sufrió un breve ataque.

Laurie echó un vistazo a la nota de Cheryl Meyers y vio que había incluido la sugerencia de un ataque, pero por lo que habían comentado los paramédicos de urgencias, sin que llegara a hablar con el individuo.

—¿Y las radiografías? ¿Has visto algo interesante?

—El doctor Southgate dijo que eran negativas, pero continúan en el negatoscopio, si quieres examinarlas.

—Quiero —dijo Laurie. Enlazó las manos y se acercó a mirarlas, concentrándose en la cabeza y el pecho. No vio nada anormal. Después, examinó el abdomen, y por fin las extremidades. Nada.

—De acuerdo —dijo, y volvió con Marvin—. Pongámonos manos a la obra, y ya veremos qué encontramos.

Como Laurie y Marvin trabajaban juntos con frecuencia, la autopsia se desarrolló con rapidez. La parte más lenta consistió en extraer los pulmones y el corazón en bloque, pues la parada cardíaca solía estar relacionada con la muerte súbita. Pero el corazón era normal y no observaron anomalías en los vasos sanguíneos, sobre todo en las arterias coronarias. La segunda vez que disminuyeron el ritmo fue después de que Marvin seccionara la coronilla y extrajera con cuidado la tapa craneal. Ambos esperaban ver sangre si se hubiera producido algo fatal en el cerebro, pero no había sangre, ni en las zonas adyacentes al cerebro ni en el cerebro en sí.

—Bien —dijo Laurie, después de acabar de suturar la incisión de la autopsia—. Es una de las autopsias más normales que se puedan dar. Por lo general, se encuentra alguna patología, pero en el caso de este infortunado individuo, daba la impresión de que estaba de lo más sano.

—¿Qué causa apuntarías tú?

—Supongo que padecía alguna especie de anomalía del sistema de conducción cardíaca, pese a la posibilidad de haber sufrido una apoplejía —sugirió Laurie mientras sacudía la cabeza, desalentada—. Después de que el corazón y los vasos sanguíneos primarios parecieran normales, me sorprendió no encontrar un tumor bien formado cuando seccionamos el cerebro. Por lo tanto, ahora le llegará el turno a histología. Espero que nos sirvan de ayuda. No quiero cerrar este caso como causa de la muerte desconocida de un individuo desconocido, y sobre todo cuando se trata de mi primer caso después de la baja por maternidad. No aumentará la confianza en mí misma.

—¿Y el líquido extra que descubrimos en el estómago y el principio del intestino delgado? —preguntó Marvin—. Eso pareció sorprenderte. ¿Se te ocurre alguna explicación?

—La verdad es que no —admitió Laurie—. Por lo que yo sé,

no está relacionado con ninguna causa natural de la muerte súbita. El hombre debió de comer y beber poco antes de morir. Será interesante averiguar el nivel de alcohol en la sangre.

—¿Sospechas de alguna causa no natural?

Laurie hizo una pausa. Marvin le había recordado que siempre era importante mantener la mente abierta a todas las posibilidades, pues podía haber otras explicaciones engañosas, por ejemplo, un homicidio disfrazado de suicidio o accidente. No obstante, la posibilidad de que ese caso perteneciera a esa categoría era muy improbable, pues la víctima se había desmayado en el andén del metro. Al mismo tiempo, para ser minuciosa, ya había decidido llevar a cabo una batería de pruebas de toxicología, así como un análisis del nivel de alcohol, y había tomado las muestras apropiadas. Las pruebas de toxicología del IML incluían unas doscientas o trescientas drogas legales o ilegales, de modo que estaba convencida de poder detectar cualquier envenenamiento por drogas o sobredosis.

—Estoy convencida de que, cuando se haya dicho y hecho todo, será una muerte natural —predijo Laurie—. Tendremos que esperar a que toxicología e histología nos echen una mano si se trata de otra cosa.

—¿Tienes reservado otro caso? —preguntó Marvin.

—Lo dudo. Ni siquiera me habían reservado este.

Laurie ayudó a cargar el cuerpo sobre una camilla, después recogió los frascos de muestras para toxicología e histología, y los guardó en dos bolsas de papel marrón.

—Yo los subiré —dijo a Marvin—. Quiero solicitar en persona que los analicen cuanto antes. No tengo otra cosa que hacer.

—Como quieras —respondió Marvin.

Cuando salía, se detuvo en la mesa de Jack, que ya estaba empezando otro caso. Hacía rato que Lou se había marchado a dormir a casa.

—¿Cómo ha ido? —preguntó Jack, en referencia al caso de Laurie. Después de empezar su segundo caso, había decidido no molestar a Laurie, quien daba la impresión de estar concentrada por completo en el asiático—. ¿Qué has descubierto?

—Nada, por desgracia —respondió Laurie—. Para empeorar las cosas, se trata de un cadáver no identificado.

—¿A qué viene esa cara tan larga?

—Qué sé yo. No he encontrado ninguna patología. Y como no hay historial médico, mis probabilidades de pasar por alto algo importante aumentan de manera considerable.

—¿Y qué? Suele pasar. A veces no existen patologías. No es frecuente, pero ocurre.

—Sí, ocurre, pero no quería que sucediera en mi primer caso PMS.

—¿PMS? ¿Tienes PMS?

Jack no daba crédito a sus oídos. Laurie nunca se había quejado de PMS.*

—Temporada post maternidad** —dijo Laurie, con la intención de mostrarse divertida para levantar los ánimos, pero su supuesto chiste no triunfó—. Pero no voy a rendirme. Voy a encontrar alguna patología caiga quien caiga. Al menos, tengo tiempo. Es mi único caso.

Jack se limitó a sacudir la cabeza.

—No estarás utilizando una autopsia negativa para airear tus preocupaciones sobre tu competencia profesional, ¿verdad? —preguntó sin ni siquiera sonreír—. Porque, en tal caso, te comportas como... —Hizo una pausa, mientras intentaba encontrar la palabra adecuada—... una tonta.

—Me niego a contestar para no incriminarme —contestó Laurie, mientras intentaba sonreír.

—¡Eres imposible! —dijo Jack, con un ademán desdeñoso—. Ni siquiera voy a responder, por temor a alentar esa tontería.

---

* *Premenstrual syndrome*, síndrome premenstrual. (*N. del T.*)
** *Post-maternity sojourn*, en inglés, de ahí el equívoco. (*N. del T.*)

—¿Cuál es tu segundo caso? —preguntó Laurie para cambiar de tema. Estaba contemplando el cuerpo de una mujer joven y saludable sin aparentes anormalidades ni traumatismos. Vinnie estaba parado ante la mesa, impaciente por comenzar, mientras trasladaba su peso de un pie al otro, nervioso.

—Supongo que similar al tuyo: muerte súbita. El novio dice que la vio salir del cuarto de baño tal como la ves ahora, desnuda por completo. Describió su aspecto como sorprendido o confuso, y después se desmayó.

—¿Algún problema de salud?

—Ninguno. Era azafata de Delta. Acababa de llegar de un viaje a Estambul.

—Tienes razón. Se parece a mi caso —sugirió Laurie.

—Salvo por una cosa. El novio no debía estar allí. Había una orden de alejamiento contra él, pues al parecer intentó asesinarla hace un mes, cuando ella empezó a salir con un piloto.

—Ajá.

—«Ajá» es lo correcto.

—Mantenme informada —dijo Laurie. Se parecía a su caso, pero con el beneficio de una identificación y un historial.

Laurie salió de la sala de autopsias, cargada con las bolsas que contenían los frascos de muestras para histología y toxicología. En el vestidor, se quitó el traje Tyvek y guardó el gorro. Mientras subía a la cuarta planta en ascensor, pensó en el caso de Jack. Estaba celosa de que sin duda encontraría una causa delictiva de la muerte de la mujer. Ojalá su caso fuera similar en ese aspecto.

—¡Vaya, vaya, señoras! —exclamó Maureen O'Conner, la supervisora del laboratorio de histología, con su famoso acento irlandés cuando Laurie le entregó la bolsa marrón. Maureen había pasado la primera mitad de su vida trabajando en un hospital de Dublín, antes de trasladarse a Nueva York. Vivacidad era su segundo apellido, y nadie estaba a salvo de su afilada y humorística lengua, desde el jefe hasta los conserjes. Laurie era una de

sus favoritas, pues era la única forense que visitaba con regularidad los dominios de Maureen. Laurie siempre estaba ansiosa por
tener las placas de histología en sus estuches mejor antes que
después.

—¡Pero si es la doctora Laurie Montgomery! —continuó
Maureen, lo cual provocó que todas las cabezas del departamento se volvieran en dirección a Laurie—. ¡Bienvenida! ¿Cómo
está tu pequeñín? Bien, supongo.

Todo el mundo en el IML conocía la historia del neuroblastoma de J. J., así como la buena noticia de su milagrosa curación.

Laurie se tomó con calma la atención recibida, incluso la re-
chifla habitual sobre sus frecuentes peticiones de recibir las placas al día siguiente. La broma habitual de Maureen era recordar
a Laurie que todos sus pacientes estaban muertos, de modo que
no había ninguna necesidad de darse prisa, un comentario
que nunca dejaba de provocar carcajadas entre el personal del
laboratorio de histología.

A continuación, Laurie bajó al primer piso y fue a ver al sargento Murphy, del Departamento de Policía de Nueva York. Su
diminuto cubículo estaba situado frente a la sala de comunicaciones, donde las veinticuatro horas del día había operadoras
que recibían notificaciones de fallecimientos. Aparte del escritorio, apenas había espacio para dos sillas metálicas plegables y
un archivador vertical. El sobre del escritorio y la parte superior
del archivador estaban sembrados de periódicos, tazas de café
sucias y envoltorios arrugados de Burger King.

—¿Te informaron sobre el asiático no identificado que llegó
ayer a última hora de la tarde? —preguntó Laurie. Ya se había
encontrado antes con el sargento, que le había dado la bienvenida.

—Sí —contestó Murphy—. Los agentes de tráfico del Distrito Uno que respondieron a la llamada al 911 me dieron cuenta de su informe a la Brigada de Personas Desaparecidas, como
debe ser. Por lo visto, la víctima no llevaba encima billetero ni

tarjetas de identificación. De hecho, no llevaba nada, salvo una alianza. Ni siquiera reloj.

—¿Sabes si hubo testigos de que robaran su billetero? Teniendo en cuenta que iba bien vestido, parece improbable que no llevara.

—No, que yo sepa.

—¿En qué situación se encuentra el caso?

—Ha sido asignado a un detective experto en personas desaparecidas de la comisaría de Midtown North como cuerpo no identificado. Están en ello.

—¿Sabes el nombre del detective?

—Sí. Lo tengo por aquí. —Murphy abrió el cajón central del escritorio, para lo cual tuvo que encoger el estómago. Apenas había espacio para abrir el cajón. Rebuscó entre el contenido un momento, y al final sacó una hoja arrugada—. Detective Ron Steadman, que a veces trabaja para la comisaría Veinte. —Anotó los números en un trozo de papel y se lo dio—. Si intentas llamarle, hazlo a la comisaría de Midtown North, porque pasa allí el noventa y nueve por ciento de su tiempo.

—Lo haré. Entretanto, si te enteras de algo, avísame, por favor.

—¡Sin duda! —dijo Murphy en tono jovial.

A continuación, Laurie subió la escalera hasta el departamento de antropología, que se había expandido de forma significativa después del 11-S, cuando la identificación se había convertido en una pesadilla. Llamó con los nudillos a la puerta vidriada cerrada de Hank Monroe, el director de identificación. En principio, identificación había sido tan solo el ámbito del sargento Murphy, como enlace de la Brigada de Personas Desaparecidas del Departamento de Policía de Nueva York, pero después del 11-S el trabajo aumentó muchísimo, y se había creado un departamento interno.

—¡Entre! —tronó una voz. Hank Monroe era un individuo de tamaño mediano, con una cara llena de ángulos agudos.

—Me llamo Laurie Stapleton —se presentó Laurie. Hank

era relativamente nuevo en la nómina del IML, y Laurie y él no se conocían. Después de intercambiar las trivialidades de rigor, Laurie preguntó si estaba enterado del caso no identificado que había llegado la tarde anterior.

—Aún no —confesó Hank—. Por lo general, algún técnico del depósito de cadáveres me envía una nota, pero esta vez no. El cuerpo debió de llegar durante el cambio de turno, pero no supondrá ningún problema. ¿Cuál es la historia?

Laurie le resumió el caso de Juan Nadie.

—No tenemos gran cosa en qué basarnos —dijo Hank. Se proveyó de una libreta y un lápiz para anotar los detalles fundamentales, limitados a «asiático, muy acicalado» y «llevaba una alianza»—. ¿Alguna cicatriz u otras características peculiares?

—No, por desgracia.

—¿Alguna ayuda de Personas Desaparecidas?

—Nada, al menos de momento.

—Es pronto. Supongo que se habrá dado cuenta.

—Sí, pero este caso es importante para mí por motivos personales.

Hank miró a Laurie, confuso por el hecho de que la identificación de un cadáver pudiera significar una preocupación personal para una forense, pero decidió no preguntar. Al mismo tiempo, deseaba que su colega fuera realista.

—Intentaré ayudar —dijo—, pero estos casos son muy difíciles si no aparece alguien como una esposa, un compañero de trabajo, un amigo o un hijo. El período crítico son las primeras veinticuatro horas. Pasado ese tiempo, las probabilidades de llevar a cabo una identificación positiva empiezan a disminuir. Casi nadie se da cuenta de esto, sobre todo en la era de la tecnología del ADN, pero es la realidad.

—Eso no parece alentador.

—Bien, intentemos ser positivos. Aún nos encontramos dentro de ese período de veinticuatro horas.

Laurie, que se sentía cada vez más deprimida, dio las gracias a Hank después de que él se ofreciera a estar ojo avizor, incluso a llamar a sus contactos de la Brigada de Personas Desaparecidas del Departamento de Policía de Nueva York. Laurie subió poco a poco la escalera, con la sensación de que su primer día de vuelta al trabajo iba a acabar como el rosario de la aurora.

Estuvo sentada un rato a su escritorio, con la vista perdida en la pantalla del ordenador, mientras se preguntaba si debería abandonar la profesión de forense y dedicarse de lleno a la maternidad, algo mucho más exigente de lo que había sospechado, como ahora sabía bien. Por supuesto, el primer problema que se planteaba era qué pensaría Jack si le sugería algo semejante, y si podrían vivir solo con un sueldo. Con lo justos que iban cada mes, sabía que no sería fácil, y probablemente tendrían que vender la casa recién reformada de la que tanto disfrutaban.

Esa línea de pensamiento la deprimió más todavía, hasta el momento en que sacudió de repente la cabeza, respiró hondo y se enderezó en su silla. Recordó algunos de los cambios que había considerado normales después de dar a luz, y se preguntó si todavía estaría experimentando sus efectos. La tensión de dejar a J. J. en manos de otra persona, por capaz que fuera, combinada con la tensión de preocuparse por su capacidad laboral, era suficiente para deprimirla. Al mismo tiempo, pensó que debería concederse más tiempo y no tirar la toalla tan pronto.

Laurie descolgó el teléfono y llamó al detective Ron Steadman a la comisaría de Midtown North. Si alguien iba a averiguar algo sobre su cadáver, sería el detective, pues su trabajo como miembro de la Brigada de Personas Desaparecidas del departamento de policía consistía en investigar el caso. Laurie ignoraba cómo lo hacían, pues nunca se había sentido inclinada a husmear en el procedimiento. Esta vez opinaba de manera diferente, y esperaba descubrirlo.

Al cabo de diez tonos, que contó de uno en uno, Laurie empezó a desalentarse de nuevo. Sus experiencias en llamar a comisarías de policía para recabar información siempre habían sido difíciles, porque con mucha frecuencia el teléfono sonaba interminablemente. Se obligó a ser paciente y dejó que sonara. Por fin, en el tono veintitrés, y justo cuando iba a colgar y a probar otro número, alguien contestó, y para su sorpresa era Ron Steadman. Por lo general, con el Departamento de Policía de Nueva York tenía que dejar un nombre y confiar en que le devolvieran la llamada, lo cual sucedía la mitad de las veces.

Cualquier esperanza de un individuo dinámico se desvaneció en cuanto oyó la voz del hombre. Sonaba como si hasta respirar le agotara. Laurie explicó quién era y por qué llamaba, y cuando terminó se hizo el silencio al otro lado de la línea, un silencio que, al parecer, iba a prolongarse indefinidamente.

—¡Hola! —dijo Laurie, pensando que la conexión se había interrumpido. En cambio, dio la impresión de que el hombre se había dormido. Al menos, eso supuso Laurie.

—¿Puede repetir lo que ha dicho? —preguntó Ron sin disculparse.

Laurie se dijo que debía tomarse con calma la situación, y siguió su propio consejo. Habló con más lentitud y claridad, y repitió el mensaje.

—Tenemos el caso —respondió Ron con voz inexpresiva.

—¡Bien! ¿Qué ha pasado hasta el momento?

—¿Qué quiere decir con eso? Informé a su hombre, ¿cómo se llama?

—Sargento Murphy.

—Sí, ese. Le informé mientras lo enviaba a One Police Plaza, a Personas Desaparecidas, junto con la descripción de los agentes.

—¿Y qué ha hecho Personas Desaparecidas?

—No mucho, diría yo. Supongo que lo habrán añadido a la lista.

—La lista de personas desaparecidas, imagino —respondió Laurie con sarcasmo. No daba crédito a sus oídos. El hombre parecía desinteresado por completo.

—No. Tenemos una lista de personas que quieren hacer de

extras en series televisivas de policías... Pues claro que añadieron el caso a la lista de personas desaparecidas.

—Y como detective asignado al caso —dijo Laurie con más sarcasmo—, ¿qué ha hecho usted durante este período crítico?

Siguió otro breve silencio.

—Escuche, señora —dijo Ron al fin—, no sé por qué me está tocando las pelotas. Envío el informe a donde debo enviarlo, y después me siento a esperar.

—¿Esperar qué?

—Espero a que ustedes me envíen huellas, fotos y todo lo que tengan de la autopsia, incluida información sobre el ADN, para que podamos mejorar la descripción. Investigamos las huellas a nivel local. Si no encontramos coincidencias, pasamos al nivel estatal y después al federal. Pero debo advertirle de que no encontramos muchas coincidencias en este tipo de casos. Depende de la familia acudir a nosotros o a ustedes. Claro que, en el caso de que hubiera existido algún delito, las cosas habrían funcionado de otra manera.

—¿Cómo sabe que no hubo delito?

Otro breve instante de silencio.

—¿Intenta decirme algo con tantos rodeos o qué? ¿Descubrió algo en la autopsia que sugiera un homicidio? En tal caso, le ruego que hable claro.

—No se descubrió nada en la autopsia que indicara la comisión de delito alguno.

—Bien, pues ya está. Si se produce algún cambio, infórmeme; yo haré lo propio. Entretanto, lo dejaré quieto aquí con mis otros cien casos.

Laurie colgó el teléfono sin responder a la última frase de Ron. Tenía muy claro que el hombre no pensaba hacer nada en esta fase inicial de intentar descubrir la identidad del cuerpo. Aunque frustrada, Laurie podía entender el razonamiento. No había gran cosa que hacer en esta coyuntura, salvo confiar en que apareciera alguien.

Se levantó de la silla y recogió la colección de muestras para los análisis toxicológicos. La prueba que más le interesaba era la del nivel de alcohol en sangre. Su intuición no paraba de repetir que sería alto. Hasta qué punto o qué significaría, lo ignoraba. En cuanto a los análisis de otras drogas, productos químicos o toxinas, Laurie consideraba importante ser exhaustivo. Opinaba lo mismo de los electrolitos como prueba indirecta de una posible enfermedad metabólica, como la diabetes, pero no era optimista con la autopsia normal.

En años anteriores, Laurie había mantenido una relación difícil con el supervisor de toxicología, John DeVries. John era un hombre cascarrabias, andaba paranoico porque el jefe del IML le negaba siempre los fondos adecuados, aunque exigía un laboratorio de primera categoría. Como sucedía con frecuencia en tales batallas, ambos tenían razón, de modo que el conflicto respondía más a un choque de personalidades que a otra cosa. El problema para Laurie era que, al igual que con Maureen, había ido a menudo al laboratorio para pedir que sus casos gozaran de prioridad. Siempre quería los resultados de inmediato, lo cual recordaba siempre a John sus problemas de presupuesto, ya que siempre iba corto de fondos. Era tan concienzudo, que a veces utilizaba su propio dinero para comprar los reactivos que necesitaba.

Pero el 11-S cambió las cosas. No solo aumentaron de manera significativa los presupuestos de todos los departamentos del IML a causa de los nuevos retos, sino que, al habilitar más espacio en el antiguo edificio gracias al nuevo situado en el 421 de la calle Veintiséis Este, el laboratorio de John pasó de ser completamente inadecuado a ocupar dos pisos completos del antiguo inmueble, y de contar con un equipo obsoleto a utilizar los mejores y más recientes aparatos. Coincidiendo con dicha modernización, la personalidad de John pasó de ser protestona y exaltada a colaboradora, e incluso jovial. También había cambiado las batas sucias y raídas que reflejaban su opinión sobre el estado financiero de su laboratorio por otras nuevas, limpias y planchadas, que se cambiaba cada día.

Laurie le encontró en compañía de su ayudante, Peter Letterman, en su nuevo despacho que daba al sur y al este sobre la esquina de la Primera Avenida con la calle Treinta. El sol era cegador, incluso a través de las minipersianas cerradas en parte y las ventanas irremediablemente sucias.

Como aún no había visto a los dos hombres que reinaban ahora sobre el rebaño de técnicos de laboratorio, tuvo que padecer la cálida bienvenida no solo de John y Peter, sino de todos los técnicos, que desfilaron a petición de John. Más de la mitad habían sido contratados durante su baja maternal, lo cual exigió una presentación oficial. En total, la sesión se prolongó casi media hora.

—Bien, ¿qué podemos hacer por ti? —preguntó John, después de que todos los técnicos se fueran. Laurie contó la historia de su Juan Nadie y las dificultades de identificar al hombre o descubrir una causa del fallecimiento. Añadió que estaba muy disgustada.

John miró a Peter, y ambos hombres enarcaron las cejas intrigados.

—¿Por qué estás disgustada? —preguntó John en nombre de los dos.

—Porque...

Laurie paseó la mirada entre John y Peter. Pero no terminó. De pronto, se sintió avergonzada por haber hecho aquella admisión tan poco profesional.

—Bien, da igual —dijo John, que intuyó la incomodidad de Laurie—. ¿Qué podemos hacer por ti?

Laurie experimentó una oleada de emoción inadecuada, acompañada por el horror de que las lágrimas no estaban demasiado lejos. La exhibición repentina de sentimientos había constituido un leve problema para ella desde la adolescencia. Detestaba tal tendencia y la consideraba un defecto de personalidad. Con los años, a medida que ganaba confianza, había mejorado de forma drástica. Por desgracia, el diagnóstico de J.J. la había resucitado multiplicada. Como en su adolescencia, no controlaba muy bien sus emociones.

Tanto John como Peter se sentían confusos, mientras observaban la pugna de Laurie. Aunque deseaban colaborar, no sabían muy bien qué hacer.

Por fin, Laurie consiguió controlarse a base de respirar hondo y expulsar el aire.

—Lo siento muchísimo —dijo.

—Ningún problema —dijeron a la vez los dos hombres.

—Sí que hay un problema —admitió Laurie—. Lo siento. Estaba tan ansiosa por conseguir que el primer día saliera todo bien que, al suceder lo contrario, me siento irracionalmente emocional.

—Bien, no pasa nada —dijo John, con la idea de tranquilizar a Laurie—. Supongo que nos has traído algunas muestras.

Señaló la bolsa marrón que Laurie aferraba.

Laurie la contempló como si se hubiera olvidado de ella.

—¡Ah, sí! Os traigo unas muestras. Necesito un análisis toxicológico y también uno del nivel de alcohol en sangre.

Entregó la bolsa a las manos expectantes de John.

—Supongo que las necesitarás lo antes posible, como de costumbre —comentó John con la intención de relajar el ambiente.

—Eso sería estupendo —dijo Laurie; estaba deseando huir. Aún se sentía avergonzada.

6

Jueves, 25 de marzo de 2010, 11.10 h

Ben bajó del taxi delante del edificio de Michael Calabrese. Era una nueva aguja de granito y cristal reflectante, a un tiro de piedra de la Zona Cero. Se registró en seguridad, en el primer piso, recibió una etiqueta con su nombre que pegó en el bolsillo superior de la chaqueta y subió en el ascensor hasta el piso cincuenta y cuatro.

La disposición de la oficina de Michael era única. Él y un grupo de chanchulleros financieros compartían toda la planta, y solo pagaban de alquiler la proporción de metros cuadrados que ocupaban como oficina particular. En cuanto a los empleados y el material de oficina, incluidas secretarias, recepcionistas, fotocopiadoras, monitores de ordenador, servidores informáticos, conserjes y zonas comunes, como salas de conferencias y lavabos, todos pagaban una cantidad común basada en la ocupación mensual. Dicha relación concedía la oportunidad a cada individuo de disfrutar de mejores servicios y alojamiento que si lo hiciera por su cuenta y riesgo. Hasta contaban con un técnico en informática que trabajaba a tiempo completo.

Ben fue directamente al despacho de Michael. Como las secretarias y recepcionistas habituales no estaban cerca, Ben se dirigió a la puerta abierta de Michael y llamó con los nudillos en la jamba. Michael estaba hablando por teléfono, como siempre, reclinado en la butaca con los pies apoyados en la esquina del escritorio. Alzó la vista y utilizó la mano libre para indicar a Ben que entrara y tomara asiento en el sofá de cuero negro.

Ben examinó el despacho mientras se sentaba. A juzgar por los muebles, no cabía duda de que la pequeña agencia bursátil de Michael gozaba de mucho éxito. Las paredes de caoba francesa pulidas brillaban con un acabado que recordó a Ben su nuevo Range Rover. Diversas baratijas de bronce, junto con un gran telescopio sobre un trípode, centelleaban como el oro. Sobre la mesita auxiliar descansaba un humidificador de nogal negro con un indicador de humedad incorporado.

El despacho estaba en una esquina, con paredes de cristal, no simples ventanas, como en el despacho de Ben, y una vista impresionante sobre el río Hudson. A su izquierda se encontraba la elegante Estatua de la Libertad, aposentada sobre su diminuta isla.

Unas carcajadas devolvieron la atención de Ben hacia Michael. Aunque Ben intentaba no escuchar la conversación de Michael por cortesía, cayó en la cuenta de que estaba hablando con alguien acerca de Angels Healthcare, una empresa que había demostrado la cantidad de dinero que podía ganarse en la industria hospitalaria. Angels Healthcare había sido una de las primeras en aprovechar el boom relacionado con hospitales especializados en cirugía, en campos tan diversos como la cardiología, la ortopedia, la oftalmología y la cirugía plástica. Como carecían de salas de urgencias y acogían tan solo a sus socios y beneficiarios, y hacían caso omiso de los verdaderos enfermos, los que carecían de seguro médico y los de Medicaid,* tales hospitales eran fábricas de dinero, y el valor de mercado de Angels

---

* Seguro de salud estatal dirigido a personas con escasos recursos económicos. (*N. del T.*)

Healthcare se salía de la gráfica. De hecho, debido a que Michael Calabrese había desempeñado un papel fundamental en las fases iniciales de reunir capital para Angels Healthcare, Ben había oído hablar de él y de su pequeña empresa de inversiones, Calabrese y Asociados.

La primera impresión que recibió Ben de Michael no fue muy positiva, pues se había enterado de que Michael había sido acusado de diversas actividades delictivas de guante blanco, e incluso en una ocasión de un acto violento. Pero después tuvieron que retirar todos los cargos, porque las pruebas obtenidas por la policía y los fiscales habían sido contaminadas y no hubieran podido utilizarse en un juicio.

En cuanto Michael fue absuelto de toda fechoría, Ben había convocado una reunión con él para hablar de iPS USA. Desde aquel primer encuentro, los dos hombres habían conectado: Michael era un enamorado de la biotecnología y se había especializado en empresas nuevas de este sector, mientras que Ben ya poseía una amplia experiencia y había imaginado el espectacular plan de monopolizar la propiedad intelectual relacionada con la comercialización de células madre pluripotentes inducidas. En muchos aspectos formaban una pareja ideal, pues compartían ciertas características personales: ambos eran excesivamente competitivos, tanto en el trabajo como en el deporte, ambos consideraban la riqueza individual un motivador fundamental y ambos concebían el comportamiento ético como una desventaja en potencia en el trayecto vital.

En cuanto concluyó su llamada telefónica, Michael bajó los pies al suelo. Se levantó, caminó hacia Ben y ambos se estrecharon la mano.

—¿Qué hay de nuevo? —preguntó Michael con fuerte acento neoyorquino. Acercó una silla de respaldo recto y le dio la vuelta para sentarse a horcajadas.

Aunque el comentario de Michael era más una figura retórica que una pregunta auténtica, Ben contestó.

—Poca cosa. —Pero se corrigió enseguida—: De hecho, están pasando muchas cosas.

—¿Como cuáles?

Ben contó a Michael lo de la revista de biotécnica y el artículo relativo al nuevo método de multiplicar por cien la formación de células iPS.

—¿Eso es importante?

—Muy importante. De hecho, tan importante que voy a cambiar el tema del que he venido a hablar contigo.

—¿Te refieres a poner de patitas en la calle a la gente de Lucia y de la Yamaguchi?

—Exacto. Creo que tal vez nos gustaría comprar esta nueva empresa, o al menos sublicenciar en exclusiva el nuevo procedimiento. Hemos estado negociando con otra empresa de Worcester, Massachusetts, su procedimiento para hacer lo mismo, pero este ya no sirve de nada comparado con el nuevo de San Diego.

—¿De cuánto dinero estamos hablando y cómo piensas hacerlo? ¿Como acciones o como crédito puente?

—En acciones si decidimos comprar, y tal vez un crédito puente si decidimos sublicenciar en exclusiva.

—¿De cuánto dinero estamos hablando?

—Yo diría que alrededor de medio millón si sublicenciamos, que es lo creo que deberíamos hacer. Al principio pensé en comprar, pero la cantidad se dispararía y es más arriesgado teniendo en cuenta la rapidez con que avanza la tecnología.

—Tras la firma de ayer, yo recomendaría utilizar acciones tanto si compramos como si sublicenciamos. Puedo aducir que nuestro valor de mercado ha aumentado considerablemente.

—¿Crees que nuestros ángeles picarán el anzuelo?

—No veo por qué no. Sé con certeza que su negocio funciona a tope, sobre todo en el terreno del juego. Prácticamente, están nadando en dinero.

—Nunca lo he preguntado, pero algo despierta mi curiosidad sobre cómo funciona su asociación.

—¿Te refieres entre la mafia y la yakuza? Es una pregunta interesante. Y yo también tuve que hacerla. En realidad, es muy sencillo. Es la gente de Lucia la que elige el sitio, monta y dirige las casas de juego que han sembrado por todo el Upper East Side bajo la apariencia de restaurantes italianos. También se encargan de las mujeres, o lo que sea. Es la yakuza quien encuentra la clientela, sobre todo ejecutivos importantes de Japón que, por cierto, adoran el juego. O sea, les encanta. Es la gente de Lucia la que también aporta el crédito cuando es necesario, y suele serlo, pues con frecuencia los clientes japoneses se quedan sin blanca. Les animan a pedir prestado todo cuanto quieran a la mafia, con el acuerdo de que ya pagarán en el siguiente viaje a Nueva York. Por supuesto, esto da a los jugadores la oportunidad de pedir prestado mucho más de lo que solicitarían en circunstancias normales, porque tienen la idea equivocada de que pueden evitar el pago de la deuda si no vuelven nunca más a Nueva York. Pero ahí es donde la asociación funciona de verdad. El muy endeudado ejecutivo japonés regresa a Japón, donde cree que se encuentra a salvo de la mafia. Pero pronto descubre que ese no es el caso. Es la yakuza quien pasa a cobrar, y la yakuza es una experta en eso, pues su violencia puede alcanzar un grado extraordinario. Después, la yakuza se reparte el cobro con la mafia, con frecuencia en forma de cristal, no en metálico. Es un acuerdo muy lucrativo para ambos bandos.

Ben se estremeció al pensar en la desagradable sorpresa que se llevaría un ejecutivo japonés desprevenido.

—Bien, vamos a repasar de nuevo esto para evitar malentendidos —dijo Michael—. Quieres que vaya a ver al capo de la Lucia, Vinnie Dominick, y al *saiko-komon* de la Yamaguchigumi, Saboru Fukuda, y les hable de aumentar su apuesta por iPS USA, aunque ayer por la tarde estábamos hablando de dejarlos en la estacada. ¿Estamos de acuerdo?

—Sí, a menos que cuentes con otro inversor ángel en potencia.

—Podría acudir a un par de personas, pero creo que es mejor quedarnos con lo que tenemos.

—¡Tú eres el agente bursátil, no yo!

—Me alegro mucho de que hayas cambiado de opinión.

—¿Por qué?

—Estaba preocupado por si venías esta mañana para insistir en que fuera a verlos para decirles que habían sido degradados a la categoría de inversores vulgares y corrientes.

—Eso tendrá que suceder, pero ahora no. Y tendrá que ocurrir antes de cualquier OPA. La auditoría podría sacarlo a la luz.

—Creo que eres un poco ingenuo. No hay que decir a ninguno de esos tipos lo que haces y lo que no haces.

—Pienso recompensarles con acciones extra por el papel que han desempeñado.

—Creo que lo único que conseguirás así es cabrearles, algo que no debemos hacer. Pero no discutamos y nos distraigamos. Centrémonos en cuándo queremos lanzar la OPA, porque es cuando todos recibiremos nuestra justa recompensa.

—Mantener una relación laboral me pone nervioso —admitió Ben—. En cuanto no los necesitemos, quiero romper con ellos.

—Fui franco contigo cuando llamaste la primera vez. A esta gente no se le puede dar órdenes.

—Sé que fuiste franco conmigo, y te lo agradecí.

—Te diré lo que vamos a hacer. Llamaré a nuestros amigos y averiguaré si puedo verles esta tarde. Les comunicaré la buena noticia de la firma del contrato de ayer, y entonces les daré un sablazo, cosa que les gustará. Después, sacaré a colación el tema de que tendrán que desaparecer de escena cuando la OPA. Con la buena noticia, tal vez se lo tomen con calma. Veré lo que puedo hacer y te volveré a llamar.

—Te lo agradezco —dijo Ben, al tiempo que se ponía en pie.

Unos minutos después, mientras bajaba en el ascensor, Ben llamó a Jacqueline y le dijo que no tardaría en volver al despacho, y preguntó si le apetecía comer en Cipriano, sito en el Sherry-Netherland, un poco más arriba de la oficina de iPS USA, en la misma calle. Lo que en realidad deseaba era oír de sus labios que Satoshi había aparecido, porque era supersticioso a la hora de preguntar. Como ella no le aportó la información, preguntó por fin, y la secretaria le comunicó que no había aparecido. Debido a la misma superstición, Ben había evitado volver a llamar al móvil de Satoshi, pero al final lo hizo. Le salió el buzón de voz, y decidió no dejar ningún mensaje, en plan agresivo pasivo. Ben estaba irritado porque el hombre no hubiera tenido el sentido común de llamar si no pensaba hacer acto de presencia.

7

Carlo Paparo entró con el coche en las galerías comerciales de Elmhurst Avenue que albergaban el restaurante Veneciano. El local se hallaba situado entre Gene's Liquors, más una vinoteca que una licorería, y Fred's DVD Rental. Fred's había cerrado varios años antes, pero el antiguo letrero seguía en su sitio.

Sentado a su lado iba Brennan Monaghan. Todos los martes y jueves iban desde sus casas de New Jersey a Elmhurst, en Queens, para jugar al póquer con su jefe, Louie Barbera.

Varios años antes, el jefe de la familia Vaccarro había ordenado a Louie que ocupara el lugar de Paulie Cerino en Queens, mientras Paulie estaba en el talego. Antes, Louie había sido el jefe de la rama de New Jersey, pero la de Queens era muchísimo más grande e importante. Al principio, los mandamases pensaron que Louie obtendría la condicional al cabo de cinco años, pero los años se habían prolongado. Cada vez que Paulie se presentaba ante la junta de libertad condicional, su petición era denegada.

—¿Vamos a hablar enseguida de lo que pasó anoche y lo que hicieron aquellos chalados yakuza, o lo dejaremos hasta después de comer? —preguntó Brennan mientras bajaba del coche—. Sé que Louie se pondrá un poco tenso.

—Buena pregunta —contestó Carlo. Cerró la puerta del Denali y se encaminó hacia la entrada del Veneciano—. Creo que deberíamos decírselo ya. No quiero que la tome con nosotros de ninguna manera, cosa que podría suceder si nos demoramos.

—Sí, pero le va a estropear la partida, y él detesta que le estropeen las partidas.

—Cierto. Nos encontramos entre la espada y la pared. ¿Y si nos lo jugamos a cara o cruz?

—Buena idea.

Los dos hombres se detuvieron en mitad del aparcamiento, mientras buscaban una moneda en los bolsillos. Brennan fue el primero en sacar una de veinticinco centavos.

—Cara, se lo decimos ahora mismo. Cruz, esperamos a que termine la comida y la partida.

—¡De acuerdo! —dijo Carlo.

Brennan utilizó el pulgar para impulsar la moneda sobre su cabeza y se apoderó de ella en el aire, antes de que tocara el suelo. Dejó la moneda con un veloz movimiento sobre el dorso de la muñeca izquierda. Los dos hombres se inclinaron hacia delante. Cara.

—Decidido —dijo Brennan.

Sonó una bocina y los dos hombres se apartaron de un salto. Cuando miraron el vehículo culpable, vieron que el conductor era Arthur MacEwan, uno de sus colegas, que se estaba riendo por haber asustado a Brennan y Carlo. Cuando pasó de largo, Brennan le hizo un corte de mangas. Detrás de Arthur iba el Chevrolet Malibu negro conducido por otro colega, Ted Polowski. Ambos coches encontraron sitio libre en el aparcamiento, y sus conductores se reunieron con los demás.

—¿Qué estáis haciendo en mitad del aparcamiento, desgraciados? —preguntó Arthur, sin dejar de reír de lo mucho que se habían asustado Carlo y Brennan. Tenía una voz aguda que ponía a todo el mundo de los nervios.

—Que te jodan —replicó Carlo.

—Estábamos decidiendo cuándo vamos a contarle a Louie lo ocurrido anoche —explicó Brennan, indiferente a las excentricidades de Arthur.

—¿Qué pasó? —preguntó Arthur.

—Pronto te enterarás —replicó Carlo.

El grupo se dirigió hacia el restaurante, cuya fachada estaba revestida de piedra falsa. Al otro lado de la puerta, pasaron a través de una pesada cortina verde oscuro cuya misión consistía en impedir la entrada del frío en noches gélidas. Dentro, las paredes estaban llenas de cuadros de Venecia sobre terciopelo negro. Estaban representados casi todos los lugares clásicos, como el Puente de los Suspiros, la basílica de San Marcos, el puente del Rialto y el palacio del Dux.

A la izquierda había una pequeña barra con media docena de taburetes. Una hilera de reservados tapizados en terciopelo rojo corría a lo largo de la pared de la derecha, provistos de manteles blancos, y esas eran las mesas más codiciadas para cenar a altas horas de la madrugada. El local solo abría a la hora de comer los martes y los jueves, y solo para su propietario, Louie Barbera, y sus secuaces: Carlo, Brennan, Arthur y Ted. Sobre las demás mesas de la sala descansaba una botella de Chianti colocada dentro de una cesta de paja y cubierta de churretones de cera depositada por las velas. A juego con el resto de la decoración, los manteles y servilletas eran de tela a cuadros rojos y blancos. La sala estaba escasamente iluminada por diversos candelabros colgados sobre la barra y sobre cada reservado.

—Llegáis tarde —dijo con brusquedad Louie. Dobló el periódico y lo apartó a un lado mientras consultaba el reloj—. Cuando digo a las doce, digo a las doce. ¿Lo habéis pillado?

Louie era un hombre obeso de unos cuarenta y cinco años, de facciones anodinas talladas en un rostro del color y la textura de la pasta italiana. Iba vestido en consonancia con un traje de pana, con parches sobre las rodillas y los codos. Lo único excepcional de su apariencia eran los ojos. Asomaban agudos y penetrantes entre los párpados flácidos, y recordaban a los de un reptil gordo y perezoso.

Los hombres no respondieron, conscientes de que, dijeran lo que dijeran, Louie se abalanzaría sobre el que tuviera el coraje de abrir la boca. Algo que todos aprendían con los años era que cuando Louie estaba de mal humor, lo cual parecía ser a diario, era mejor hablar lo menos posible. Cuando entraron en el reservado por ambos lados, puesto que Louie estaba sentado al fondo, los hombres guardaron silencio.

Louie los miró de uno en uno con el fin de encontrar una víctima que calmara su irritación, pero nadie sostuvo su mirada.

—¡Benito! —gritó por fin Louie, en voz lo bastante alta para que le oyeran desde la cocina, lo que provocó que todos los de la mesa pegaran un bote—. Sois patéticos —añadió, al darse cuenta de que nadie estaba dispuesto a salir en defensa del grupo.

Benito salió disparado a través de las puertas batientes y corrió hacia el reservado. Era un hombre menudo con un bigote como dibujado a lápiz, e iba vestido con un raído esmoquin.

—¿Sí, señor Barbera? —preguntó, con un acento italiano que parecía salido de un casting.

—¿Qué hay para comer?

—*Pasta con carciofi e pancetta.*

Los ojos de Louie se iluminaron.

—¡Estupendo! Que nos traigan también un Barolo, San Pellegrino y ensalada de rúcula. —Paseó la vista alrededor del grupo—. ¿A todo el mundo le va bien?

Todos asintieron por turno.

—Pues ya está —dijo Louie a Benito, al tiempo que le despedía con un ademán—. ¡Y dile a John Franco que esté al dente o se la devolveré! —gritó.

Louie devolvió la atención a sus invitados, y miró directamente a Carlo.

—Bien, ¿has traído las cartas o no?

Carlo sacó una baraja nueva, rompió el sello y la dejó delante de Louie, mientras discutía consigo mismo si debía sacar a colación ahora el tema de los dos yakuza chiflados y lo que había sucedido la noche anterior, o más tarde, pese a los resultados del lanzamiento de la moneda. Tal como Brennan le había recordado, Carlo estaba seguro de que Louie se pondría como una moto, porque durante años no había parado de insistir en que debían moderar la violencia, o sea, los asesinatos, con todas las bandas locales, ya fueran asiáticas, hispanas, rusas o estadounidenses. Su autoridad en este sentido había dado unos resultados admirables, y todo el mundo ganaba dinero, a pesar del deprimido entorno económico. Afirmaba que, al renunciar al asesinato, la policía les dejaba en paz, permitiendo que el juego y el tráfico de drogas prosperaran, sobre todo las drogas. Sin interferencia policial, Louie había encabezado una asociación con el grupo yakuza japonés Aizukotetsu-kai, dirigido por Hideki Shimoda, quien se autodenominaba *saiko-komon*, lo cual interpretaba Louie como equivalente a capo, o sea, su igual. La asociación permitía a Louie un aprovisionamiento inagotable de «hielo», así como acceso a jugadores japoneses de primera categoría. La asociación había aumentado hasta constituir una parte muy importante de los ingresos de los Vaccarro. Por supuesto, el principal rival de Louie, la familia Lucia, se enteró de la operación y descubrió un grupo yakuza rival, la Yamaguchi-gumi, con la que formó una asociación similar. Ahora se hacían la competencia, una situación que en el pasado habría dado como resultado una especie de guerra intestina. Pero no bajo el liderazgo de Louie. Él consideraba más positiva que negativa la competencia, porque estimulaba la demanda. El hielo se estaba convirtiendo en una de las drogas recreativas más populares de la ciudad, un hecho que utilizó para convencer a Vinnie Dominick, de la familia Lucia, de que había espacio más que suficiente para ambas organizaciones.

Mientras Louie repartía la primera mano, Carlo se descubrió buscando un motivo convincente para comunicar la mala noticia de inmediato. Si lo hacía, estaba bastante seguro de que Louie no podría echarle la culpa, pues Louie había ordenado a Carlo que ayudara a los tipos de la yakuza. Por otra parte, si Carlo esperaba a más tarde, tal como estaba tentado de hacer, existían bastantes probabilidades de que le echara la culpa, al menos hasta cierto punto, de los asesinatos, con lo cual la situación empeoraría todavía más. Carlo sabía que Louie no era una buena compañía cuando estaba irritado, pero era mucho peor cuando se enfadaba con él.

—Ayer por la tarde, cuando nos enviaste a ayudar a los tipos de la Aizukotetsu-kai, las cosas salieron...

Carlo hizo una pausa, mientras intentaba pensar en la forma más tranquilizadora de sacar el tema a colación, pero las palabras no acudieron a su mente hasta que pensó en la palabra «torcidas». Era probable que jamás hubiera utilizado dicha palabra en su vida, y se preguntó de dónde habría salido cuando surgió de su boca.

Louie dejó de organizar sus cartas, las bajó muy lentamente y miró a Carlo.

—¿«Torcidas»? —preguntó muy confuso—. ¿Qué quieres decir?

—Como inesperadas —explicó Carlo.

—«Inesperadas» es tan confuso como «torcidas». ¿Inesperadamente bien o inesperadamente mal?

—Yo diría que mal.

Louie miró a Brennan, como si esperara que este explicara la elección de palabras de Carlo. Cuando Brennan se negó a establecer contacto visual, Louie dijo:

—Muy bien, tíos, creo que será mejor que me digáis qué coño pasó.

—No estamos seguros al cien por cien de la primera parte, pero sí de la segunda.

—Venga ya, basta de marear la perdiz.

—Nos dijiste que debíamos ayudar a esos dos yakuza a asustar a un japonés llamado Satoshi, que trabajaba para una empresa llamada iPS USA.

—Eso me dijo Hideki Shimoda. Habían tenido algunos problemas con ese tal Satoshi en Japón. Supuse que debía de ser una deuda de juego grande, pues el hombre había huido hacía poco de Japón para trasladarse aquí, a Nueva York.

—Bien, no se contentaron con un susto. Siguieron al tipo hasta la estación de metro de la calle Cincuenta y nueve. Pero no estuvieron abajo más de diez o quince minutos. Cuando volvieron, iban muy animados y llevaban la bolsa de deporte del hombre, cuyo contenido pareció decepcionarles. Cuando les pregunté qué había pasado, me dijeron que Satoshi había sufrido un infarto, lo cual provocó que el otro capullo se echara a reír.

—Sé lo de ese supuesto infarto —dijo Louie—. Hideki Shimoda me llamó para darnos las gracias por la ayuda que dispensasteis a sus chicos. De hecho, me llamó para informar de lo que le había dicho su jefe de Japón. Sea como sea, el pez gordo le dijo que me pidiera vuestra ayuda de nuevo esta noche, lo cual me llevó a preguntarle si todo había salido bien y si habían conseguido lo que querían. Entonces me dijo que no, que no tenían lo que buscaban, por eso os necesitaba otra vez esta noche. También me dijo que Satoshi había sufrido un infarto, pero al final admitió que había sido un asesinato. Cuando le eché la caballería encima, diciendo que las familias estadounidenses habíamos aprendido a evitar los asesinatos para sacarnos de encima a las autoridades, dijo que me calmara, que lo hicieron de una forma que parecería un infarto, o al menos por causas naturales, y que nadie iba a imaginar que habían asesinado al tipo. Bueno, no fueron sus palabras exactas, pero eso fue lo que dijo.

—¡Sabía que fue un asesinato! —dijo Carlo como autofelicitándose—. Todo fue demasiado rápido. Me mosquea que no fueran sinceros con nosotros. Tendrían que habernos dicho lo que tramaban. Nos trataron como si fuéramos taxistas, y supongo que lo éramos. Te digo una cosa: no me gusta nada tener que ayudarles otra vez.

—Lo entiendo —dijo Louie—, pero la situación se ha complicado un poco más. ¿Cuál es esa segunda parte a la que te referías?

—Cuando Susumu y Yoshiaki salieron de la estación de metro, llevaban el billetero de Satoshi y su bolsa de deporte. Gracias a la cartera descubrieron dónde vivía el tipo con su familia, en Fort Lee, New Jersey. Después discutieron entre ellos en japonés, y terminamos marchando todos hacia Fort Lee.

—No os dije que fuerais a New Jersey. ¿Qué coño hicieron en New Jersey?

—Sí, bien, tampoco nos dijiste en concreto que no fuéramos a New Jersey. Nos dijiste que les lleváramos a donde quisieran.

—¿Qué pasó en Jersey? —preguntó Louie, mientras empezaba a preguntarse si no sería mejor seguir en la ignorancia. El asesinato ya le había sacado de quicio.

—Localizamos la casa de Satoshi y los dos tíos entraron, pero antes sacaron pistolas como en las películas, y las sujetaron con las dos manos. Yo nunca sujeto una pistola con las dos manos.

—¡No me jodas! —bramó Louie. Sabía lo que venía a continuación.

—Mientras nosotros nos quedábamos sentados, oímos seis disparos. ¡Bam, bam, bam, bam, bam, bam! En aquel momento saqué el móvil para llamarte y preguntar qué coño pensabas que debíamos hacer. ¡Ahora somos cómplices por haberlos acompañado en coche!

—Nunca recibí tu llamada —replicó Louie.

—No, es que no tuve tiempo de hacerla. Enseguida vimos a Susumu y Yoshiaki salir pitando de la casa, cargados con fundas de almohada llenas de cosas, y se metieron en el coche. En aquel momento, lo único que deseaba era salir pitando yo también. Además, quería deshacerme de aquellos chiflados de gatillo fácil. ¡Ya estaba hasta el gorro! No quería tener nada más que ver con aquellos capullos. No les habría llevado a New Jersey de haber sabido que iban a entrar a sangre y fuego.

—¡Qué desastre! —gruñó Louie—. Un asesinato en el andén del metro y la masacre de toda una familia. Deletrea crimen organizado en mayúsculas. Pensar en todo el trabajo que me he tomado para disminuir la violencia y mantener contenta a la policía. Es indignante. ¿Por qué matar a la familia? ¿Qué se llevaron de la casa? ¿Drogas?

—No sabemos qué se llevaron, pero sabemos lo que no se llevaron.

—¿Qué quieres decir?

—Quiero decir que lo que iban buscando eran un par de cuadernos de laboratorio, sea eso lo que sea, porque cuando cruzamos de nuevo el puente George Washington nos explicaron con pelos y señales lo que habían estado buscando.

—¡Mierda! —gritó Louie, y sus invitados se encogieron—. Eso es lo que Hideki quiere conseguir esta noche. ¡Por un par de cuadernos de laboratorio, que evidentemente no encontraron, vamos a tener que lidiar con el desaguisado de un atentado en el metro y el asesinato de la familia! —bramó mientras los demás guardaban silencio—. Y si descubren que el supuesto infarto fue un homicidio, en lugar de una muerte natural, las autoridades se van a volver locas, porque el público exigirá que reaccionen. Para nosotros podría convertirse en una zona de guerra y nos obligaría a retroceder en todo. ¡Mierda! Dos años de esfuerzos al carajo. Se me está pasando por la cabeza quebrantar mi propia regla, liquidar a Hideki Shimoda y lanzarlo a los Estrechos para que sea pasto de los peces. De hecho, lo haría sin dudarlo si tuviéramos una fuente alternativa de cristal. Hemos aumentado la demanda de hielo, de modo que debemos mantener una fuente segura, así que acabar con Hideki sería como dispararnos en el pie. El problema reside en que, en estos tiempos difíciles, el hielo se ha convertido en una parte considerable de nuestros ingresos, y la principal fuente de hielo es Japón.

—De modo que Susumu y Yoshiaki no han terminado —añadió Carlo—. Pedir nuestra ayuda de nuevo esta noche significa que van a seguir causando problemas. Son dos tipos que no se lo piensan dos veces a la hora de sacar la pistola y empezar a disparar.

—Por desgracia, creo que tienes toda la razón —admitió Louie, al tiempo que dejaba caer sus cartas sobre la mesa—. Esto es indignante, y todo por un par de cuadernos de laboratorio. Ese tal Hideki tiene pelotas. Primero intenta decirme que Satoshi sufrió un infarto, y después ni siquiera menciona de pasada lo que acabas de contarme sobre New Jersey. No puedo creerlo.

—Lo creas o no, y te lo digo a la cara, no quiero volver a tener nada que ver con esos hijos de puta chiflados.

—¡Yo soy el que da las órdenes! —replicó Louie. Nadie habló durante unos momentos—. Lo que Hideki quiere es ayuda para forzar la entrada de iPS USA, sea eso lo que sea.

—La oficina de iPS USA está en la Quinta Avenida, por el amor de Dios —dijo Carlo, encolerizado—. Intentar algo así exigiría mucha planificación.

—Es probable que estés en lo cierto —repuso Louie, absorto en sus pensamientos—. Pero seguimos con el problema de retener nuestra fuente de cristal. Cuando Hideki intuyó mi reticencia a proporcionar ayuda, se apresuró a insinuar que a la organización de Lucia le encantaría ayudarle. ¿Puedes creerlo? Para colmo, amenaza con cambiar de aliado, en la persona de Vinnie Dominick, si no le ayudamos a conseguir los cuadernos de laboratorio. ¿Por qué Vinnie Dominick? ¿Por qué tiene tanta suerte? Para que luego hablen de The Teflon Don.* En primer lugar, se escapa de que le pillen en el asunto de Angels Healthcare, y ahora existe la posibilidad de que toda la lucrativa asociación entre

* Se refiere a John Gotti, el último Padrino de la mafia estadounidense. (*N. del T.*)

la yakuza y la mafia vaya a caer en su regazo. Y todo por unos cuadernos de laboratorio.

—Por más amenazas que insinúe Hideki, es inimaginable que eso suceda —dijo Carlo—. No existe el menor cariño entre la Aizukotetsu-kai y la Yamaguchi-gumi, al menos según Susumu y Yoshiaki. Las dos organizaciones ni siquiera pueden compartir la misma sala, y mucho menos cooperar y trabajar juntas. ¿Quieres que intentemos convencer a Susumu y Yoshiaki? Les explicaremos que sería un suicidio entrar por la fuerza en iPS USA. Yoshiaki parece más razonable, y puede que siguiera nuestro consejo. Al menos, más que Susumu. Este es el que me asusta.

—Nos estamos olvidando de algo —intervino Brennan, que hablaba por primera vez—. Ningún episodio, ni el asesinato en el metro ni la matanza en la casa de New Jersey, ha salido en los periódicos. Creo que eso nos dice dos cosas. El asesinato en el metro, al menos de momento, se ha considerado muerte natural, y si Susumu y Yoshiaki se llevaron todas sus tarjetas de identificación, cosa que creo que hicieron, se convertirá en la muerte natural de un individuo desconocido, un tipo de caso que no recibe mucha atención. Pero los asesinatos de New Jersey son algo muy diferente, y la única explicación de que no hayan aparecido en los medios es que no han sido descubiertos. Y el hecho de que no hayan sido descubiertos no te sorprendería si hubieras visto el barrio. La casa y el barrio son de lo más cutre que puedas imaginar, y parecía todo abandonado. No vimos ni un alma o una luz en ningún edificio.

—Eso es cierto —admitió Carlo.

Louie miró a Brennan y se dio cuenta por enésima vez de que había subestimado al chico. Como de costumbre, lo que Brennan decía era sensato. Tal vez la situación no era tan mala como había pensado al principio.

—Si mataron a todos los miembros de la familia —continuó Brennan—, y nadie va a la casa y descubre los cadáveres, y si nadie se acerca y capta el olor en un plazo de dos semanas, pues bien, es posible que tarden semanas, meses o incluso años en descubrir la masacre.

Reinó el silencio después del comentario de Brennan, hasta que Louie habló.

—Creo que tienes razón en ambas cosas, lo del asesinato y lo de la casa; pero si nos quedamos sentados sin hacer nada, lo dejaremos todo en manos del azar: puede que la policía continúe considerando el asesinato una muerte natural y puede que el cartero no vomite hasta la primera papilla cuando vaya a entregar el correo. Yo diría que hemos de intervenir. Nuestra relación con Hideki y la Aizukotetsu-kai está en el aire.

—Espero que no estés pensando en enviarnos con Susumu y Yoshiaki a dar un golpe en la Quinta Avenida, porque sería un suicidio —dijo Carlo—. Sería convertir un problema en un desastre.

—No sé qué coño hacer —admitió Louie—. Necesito el consejo de un experto. Necesito otra opinión antes de decidir.

—¿A quién vas a consultar? —preguntó Carlo. Era inimaginable que Louie acudiera al don, Victorio Vaccarro. El hombre tenía más de noventa años. A todos los efectos, Louie era el jefe de la familia Vaccarro.

—Voy a ver a Paulie Cerino al talego —dijo Louie, antes de gritar a Benito que trajera la maldita comida.

8

Mientras daba marcha atrás con su nuevo Mercedes 4×4 para ocupar un estupendo hueco junto al restaurante Napolitano, Michael Calabrese no pudo dejar de asombrarse de los cambios que daba la vida. Justo tres años antes estaba haciendo el mismo desplazamiento, pero la situación era muy diferente. En aquella época tenía un miedo atroz, y buenos motivos para creer que le matarían. La situación era tan horrenda que estaba empezando a forjar un plan para desaparecer. Era entonces agente bursátil de Angels Healthcare LLC, que estaba a punto de empezar a cotizar en bolsa sin revelar que era insolvente. Aquel día iba a ver a Vinnie Dominick, con la poco envidiable tarea de confesarle la desgraciada situación que se estaba produciendo. El problema era que Michael había convencido a Vinnie de invertir una enorme cantidad de la mafia, más de quince millones de dólares, en la empresa.

Solo pensar en aquella situación le provocaba un escalofrío de miedo que recorría su espina dorsal, a pesar del desenlace. Angels Healthcare siguió adelante, como Michael había creído al principio, recibió una OPA asombrosa, y ahora era una empresa floreciente, que reportaba cientos de millones a Vinnie y a la organización de Lucia, y millones a Michael. En lugar de ser considerado un lacayo, Michael había sido elevado a la condición de genio e hijo favorito de Rego Park, el barrio de Queens donde Vinnie y él habían crecido.

Michael bajó del coche y tuvo que esperar para cruzar Corona Avenue, una calle de cuatro carriles con mucho tráfico. Cuando se abrió un hueco, corrió y después disminuyó el paso. Esta vez, Michael llegaba como invitado. Después de la visita de Ben aquella mañana, Michael había llamado a Vinnie Dominick para quedar a comer con él y con Saboru Fukuda, con la explicación de que tenía buenas noticias de iPS USA.

Cuando Michael se acercó al restaurante, no pudo reprimir una sonrisa. Además de su nombre, Napolitano, era tan descaradamente italo-americano que parecía un chiste. Con la vana esperanza de resultar más elegante de lo que era, la fachada estaba cubierta de ladrillo falso, montada a base de placas de fibra de vidrio que ni siquiera conseguían dar una sensación de realidad. Debajo de las ventanas había jardineras falsas con flores de plástico anticuadas. Ningún cliente entraba o salía del restaurante, porque estaba cerrado al público para comer. Solo se abría a mediodía para Vinnie, sus fieles secuaces y sus invitados. Era un precio barato que el dueño pagaba a gusto, pues por las noches siempre llenaba el local. El restaurante poseía un atractivo mítico debido a su larga historia de relación con el hampa, sobre todo en los años treinta, durante la ley seca.

Ya dentro, Michael atravesó la cortina de la entrada y se detuvo hasta que sus ojos se adaptaron a la oscuridad. A la izquierda había una barra nueva en forma de U, con copas que colgaban boca abajo de una estructura de madera que corría alrededor del techo de la zona. A un lado, cerca de un grupo de mesas auxiliares, había una chimenea falsa cuyo fuego era un tambor giratorio recubierto de papel de aluminio arrugado. Los troncos eran de hormigón. El origen del fuego era una bombilla roja oculta detrás de un tronco. Sobre la repisa había un gran cuadro tenebroso de la Virgen María con el Niño, en un enorme marco dorado falto de lustre.

A la derecha había codiciados reservados que se extendían hasta las profundidades del restaurante. Los dos primeros estaban ocupados, uno por los colaboradores más cercanos de Vinnie, a varios de los cuales reconoció Michael como antiguos compañeros de clase. Estaba Richie Herns, quien había ocupado el puesto de Franco Ponti como jefe de los secuaces. Franco estaba en la cárcel junto con Angelo Facciolo, las dos personas que siempre habían aterrorizado a Michael. Freddie Capuso, el payaso de la clase, también estaba. Había otros tres individuos de aspecto impresionante a los que Michael no conocía.

Vinnie Dominick estaba sentado a la mesa siguiente. Vio a Michael y le indicó por señas que se acercara. Al lado de Vinnie se sentaba su novia, Carol Cirone, que comía con Vinnie todos los días salvo los domingos, cuando Vinnie se quedaba en casa con su mujer y su familia. Al lado de Carol se encontraba Saboru Fukuda, un hombre menudo y elegante vestido con un soberbio traje Príncipe de Gales hecho a medida. Para Michael, tenía más aspecto de oftalmólogo de la Quinta Avenida que de jefe de una rama de la violenta organización Yamaguchi-gumi.

Cuando Michael se acercó a la mesa, Vinnie se deslizó sobre el asiento de vinilo y se puso en pie.

—Hola, hermano —saludó Vinnie, y envolvió a Michael en un abrazo fraternal. Él también iba vestido de punta en blanco, incluso con más estilo que su invitado de la Yamaguchi-gumi. Mientras Saboru llevaba un pañuelo marrón oscuro cuidadosamente doblado en el bolsillo superior de la chaqueta, Vinnie lucía un colorido pañuelo de seda de Cartier que se desplegaba como una explosión de color.

Con el brazo todavía sobre la espalda de Michael, Vinnie dio un golpecito en el brazo de Saboru para llamar su atención.

—¡Escucha, *psycho*! Mikey ha llegado —anunció.

Saboru y él pasaban mucho tiempo juntos, a medida que su

relación comercial iba floreciendo, y Vinnie utilizaba la palabra *psycho* en lugar del *saiko*, de *saiko-komon*, como juego de palabras humorístico. Saboru lo consideraba divertido, una vez recibidas las explicaciones pertinentes.

Saboru se levantó, hizo una veloz reverencia y entregó a Michael una tarjeta. Michael aceptó la tarjeta después de una rápida y torpe reverencia, y le dio una de las suyas. En el escritorio de su despacho guardaba una colección de tarjetas de Saboru.

—¡Siéntate, siéntate! —repitió Vinnie a Michael, pero después se acordó de Carol—. Escucha, cariño, hemos de hablar de negocios. Ve a sentarte un rato con los chicos —dijo, señalando el grupo del reservado contiguo.

—Quiero quedarme con vosotros —gimió la muchacha.

—Carol, querida —dijo Vinnie poco a poco, sin alzar la voz—. He dicho que te sientes en la mesa de al lado.

Michael sintió que se le erizaba el vello de la nuca. Vinnie era colérico y propenso a la violencia. Durante unos momentos, Vinnie y Carol sostuvieron la mirada. Toda la sala guardó silencio, hasta que Carol cedió y se levantó de la mesa. Cambió de sitio con expresión contrita y malhumorada al mismo tiempo. Al cabo de un instante, las conversaciones se reanudaron en la sala.

—Por favor —dijo Vinnie, e indicó con un ademán a sus dos invitados que se sentaran. Como por arte de magia, apareció un camarero y preguntó a Michael qué deseaba beber, al tiempo que señalaba una botella abierta de Sassicaia, el vino favorito de Michael, y después una cubitera con un pinot grigio y una botella de San Pellegrino.

—Bien, ¿cuál es la buena noticia? —preguntó Vinnie en cuanto sirvieron a Michael vino y agua. En lo tocante a los negocios, Vinnie era impaciente. No le importaba hablar de trivialidades, pero después de los negocios, no antes.

Michael se inclinó hacia Vinnie y habló con una voz que indicaba que iba a decir cosas importantes.

—Ayer se firmó un acuerdo exclusivo con Satoshi Machita relativo a las células iPS.

Se hizo el silencio durante un momento. Vinnie y Michael se limitaron a mirarse. Solo se oía la charla de la mesa de al lado, donde los chicos se dedicaban a entretener a Carol. Cuando Michael había hablado por primera vez de iPS USA a Vinnie, se había explayado en detalle sobre la increíble promesa de las células madre y el lamentable enredo que la prometedora ciencia y la industria en ciernes habían encontrado por culpa del problema del aborto. Después explicó cómo esquivaban el problema las células madre inducidas. Consciente de la inteligencia innata de Vinnie, Michael también había relatado los problemas de patente relativos a las células madre y lo importante que sería controlar las grandes patentes. Fue Vinnie quien rompió el silencio por fin.

—¿Y es esa patente de células iPS la que va a ser la madre de todas las patentes?

—Eso cree Ben Corey, y ese tipo es un genio que quiere controlar la medicina regenerativa.

—Y nosotros estaremos con él —anunció Vinnie.

—Codo con codo —corroboró Michael.

Vinnie levantó la copa de vino y la extendió hacia los demás. Exhibía una sonrisa irónica en el rostro.

—Jamás imaginé que el dinero saldría de la asistencia sanitaria. Primero los hospitales, y ahora la biotecnología. Me encanta.

Todos entrechocaron las copas y bebieron.

Vinnie se volvió hacia Saboru.

—Ya te dije que este tipo era grande —dijo mientras hacía un gesto con la cabeza en dirección a Michael.

—¡Gracias! —dijo Saboru varias veces, inclinando la cabeza primero hacia Michael, y después hacia Vinnie.

—Ahora quiero sacar a colación otro tema —dijo Michael, mientras dejaba la copa sobre la mesa y se echaba hacia delante en el asiento, como si estuviera a punto de contar un secreto—.

Esta mañana me he reunido con el doctor Corey. Una vez firmado el nuevo contrato, el valor de mercado de la empresa se pondrá por las nubes. Es imposible saber qué valor alcanzará. Además, esta mañana me confió que existe una nueva empresa que controla la patente de un procedimiento que acelerará la eficacia productiva de la fabricación de células madre inducidas. Está interesado en comprar la empresa o, como mínimo, en conseguir la licencia en exclusiva de su propiedad intelectual. La pregunta es: ¿deseáis adquirir más capital antes de la OPA? En tal caso, este sería el momento adecuado.

Tanto Vinnie como Saboru hicieron preguntas, que Michael contestó, azuzando con astucia el interés de sus clientes con el fin de que, si Ben deseaba o necesitaba más capital, estuviera disponible de inmediato.

Después de una interrupción, cuando el camarero se acercó a preguntar qué deseaban comer, Michael abordó el tercer y último tema, y el más delicado, del orden del día: el interés de Ben en distanciar a iPS USA de sus respectivas organizaciones. Cuando terminó y guardó silencio, percibió un cambio de humor. Estaba claro que ni Vinnie ni Saboru se sentían complacidos, pues les ofendía el simple hecho de que hubiera abordado el tema.

—Es bastante tarde para que el doctor Corey piense que no le interesa nuestra ayuda —dijo Saboru. Era este quien había organizado el robo de los cuadernos de laboratorio de la Universidad de Kioto, y sacado a Satoshi y a su familia de Japón vía Honolulu con destino a Nueva York, la misma ruta que utilizaba para las drogas y la pornografía infantil.

—Estoy de acuerdo —repuso Vinnie con la voz particularmente serena que Michael temía, pues presagiaba muy a menudo un acceso de ira.

—No ha sido nuestra intención faltaros al respeto —se apresuró a explicar Michael—. Es algo que el doctor Corey considera conveniente para la empresa, solo si empieza a cotizar en bolsa. Si esta asociación se filtrara durante el proceso, es probable que la empresa tuviera que cancelar la OPA para evitar una investigación del SEC.*

—Sabe que las propiedades de Lucia están a buen recaudo bajo una serie de empresas fantasma, ¿verdad? —preguntó Vinnie.

—Pues claro —replicó a toda prisa Michael para calmar los ánimos—, y os está tremendamente agradecido por lo que habéis hecho por la empresa. Hasta dijo que destinaría una cantidad de capital considerable para reconocer vuestra contribución especial, llegado el caso.

En aquel momento, Michael creyó que estaba salvado, cuando varios camareros salieron raudos de la cocina con una amplia variedad de pastas humeantes como primer plato. Aliviado, se reclinó en el asiento y respiró hondo. Desde su punto de vista, lo malo de tratar con organizaciones criminales es que uno se sentía al borde de un precipicio.

* Securities and Exchange Commission, agencia del gobierno de Estados Unidos responsable de hacer cumplir las leyes federales de los valores y regular la industria de los valores. (N. del T.)

9

Jueves, 25 de marzo de 2010, 13.05 h

Louie Barbera tomó la silla que acababan de dejar libre al final de la sala de visitas, en el centro de visitantes de Rikers Island. A lo largo de los años, había ido media docena de veces para ver a Paulie Cerino, el capo al que sustituía desde que este fue enviado a la cárcel, hacía más de una década. Louie había ido a verle sobre todo para hacerle preguntas sobre personas o acontecimientos concretos, pues era difícil ocupar el puesto de alguien, sobre todo cuando dicha persona, en teoría, debía regresar. Como en todos los negocios, legales o ilegales, la coherencia era fundamental.

Las visitas de Louie a Paulie habían ido disminuyendo de frecuencia con el paso de los años, cuando Louie se familiarizó más con Queens y sus personajes y retos específicos. Pero ahora Louie estaba en la inopia. No tenía ni idea de qué hacer sobre la situación creada por Hideki Shimoda y, en especial, Vinnie Dominick, el antiguo archienemigo de Paulie. Era como hacer equilibrios sobre un caldero de lava fundida. Un resbalón, y todo el mundo caería dentro.

Louie utilizó un pañuelo de papel y un poco de gel de alcohol para secar el auricular del teléfono, que aún estaba tibio del anterior usuario. Paulie aún no había llegado. El plan de Louie era sencillo: contarle los detalles, ver su reacción y salir cagando leches. Aunque Rikers Island era la institución penitenciaria más grande y concurrida del mundo, la instalación también era famosa por su estado ruinoso. Louie se estremeció al pensar en la posibilidad de pasar la noche en aquel lugar, y ya no digamos una década.

Louie miró a su derecha y contempló la larga cola de visitantes, la mayoría de los cuales parecían mujeres que hablaban con sus maridos. Muchas daban la impresión de no poder llegar a fin de mes, aunque algunas intentaban disimular. Había guardias a ambos lados del cristal, con ojos vidriosos y expresión de aburrimiento. Louie consultó su reloj. Pasaban de las dos, y ya tenía ganas de irse. Se prometió no volver jamás a ese lugar.

En aquel momento vio a Paulie y se sobresaltó. La última vez que le había visto, Paulie tenía el mismo aspecto de siempre, aparte de las cicatrices provocadas cuando alguien le arrojó ácido a la cara un año antes de ser encarcelado. Siempre había sido un tipo grandote, y su apariencia le era indiferente. Ahora, en comparación, se le veía esquelético, y su uniforme carcelario colgaba sobre su cuerpo como una camisa demasiado grande de una percha metálica.

Cuando Paulie se sentó al otro lado del cristal, Louie tuvo que apartar la vista un momento. Había olvidado el doble trasplante de córnea de Paulie, el cual provocaba que el blanco de sus ojos contrastara de forma inquietante con la zona de las cicatrices.

Louie se controló, descolgó el teléfono y miró a Paulie, aunque fue como mirar un par de cañones de pistola.

—Paulie —dijo Louie, después de un breve intercambio de frases banales—, pareces diferente, has adelgazado.

—Soy diferente —admitió Paulie con aire melancólico, cuando no místico—. He encontrado al Señor.

«Santo Dios», pensó Louie, pero no lo dijo. Lamentó el hecho de haberse tomado el esfuerzo de ir hasta Rikers Island para pedir consejo sobre un problema difícil relacionado con el hampa, ahora que Paulie había encontrado a Dios. La situación era tan absurda que Louie pensó en marcharse, pero de repente Paulie volvió a concentrarse.

—Sé que habrás venido hasta aquí para pedir consejo sobre algún problema —dijo—, pero antes quiero hacerte una pregunta. ¿Cómo consiguió el hijo de puta de Vinnie Dominick salir indemne de todas aquellas acusaciones el año pasado? Estaba convencido de que acabaría aquí conmigo. Nadie me ha dicho nada.

La pregunta tomó a Louie por sorpresa. Tal vez Paulie no estaba tan inmerso en su recién descubierto cristianismo. Tal vez todavía podría darle algún consejo valioso.

—Es extraño que me preguntes eso, porque yo fui la causa de que Vinnie Dominick y los demás se fueran de rositas, y está relacionado en cómo les pillaron con las manos en la masa.

—No te sigo —admitió Paulie, interesado.

—Averigüé que Vinnie tenía un yate para todo tipo de diversiones desagradables relacionadas con el trabajo. Ordené a mis chicos que pusieran un GPS en el barco. Cuando supe que Vinnie y compañía estaban tramando algo, di la contraseña y el nombre del usuario a Lou Soldano para que pudiera detenerlos, cosa que hizo.

—¡Lou! —exclamó Paulie—. ¿Cómo está el viejo hijo de puta?

—Tan hijo de puta como siempre. ¿Por qué lo preguntas?

—Nos las tuvimos que ver tantas veces, que al final nos hicimos casi amigos. Todavía envía una felicitación de Navidad a mi mujer y mis hijos cada año. ¿A que es increíble?

Louie consideraba a Soldano la personificación del enemigo, y se negaba a verlo de otra manera, con felicitaciones de Navidad o sin ellas.

—¿Quieres saber cómo se libró Dominick o no?

—Quiero saberlo —admitió Paulie.

—Dominick contrató a unos abogados muy buenos que se centraron en el papel desempeñado por el GPS y, con la colaboración de uno de esos famosos jueces liberales de Nueva York, lograron rechazar todas las pruebas aportadas por el aparato de GPS, puesto que no había mandamiento judicial. ¿A que es increíble? De golpe y porrazo, las pruebas no servían de nada. En ocasiones creo que todo el sistema judicial de este país es su peor enemigo.

—Gracias por contarme lo de Vinnie, hijo de puta afortunado. Ahora te toca a ti. Dime qué quieres. No creo que se trate de un sermón.

—No, gracias. Solo tu consejo. Después de más de un año sin problemas con los negocios, nos encontramos en una de esas situaciones sin salida que podría desembocar en un desastre. Es un poco complicado, de modo que deja que te informe sobre nuestra asociación con una de las familias yakuza.

Para asegurarse de que Paulie comprendía toda la situación, Louie retrocedió en el tiempo y explicó cómo se había desarrollado la relación entre él e Hideki Shimoda, el jefe de la yakuza Aizukotetsu-kai.

—Monté cierto número de garitos de juego en el Upper East Side, que parecían y funcionaban como restaurantes, con el fin de atraer a ejecutivos japoneses de paso que Hideki nos proporciona. Ofrecemos crédito ilimitado y compañía femenina, y luego los socios de Hideki cobran a los desprevenidos estafados en Japón. Después de que la yakuza de Japón se queda con su parte, nos pagan en metálico o en cristal, pero por lo general en cristal, cosa que nosotros preferimos, y da la impresión de que su provisión es infinita. El montaje ha estado funcionando a la perfección y nos ha aportado un elevado porcentaje de nuestros beneficios. De hecho, ha sido tan rentable que el copiamonas de Vinnie Dominick ha creado su propio montaje con otra organización yakuza llamada Yamaguchi-gumi.

—Nunca nos aliamos con nadie —comentó Paulie con desdén.

—Lo comprendo, y tal vez no habría debido hacerlo —admitió Louie, al tiempo que bajaba la voz cuando un guardia se acercó—. Pero ahora a Dominick le va tan bien como a nosotros, y está aumentando la demanda de cristal. El problema de marras del que quiero hablar contigo ha surgido de la nada. Hideki Shimoda me llamó hace un par de días y me pidió que ayudara a dos de sus chicos a asustar a un investigador japonés y robar los cuadernos de laboratorio del tipo. No me hizo gracia la idea de entrometerme en negocios ajenos, pero Hideki insistió y yo me plegué a sus deseos porque, como ya he dicho, se suponía que solo iba a ser un susto. Pero se convirtió en otra cosa.

En aquel momento, Louie relató lo sucedido la noche anterior y cómo se había convertido en una bomba de relojería.

—¿Te sorprende que esos matones yakuza sean proclives a la violencia? —preguntó Paulie, asombrado.

—Me sorprendió el alcance. No había surgido ningún problema hasta anoche. Parecían respetuosos con nuestra forma de funcionar y mantenían los asesinatos al mínimo. En fin, no puede decirse que Vinnie Dominick y yo seamos amigos, pero con los años hemos aprendido que la violencia es mala para el negocio. Tal vez fui yo el primero en darme cuenta, y Vinnie accedió a imitarme. De hecho, lo he convertido en una especie de cruzada personal.

—Bien, ¿y ahora qué?

—Hideki me llama esta mañana, en teoría para darme las gracias por enviar la ayuda, y no admite que algo haya salido mal. Se lo tuve que arrancar. Ni siquiera habló de lo de New Jersey. Después, me pide que vuelva a ayudarle esta noche a robar los cuadernos de laboratorio que está buscando, con los mismos esbirros de gatillo fácil. El plan es entrar por la fuerza en un edificio de oficinas de la Quinta Avenida. Cuando percibe mi evidente vacilación a dar el visto bueno a una idea tan descabellada, me amenaza con romper nuestra cómoda relación comercial. Dice que Dominick no dudaría en ayudarle a llevar a cabo el robo si le ofrecieran compartir el negocio de la Aizukotetsu-kai al mismo tiempo que el de la Yamaguchi-gumi. ¿Comprendes? Ese hombre me está extorsionando.

—Comprendo, pero no entiendo por qué quisiste aliarte con esos yakuza.

—No parecían extremadamente violentos, al menos hasta anoche. Pero dejemos ese tema y concentrémonos en el problema actual. Al fin y al cabo, es tu territorio. En cuanto salgas, volverás a ser el jefe. ¿Cuándo crees que sucederá eso?

—Eso depende de la junta de libertad condicional. Ya he sido candidato por más tiempo del que quiero recordar. Me han rechazado tantas veces que estoy empezando a pensar que Vinnie está implicado, pero esa es otra historia. Volvamos a tu problema. Mi instinto me dice que has de deshacerte de ese tal Hideki. No puedes permitir que nadie te extorsione. En este negocio, no. Si cortas la cabeza a la bestia, esta no morderá.

—¡No puedo! —dijo Louie sin la menor vacilación—. Es demasiado importante. La Aizukotetsu-kai desembarcaría aquí y estallaría una guerra de verdad. Además, no puedes morder la mano que te alimenta. Como ya he dicho, una buena parte de los ingresos actuales se esfumarían.

—En ese caso, deshazte de los dos matones que hicieron el trabajo sucio. No necesitas tíos que vayan disparando a todo bicho viviente cuando les dé la gana. Has de transmitir el mensaje de que ese tipo de comportamiento no puede permitirse.

—Te escucho, pero liquidarlos supondrá abandonar mi campaña antiviolencia. He sido muy estricto al respecto. Hasta he abolido la violencia más anodina, como dar una paliza a jugadores endeudados, a menos que sea absolutamente necesario. Dominick y yo hasta nos reunimos para hablar de ello, y nos pusimos de acuerdo. Por lo tanto, no se ha producido la menor violencia, la policía nos ha dejado en paz y el negocio ha ido tan bien como cabía esperar, incluso en este momento de recesión económica.

—No puedes tenerlo todo —replicó Paulie—. Puedes animar a todo el mundo a desterrar la violencia, eso está bien. Pero esto es diferente. Esto es grave, culpa del líder de una banda extranjera. Has de reaccionar, y ha de ser ahora. Si no haces algo drástico, correrá la voz de que has perdido facultades. Te entiendo, es agradable desterrar la violencia porque puede ser útil con la policía, pero puede ser contraproducente con la competencia. Si no quieres cortar la cabeza, has de infligir serios daños a los órganos vitales. Debes deshacerte de los dos matones de Hideki. ¡Escúchame!

Paulie indicó a Louie de repente con un movimiento de los ojos que mirara a su derecha. Uno de los aburridos guardias estaba caminando en su dirección, por el lado del cristal de Louie. Cuando se acercó, Louie y Paulie se pusieron a hablar de los viejos y felices tiempos, cuando Louie estaba en Bayonne, New Jersey, y Paulie en Queens.

Por desgracia, el guardia pasó por detrás de Louie en dirección a la ventana y contempló un rato la bahía, lo cual obligó a Louie y Paulie a pensar en otras cosas de que hablar. Por fin, se centraron en los Yankees y en cómo iría la temporada 2010.

—Hemos de darnos prisa —dijo Louie cuando el guardia se alejó por fin—. Se me está acabando el tiempo.

—Has de hacer algo drástico, o perderás el control. Lo que yo haría sería llamar a Hideki, fingir que has cambiado de idea y dar a entender que le vas a ayudar. Dile que quieres reunirte con él, porque cuanto más sepas sobre lo que está pasando, mejor podrás ayudarle. Y hazlo cara a cara. Se averiguan muchas más cosas durante una reunión que por teléfono. La reunión tienes que celebrarla en tu despacho, por supuesto. Inventa algún plan sobre la forma de entrar en la oficina donde están los cuadernos de laboratorio, con el fin de hablar de algo real y persuadirle de que vas a intervenir.

Louie asintió, convencido de que podría inventar algo plausible. La idea de descubrir algo más sobre los cuadernos de laboratorio y Satoshi le sería de ayuda.

—En resumen, el plan no ha de ser complicado, puesto que no lo vas a llevar a cabo; algo así como crear una distracción importante, un incendio o una explosión en las cercanías, para poder entrar y salir del edificio mientras todo el mundo está concentrado en la distracción.

Louie estaba impresionado. Por lo visto, Paulie no había perdido su inventiva, sobre todo después de haber trazado un plan con tal rapidez. Louie también empezaba a creer que su renacido cristianismo podía estar más relacionado con la junta de libertad condicional que con una verdadera fe religiosa.

—Queda con los matones en algún sitio de la ciudad, pero que esté siempre concurrido. Una vez suban al coche, te los cargas. Deshazte de los cuerpos. Pasada una hora o así, llama otra vez a Hideki y muéstrate cabreado, pregunta dónde coño están sus chicos, como si hubieras estado esperando un buen rato, y bla bla bla.

—¿Crees que se lo tragaría así como así? No quiero empeorar la situación.

—Existen bastantes probabilidades de que se lo trague, pero has de adornarlo con cierto ingenio. Deja caer un comentario casual acerca de que anoche tus chicos oyeron decir a los suyos que estaban preocupados por la banda rival. ¿Cómo se llama el grupo asociado con Vinnie?

—Yamaguchi-gumi.

—Eso es. Pero no exageres. Solo una referencia de pasada a que sus chicos estaban preocupados por un par de matones de la Yamaguchi-gumi, o como se llamen sus sicarios. Las yakuza están paranoicas entre sí, y se hacen más daño mutuamente que la policía. ¿Me expreso con claridad?

—Con absoluta claridad.

—¿Vas a seguir mi consejo?

—Me lo pensaré.

—Pero es fundamental que ese problema de la violencia no se intensifique, de modo que nadie debe encontrar un par de cadáveres con una sola bala en el cerebro.

—Comprendido.

—Bien, acerca del actual problema con la violencia —continuó Paulie, al tiempo que bajaba la voz—. No he oído nada de que se cargaran a un tipo en el andén del metro, ni de ningún asesinato múltiple en New Jersey. ¿Cómo es eso posible? ¿Cuál es la historia? Aquí dentro nos enteramos de esas cosas incluso antes de que sucedan.

—Cuando me enfadé con Hideki después de que me contara la verdad, en lugar de la descabellada historia del ataque al corazón, intentó calmarme insistiendo en que la muerte había sucedido de una manera que sería considerada natural, y que la policía sería incapaz de detectarla. Además, sus chicos se llevaron todas las tarjetas de identificación, de modo que será un cadáver sin nombre hasta que alguien aparezca como por ensalmo para identificarle.

—¿Y el asesinato múltiple?

—La única explicación de momento es que nadie ha entrado en la casa. Si toda la familia estaba dentro, salvo Satoshi, quien no volverá jamás, podría pasar un tiempo hasta que lo descubrieran. Mis chicos dicen que no es la mejor parte de la ciudad, sobre todo edificios vacíos, basura y graffiti. No vieron ni un alma, y era de noche, a la hora en que la gente vuelve del trabajo.

—Eso obra en nuestro favor. En tales condiciones, podrían pasar meses, y no lo relacionarían con el asesinato en el andén del metro, cosa importante en mi opinión. En cuanto a ir allí y limpiar nosotros el desaguisado, me opongo. No deberíamos ni acercarnos a ese lugar.

—Estoy totalmente de acuerdo.

—Eso nos deja la víctima que se cargaron. ¿Te dijo Hideki cómo lo mataron?

—No. Solo dijo que nadie iba a descubrirlo, de manera que la muerte se interpretaría por causas naturales.

—Eso significa que es importante el hecho de que continúe pareciendo una muerte natural.

—Supongo que tienes razón, pero no podemos hacer nada al respecto.

—Eso no es del todo cierto. Conozco a un chico que trabaja en el Instituto de Medicina Legal llamado Vinnie Amendola. Bien, ya no es un chico. Joder, debe de tener más de cuarenta años. Un buen tipo. Le salvé literalmente la vida a su padre, de modo que tiene una gran deuda conmigo. Le utilizamos en una ocasión, hace años ya, para sacar un cuerpo del depósito de cadáveres. Se metió en muchos problemas por culpa de eso, pero yo los resolví, porque ha vivido toda su vida en Queens. Podría ayudarte en este caso.

—¿Cómo?

—Podría decirte en qué fase se encuentra el caso, si la causa de la muerte ha sido dictaminada como natural o no. A Vinnie le encanta su trabajo, Dios sabe por qué. Sabe todo lo que pasa en el Instituto de Medicina Legal.

Louie contempló un momento el mostrador de las visitas. Tenía miedo de que le obligaran a marchar pronto, pero quería saber las demás sugerencias de Paulie. Tal como había imaginado, el jefe tenía buenas ideas. Como nadie le hizo señas desde el mostrador, Louie devolvió su atención a Paulie.

—¿Esperas a alguien? —preguntó Paulie.

—No. Tengo miedo de que me echen. ¿Crees que vale la pena ir al depósito de cadáveres?

—Creo que deberías ir para averiguar algo muy importante.

—¿Me lo vas a decir o qué? —preguntó Louie. Daba la impresión de que Paulie se andaba con rodeos, mientras el tiempo se estaba acabando.

—Lo más importante que quiero que preguntes a Vinnie Amendola es el nombre del médico forense del caso.

Louie frunció el ceño, sorprendido.

—¿Hablas en serio? ¿Por qué? ¿Qué importa eso?

—Si es Laurie Montgomery, tendremos problemas.

—¿Quién coño es Laurie Montgomery?

—Una de las forenses. Si tuviera que elegir a la persona responsable de que yo esté en esta cárcel, sería Laurie Montgomery. Es la más lista del depósito de cadáveres, y desde luego la más testaruda. Averiguó cosas sobre los fiambres, de cuya presencia allí yo era responsable, que todavía me desconciertan. Incluso nos la intentamos cargar, y no pudimos. Hasta la metimos dentro de un ataúd en una ocasión. Ya sabes, una de esas sencillas cajas de pino que utilizan para los muertos sin identificar. Es como un gato con siete vidas. Hasta Vinnie Dominick intentó matarla, sin suerte.

—Debes de odiar su osadía.

—No, la he perdonado, pues es la responsable de que haya encontrado a Dios.

Louie tardó un momento en contestar, y contempló la cara surcada de cicatrices de Paulie, mientras intentaba dilucidar si hablaba en serio o si se había metido en la piel de un personaje de cara a la junta de libertad condicional. Paulie siguió con su semblante sereno, y una sonrisa se insinuó en las comisuras de sus labios torcidos.

—Lo que quiero dejar claro es que, si descubres que Laurie Montgomery está trabajando en el caso del muerto del andén, debes, y subrayo lo de «debes», hacer algo al respecto. De alguna manera, descubrirá que fue un asesinato, te lo digo yo. A partir de ahí, deducirá que fue obra del crimen organizado, en un asunto que implica a la yakuza y a vosotros. Has de sacarla del caso si está en él.

—¿Qué he de hacer, matarla?

—No. De ninguna manera. Yo lo intenté. Dominick lo intentó. Solo por intentarlo, conseguirás que la policía haga justo lo que tratas de evitar: tal vez una década de acoso, porque tiene contactos en las altas esferas del departamento de policía. Salió con Lou Soldano. Y cuando dejaron de salir, la relación no cambió. De hecho, mejoró.

Un silbido penetrante llamó la atención de Louie. Miró hacia el mostrador y vio que el guardia le hacía señas. Se había terminado el tiempo. Louie miró a Paulie.

—Si trabaja en el caso, ¿cómo la saco de él?

—En eso no puedo ayudarte. Tendrás que pensarlo tú solito. Pregunta a Vinnie Amendola. Tal vez te sugiera algo.

Otro silbido hendió el zumbido de las voces que llenaban la sala.

—Nos vemos —dijo Louie, al tiempo que se levantaba.

—Ya sabes dónde encontrarme —dijo Paulie, mientras los dos colgaban sus teléfonos al unísono.

10

Laurie se quitó la chaqueta y la colgó detrás de la puerta del despacho, y después cerró la puerta. Quería estar aislada del resto del mundo, al menos un rato. Acababa de volver de una alegre comida celebrada en su honor en un restaurante de las cercanías, llamado el Waterfront Ale House. Tal como se sentía, habría preferido no ir, pero no pudo negarse, porque la comida era para celebrar su vuelta al trabajo y la había organizado Jack. Casi todos los forenses habían acudido, y habían reinado el buen humor y las carcajadas. Para Laurie había resultado agotador fingir alegría. El día no iba tan bien como había esperado, con solo un caso sin identidad y ninguna causa o modo de la muerte. Además, no podía dejar de pensar en J.J. y Leticia. Laurie había dejado de llamar cuando Leticia le había dicho que estaba interfiriendo en su capacidad de prestar la debida atención a J.J. «Si existe el menor problema, te llamaré yo», había insistido antes Leticia. «Haz el favor de relajarte y dedicarte a tu trabajo. Todo irá bien.»

Laurie se sentó ante su escritorio, inmaculado. Contempló el teléfono un momento.

—¡Que se joda! —dijo con brusquedad, y marcó irritada el

número de Leticia—. ¡Nadie va a decirme que no puedo interesarme por mi hijo!

El teléfono sonó más veces de las que Laurie había esperado y le provocó una alarma instantánea, que se exacerbó cuando Leticia contestó sin aliento.

—Lo siento —dijo Leticia—. Estaba empujando el carrito de J.J. por una cuesta empinada cuando el teléfono empezó a sonar. Quería llegar arriba.

—Parece que estáis en el parque —contestó Laurie, con una combinación de culpa y alivio.

—Exacto. Le encanta, y el día no podía ser más bonito.

—Siento molestar.

Leticia no contestó.

—¿Todo bien?

—Todo bien.

—¿Ya ha comido?

—No, le he retirado la comida y el agua —dijo Leticia, y después rió—. Era una broma. Ha comido mucho, y luego se ha dormido. No podría estar mejor. Ahora, vuelve al trabajo.

—Lo que usted diga, señora.

Tras unos cuantos comentarios más, Laurie se decidió a colgar el teléfono.

Después contempló su escritorio y reparó de nuevo en que no había casos pendientes, solo el expediente de su paciente no identificado. Pensó en lo poco que sabía del hombre y lo triste que era tenerlo solo abajo, en el frigorífico. Se preguntó dónde estaría su esposa, si le echaba de menos. Laurie se mordisqueó el labio inferior e intentó pensar en alguna forma de averiguar algo más, cualquier cosa sobre aquel solitario cadáver sin identificar.

De repente se apoderó de la carpeta y esparció su contenido hasta encontrar la nota de Cheryl. Lo que había suscitado tan repentino interés era la hora de la llamada al 911. Después de localizarla, a las 17.37 horas, encendió su monitor y buscó en su libreta de direcciones la centralita del 911 en Brooklyn. Presa de los nervios, que intentó reprimir, marcó y pidió que la pasaran con su antiguo contacto, Cynthia Bellows.

Cuando le salió el buzón de voz de Cynthia, dejó un mensaje, y después probó de nuevo con el detective Ron Steadman. Si todavía se resistía, llamaría a Lou Soldano. Imaginó que Lou, recién ascendido a capitán, podría azuzar a aquel tipo.

Para su sorpresa, el detective contestó al cabo de dos tonos y sonó como un hombre diferente, tal vez no más cordial, pero sí mucho más despierto. Laurie volvió a presentarse y preguntó si la recordaba de la llamada de aquella mañana.

—Vagamente —dijo Ron—. ¿Para qué llamó?

—Un cadáver asiático no identificado de la estación de metro de la Cincuenta y nueve, que llegó anoche.

—¡Ahora me acuerdo! Me dio la paliza por no apresurarme a solucionar yo solito el problema de la identidad. ¿Qué pasa? ¿Ha aparecido alguien y lo ha identificado?

—Ojalá. Aún no ha sido identificado, así que se me ha ocurrido ver las cintas de las cámaras del andén.

Ron no respondió enseguida.

—¿Por qué quiere que llame para conseguir las cintas de un caso de muerte natural, y más cuando todavía no han transcurrido veinticuatro horas? —preguntó por fin, algo exasperado—. Es un montón de trabajo por nada, sobre todo si un miembro de la familia aparece antes de dos horas.

—¿Cómo puedo conseguir copias de las cintas, o lo que sea? —insistió Laurie. Oyó que Ron respiraba hondo.

—¿De verdad quiere hacer eso?

—Sí. Quien llamó al 911 dijo que la víctima tal vez había sufrido un ataque, pero no estaba seguro. Sería importante confirmarlo. Apuntaría a una causa neurológica de la muerte, en lugar de circulatoria, lo cual significaría que deberíamos concentrarnos en el cerebro, aunque no se viera nada a simple vista.

—Jesús, señora...

—Me llamo Laurie Stapleton.

—Tengo ciento y pico casos sobre mi escritorio sin resolver y necesitan mi atención. No es la mejor forma de utilizar mi tiempo. No han transcurrido ni veinticuatro horas.

—¿Le llevará mucho esfuerzo? —preguntó Laurie, con la esperanza de que no se negara.

—He de ponerme en contacto con los agentes de la Unidad Especial de Investigación de Brooklyn y decirles lo que necesito.

—Vale. ¿Eso es todo?

—Supongo —dijo Ron, algo avergonzado porque la petición de Laurie, en realidad, era muy sencilla.

—¿Cómo va a conseguir la información?

—Por correo electrónico. Se la grabaré en uno o dos discos. Es un montón de datos.

—¿Podría enviármela como adjunto?

—Sé que suena raro, pero no estoy autorizado a hacer eso. Pero puedo darle un disco si usted es quien dice que es.

—¿Cuándo podría hacerlo?

—Ahora, si me pongo en contacto con la gente adecuada. ¿Qué período de tiempo le interesa?

—Supongo que una media hora, a partir de la llamada al 911 de las cinco y treinta y siete minutos, así que digamos que de cinco y diez a cinco y cincuenta y cinco.

—De acuerdo. ¿Las nueve cámaras?

—Hay que ser concienzudo.

—Eso son más de seis horas de visionado. ¿Puede hacerlo?

—Es curioso que lo pregunte. Resulta que tengo un montón de tiempo libre. ¿Cuándo lo tendrá?

—Deje que llame a la Unidad de Investigación Especial del Departamento de Tráfico. La llamaré en cuanto lo reciba. Tal vez antes de una hora.

—Dios mío —comentó Laurie. Con los años, había descubierto que los funcionarios municipales nunca eran tan amables. Ron había pasado de un extremo a otro.

—La llamo enseguida. ¿Trato hecho?

—Por supuesto. Espero que no se ofenda —añadió Laurie antes de colgar—, pero es una persona diferente de la de esta mañana, y lo digo como un cumplido.

—Esta mañana me pilló entre el café y el Red Bull.

En cuanto Laurie colgó, el teléfono volvió a sonar. Descolgó y descubrió que era Cynthia Bellows, que la llamaba desde la centralita del 911. Después de intercambiar unas cuantas trivialidades, Laurie describió los detalles del caso y dijo que le gustaría ponerse en contacto con la persona que había llamado al 911.

—¿Tienes la hora de la llamada? —preguntó Cynthia—. Eso nos facilitará las cosas.

Laurie le dijo la hora.

—De acuerdo, lo tengo en pantalla —dijo Cynthia—, y vamos a ver lo que hay. De hecho, tenemos tres llamadas, aunque supongo que solo te interesa la primera. A los otros dos que llamaron les dijeron que ya habían informado del incidente, y que la policía y los paramédicos de urgencias estaban de camino.

—Vamos a ver... —dijo Laurie. Mientras buscaba papel y lápiz, oyó el clic del modo en espera de su teléfono. Se excusó y pidió a Cynthia que aguardara un momento, cambió de línea y, tal como esperaba, era Ron.

—Buenas noticias, amiga mía —dijo el detective—. He hablado con los tíos de la Unidad Especial de Investigación. Por lo visto, hay dos cámaras más aparte de las nueve del nuevo sistema de seguridad. El sistema antiguo incluye dos cámaras que no graban y que utilizan el conductor y el revisor del tren para comprobar que todas las puertas están despejadas, más otras dos cámaras grabadoras en la taquilla y en el ascensor.

Nerviosa porque Cynthia estaba esperando al otro lado, Laurie interrumpió a Ron y le preguntó si podía llamarle al cabo de unos minutos.

—No hace falta —dijo Ron—. Solo quería informarte de que hay dos grabaciones más. Debería llegarme el material en cuestión de minutos, y te grabaré los discos para que puedas venir a buscarlos cuando quieras.

—Fantástico. ¿Tu comisaría está en la calle Cincuenta y cuatro Oeste?

—En el 306 de la Cincuenta y cuatro Oeste. Hasta luego. Estaré aquí hasta las cinco.

Laurie dio las gracias a Ron, y después volvió con Cynthia, sintiéndose algo culpable.

—Lo siento —empezó.

—Ningún problema —la tranquilizó Cynthia—. ¿Tienes algo para escribir?

El hombre que había llamado se llamaba Robert Delacroix. Después de dar las gracias a Cynthia y colgar, Laurie marcó de inmediato el número de Robert Delacroix. Mientras esperaba a que contestara, anotó el número en una tarjeta y la añadió al expediente del caso. Cuando salió el buzón de voz, dejó su número de móvil con la petición de que la llamara cuanto antes. Explicó que era forense, pero le dejaba el número de móvil, no el del despacho, pues se marchaba a la comisaría de policía.

Laurie salió y paró un taxi para ir a Midtown North y encontrarse con Ron. Durante el trayecto, la mente de Laurie volvió a centrarse en J.J. y en lo bien que parecía estar con Leticia. De pronto, su móvil sonó. Era Robert Delacroix.

Laurie dio las gracias al hombre por llamar, y también por comportarse como un ciudadano responsable y llamar al 911.

—Demasiados neoyorquinos son capaces de pasar de largo cuando ven a alguien en apuros —continuó Laurie.

—Al principio supuse que alguien habría llamado ya, como suele pensar la mayoría de la gente. Pero después me dije, caramba, no hay motivos para dejar de llamar aunque no sea el primero.

—Como ya le dije en el mensaje, soy médico forense.

—Supongo que el hombre del andén murió.

—En efecto.

—Lástima. Parecía joven.

—¿Puedo preguntarle qué vio exactamente?

—Bien, poca cosa. O sea, todo sucedió muy deprisa. El tren llegó con retraso y el andén estaba abarrotado. Cuando las puertas se abrieron, la gente se precipitó hacia delante, con las consiguientes dificultades para los que querían bajar.

—De modo que hubo empujones y forcejeos.

—Yo diría que bastantes. Sea como sea, por el rabillo del ojo vi a ese asiático, a un metro de distancia más o menos, que se sacudía, como si su cabeza se moviera de un lado a otro.

—Pensó que estaba sufriendo un ataque o algo por el estilo... Al menos, eso fue lo que dijo.

—Así lo describí a la operadora. Me dije, hay tanta gente que ese hombre está sufriendo un ataque y ni siquiera puede caerse. O sea, todos estábamos apretujados y empujando hacia delante, porque todo el mundo temía no poder subir al tren.

—Ya me lo imagino. ¿Intentó ayudarle?

—La verdad es que no. En aquel momento se encontraba a mi izquierda. Ni siquiera estoy seguro de haber podido llegar a su lado de haberlo intentado. La gente que tenía detrás me empujaba hacia delante. Y, para ser sincero, pensé que los que estaban a su lado intentaban ayudarle. De hecho, cuando llegué a la puerta del tren intenté mirar atrás. Al principio ni siquiera pude verle, porque no era muy alto.

—Ya hemos llegado, señora —dijo el taxista, mientras miraba a Laurie por el retrovisor.

—¿Puede esperar? —preguntó Laurie a Robert, un poco agobiada—. Estoy en un taxi, y debo pagar y bajar.

—Puedo esperar —la tranquilizó Robert.

Laurie pagó al taxista, bajó del vehículo y se quedó parada delante de la comisaría de Midtown North, cuya bandera ondeaba al viento, y frente a la cual había aparcados de cualquier manera un montón de coches patrulla.

—Ya estoy —dijo Laurie—. Estaba diciendo...

—Estaba diciendo que iba a subir, cuando miré hacia el hombre caído en el andén. A su lado había otros dos asiáticos. Pero sucedió muy deprisa, porque estaba mirando a través de un montón de usuarios que empujaban para subir al tren. De hecho, algunos no lo consiguieron. Al mismo tiempo, estaba sacando mi móvil.

—En ese momento, ¿tuvo la impresión de que el hombre era víctima todavía del ataque?

—Sucedió muy deprisa, y no veía gran cosa, pero yo diría que no. Al mismo tiempo, estaba llamando a la operadora del 911 antes de que las puertas se cerraran, y se me fue la cobertura.

—Mire, le agradezco de veras que haya hablado conmigo. Ya tiene mi número, por si recuerda algo más, lo que sea.

—Lo haré. De hecho, ahora que me ha hecho revivir el momento, me siento culpable por haber subido a ese tren. Tal vez habría debido esforzarme más por ayudarle.

—No se atormente. Llamó al 911 para conseguir ayuda médica.

—Es usted muy amable.

Laurie cortó la llamada y subió la escalinata de la comisaría.

11

Louie se sentía pletórico de energía cuando se acercó a su restaurante. Había aprovechado el trayecto en autobús desde Rikers Island para reflexionar sobre el consejo de Paulie, y cuando volvió a su coche ya había decidido seguir sus sugerencias. Ahora tenía claro que había un tiempo para evitar la violencia y un tiempo en que la violencia era la única solución. Y esta era una de esas situaciones. Por otra parte, estaba convencido de que tenía razón al no romper la alianza con Hideki. Había demasiados elementos negativos, incluida la preocupación de perder el chorro de ingresos japoneses y el flujo de cristal, aun a corto plazo. En cambio, la desaparición de Susumu Nomura y Yoshiaki Eto era el mensaje perfecto para todo el mundo, pero en especial para Hideki. El plan no iba a resultar fácil, pero era viable. En consecuencia, Louie había empezado por llamar a Hideki para solicitar una entrevista en el Veneciano a las tres y media, con la intención de repasar los planes para la noche, a lo cual Hideki accedió de inmediato.

Louie dejó el coche en el aparcamiento situado en la parte posterior del restaurante y entró por la puerta de atrás. Sabía que todos los chicos continuarían allí, porque después de llamar a Hideki para concertar la entrevista de la tarde, había llamado a Carlo.

—¿Conseguiste ver a Paulie? —había preguntado Carlo—. ¿Tenemos un plan para esta noche, con los dos japoneses chiflados?

—Sí a las dos preguntas. Tenemos un plan, pero diferentes reglas de enfrentamiento.

—¿Y eso? —había preguntado Carlo, sin intentar disimular su decepción.

—Pronto lo sabrás —contestó Louie—. Llamo para asegurarme de que estaréis ahí cuando yo vuelva.

—Estaremos aquí.

Después de recorrer un breve pasillo que albergaba los lavabos, Louie abrió la puerta batiente que conducía a la cocina y pilló a Benito desprevenido, sentado sobre la encimera mientras charlaba con el chef, John Franco. Benito bajó al suelo con semblante culpable y se puso rígido. Louie le fulminó con la mirada un momento, pero decidió enseguida que estaba demasiado ocupado para regañarle por un comportamiento que el departamento de salud pública no perdonaría.

—¿Han comido los chicos?

—Sí —contestó Benito al instante.

—¿Queda pasta?

—Queda salsa. Tendré pasta fresca dentro de diez minutos.

Sin contestar, Louie atravesó las puertas batientes que daban acceso al comedor. Carlo, Brennan, Arthur y Ted estaban sentados alrededor de una mesa, con fichas de póquer y billetes de un dólar apilados en el centro de la mesa. Tazas de café vacías sembraban la periferia de la mesa. Carlo salió del reservado para que Louie pudiera ocupar su lugar acostumbrado.

—¿Cómo está Paulie? —preguntó Carlo, después de que Louie hubiera saludado con un cabeceo a cada uno de sus secuaces.

—Raro. Ha perdido mucho peso. Además, ha encontrado a Dios.

—¿Quieres decir que se ha convertido en un meapilas? —preguntó Carlo.

—La verdad es que no lo sé —admitió Louie—. Dijo que había encontrado al Señor, y después habló como el Paulie Cerino de siempre. No se habló del problema hasta casi finalizada nuestra conversación, y fue muy breve. Puede que lo haga de cara a la junta de libertad condicional. Creo que está desesperado por obtenerla.

—¿Cuál es el plan para esta noche?

Louie les habló de su conversación con Paulie, intentando recordar todos los detalles, como la brillante idea de la explosión de distracción que convencería a Hideki de que Louie apoyaba en serio el plan del robo. La única vez que hizo una pausa fue cuando Benito trajo el plato de pasta y lo depositó ante sus narices. Luego le sirvió una copa de Barolo y otra de agua mineral con gas.

—¿Querrá algo más? —preguntó Benito.

Louie no respondió, despidió al camarero con un ademán y, en cuanto este se alejó, volvió a relatar su conversación con Paulie y sus sugerencias, en concreto lo de deshacerse de Susumu y Yoshiaki.

—¿Vamos a pasar a la ofensiva? —preguntó Carlo. Estaba contento, y feliz de demostrarlo.

—Desde luego —respondió Louie—. En este negocio a veces hay que utilizar la violencia para mantener la paz. No podemos permitir que esos dos vayan por ahí pegando tiros a quien les dé la gana y donde les dé la gana. Nos dan mala fama. Al mismo tiempo, cuando utilizas la violencia has de minimizar los riesgos, lo cual nos conduce al tema del depósito de cadáveres. Todos lo habéis entendido, ¿verdad?

Nadie habló, de modo que Louie repitió la pregunta.

—Yo diría que sí —contestó Carlo. Como jefe de los secuaces, se esperaba que Carlo hablara en nombre del grupo.

—La cuestión reside en que es importante que la muerte de

Satoshi siga pareciendo una muerte natural. Seríamos cómplices si la consideraran homicidio, y eso no nos interesa.

—Desde luego —corroboró Carlo.

—Paulie también insistió sobre esa forense, Laurie Montgomery. Tenemos que averiguar si está relacionada con el caso. Si lo está, debemos hacer todo lo posible para apartarla de él. Así de sencillo.

—¿Qué haremos exactamente si trabaja en ello? —preguntó Carlo.

—Paulie no sugirió nada. Solo insistió en que no debía entrometerse. Pero ya nos ocuparemos de ese problema cuando llegue el momento.

—Bien, volvamos a lo de Susumu Nomura y Yoshiaki Eto —dijo Carlo—. Se supone que hemos de recogerlos como si fuéramos a ayudarles a entrar en iPS USA, pero en cambio los liquidaremos.

—Exacto. Y no quiero que encuentren sus cuerpos. Llevadlos al extremo de Brooklyn, cerca del puente Verrazano-Narrows. Los quiero en el mar, no en la bahía.

Carlo miró a Brennan y se encogió de hombros, mientras se preguntaba si su compañero querría hacer alguna pregunta.

—¿Dónde los recogeremos? —preguntó Brennan—. ¿Igual que anoche, delante de sus apartamentos del Lower East Side?

—No —dijo Louie—. Siempre existe la posibilidad de que alguien os vea rondando por el barrio. Quiero que los recojáis en un lugar público. ¿Alguna preferencia?

Carlo y Brennan intercambiaron una mirada.

—Venga, muchachos, decidme un sitio. Hideki llegará a las tres y media, y quiero que todo esté planificado.

—¿Qué te parece en Union Square, delante de la librería Barnes & Noble? —dijo Brennan—. Siempre hay bastante gente paseando por la zona.

—Decidido —dijo Louie, mientras seguía comiendo pasta—. ¿A qué hora les decimos que estén en Union Square?

—Bien —dijo Brennan—, si hemos de entrar a robar en un edificio de oficinas de la Quinta Avenida, no debería ser muy temprano.

—No creo que la hora importe mucho —dijo Carlo—. Nosotros no vamos a llevar a cabo el robo.

—Bien, pues elegid, por los clavos de Cristo —se encrespó Louie—. ¿Dónde os los pensáis cargar?

Una vez más, Carlo y Brennan se miraron como si esperaran a que el otro decidiera.

Louie alzó la vista hacia el cielo, frustrado.

—No estamos hablando de ecuaciones matemáticas —se lamentó—. ¿Qué os parece en el muelle?

La organización Vaccarro había sido propietaria en otro tiempo de una empresa tapadera de importación de frutas en Maspeth, a orillas del East River, justo al sur del túnel Queens-Midtown. El almacén y el muelle seguían en pie, pero en un estado deplorable. No habían podido venderlos. Utilizaban el almacén como depósito.

—Bien —dijo Carlo. Brennan asintió. Toda la zona estaba desierta, sobre todo de noche.

Louie miró a Arthur y Ted.

—¿Estáis de acuerdo? Porque quiero que todos participéis para que no haya problemas, por salvajes que sean esos japoneses.

Arthur y Ted asintieron.

—De acuerdo —continuó Louie—. Tenemos el lugar de la cita, tenemos el lugar del golpe, pero aún nos queda la hora de la cita. ¿Qué tal las once?

—Bien —dijo Carlo, al tiempo que miraba a Brennan, quien asintió.

—Jesús —suspiró Louie—. ¿Debo acompañaros y ejercer de jefe de la banda? Sois patéticos.

—¿Cómo vamos a engañarles para que vayan al muelle? —preguntó Carlo.

—¿Es que os lo he de explicar todo? —se lamentó Louie, al tiempo que sacudía la cabeza desesperado—. Decidles que allí tenemos explosivos almacenados para la maniobra de distracción durante el robo. Yo qué sé. Pensad algo. —Louie hizo una pausa—. ¿Todo entendido? Sabemos el lugar y la hora de la cita, y el lugar del golpe, y lo que vais a hacer con los cuerpos. Os llevaréis toda su documentación. No lo olvidéis, es indispensable.

Todos asintieron.

—Ahora, volvamos al tema del depósito de cadáveres. Carlo, tú y Brennan os vais para allí ahora mismo. —Louie consultó su reloj. Eran casi las tres y media—. Preguntad por Vinnie Amendola. Decid que sois familiares. Cuando habléis con él, decidle que trabajáis para Paulie, y que sabéis lo que Paulie hizo por su padre.

—¿Qué hizo?

—No estoy seguro de todos los detalles, pero Paulie dijo que estaba relacionado con que el padre había desfalcado un par de cientos de pavos de los fondos del sindicato, poca cosa. Por ello, iban a liquidar al padre de Vinnie, a menos que devolviera el dinero, más un cincuenta por ciento. Como había hecho algunos trabajillos para Paulie, este le prestó el dinero y salvó su vida.

—¿Y si se niega a hablar conmigo?

Louie miró con incredulidad a Carlo.

—¿Qué es esto, un Carlo nuevo? Por lo general, cuando te digo que hagas algo, obedeces sin hacer preguntas. ¿Qué deberías hacer si se niega a hablar contigo? Amenazar con matar a su perro. Eres un profesional. Además, lo único que quieres es cierta información sobre Satoshi. No utilizarás el nombre de Satoshi, por supuesto. Llámale «el cadáver del metro». Y no amenaces de entrada a Vinnie. Muéstrate tranquilo y razonable. No le digas quién eres. Dile que has oído que Laurie Montgomery es buena en su especialidad. Sé creativo.

—De acuerdo. Ya lo pillo.

—Si resulta que le han asignado el caso y sigue trabajando en él, y si Vinnie parece inclinado a nuestro favor, lo cual significa que no va a ir con el cuento a las autoridades, pregúntale si se le ocurre algo para animarla a abandonar el caso. Sin ser demasiado explícito, insinúa que habrá cierta cantidad para él y para ella. Si eso no funciona, que Vinnie le transmita alguna amenaza. ¿Lo pillas?

—Lo pillo.

—¡Pues sal de aquí cagando leches!

Carlo se levantó de la mesa, tiró las cartas que había sostenido desde la llegada de Louie, recogió la cantidad que creía haber aportado al bote e indicó a Brennan que le siguiera. Cuando los dos hombres estaban a mitad de camino de la puerta, entró Hideki Shimoda, flanqueado por Susumu y Yoshiaki.

El *saiko-komon* era del tamaño y la forma de un luchador de sumo, con un rostro abotargado y rubicundo cuyas facciones parecían perdidas en pliegues de piel. Mientras caminaba, se bamboleaba de un lado a otro.

Carlo y Brennan tuvieron que apartarse a toda prisa para evitar chocar con él. Susumu y Yoshiaki se mantuvieron al lado de su *saiko-komon*, un poco detrás del inmenso hombre, lo cual provocaba que el grupo avanzara como una cuña. Como indiferentes al mundo que les rodeaba, y con sonrisas despectivas en el rostro, ni siquiera reconocieron la presencia de Carlo y Brennan, pese a haber pasado juntos la tarde y la noche anteriores.

En contraste con la aparente camaradería que existía entre Louie y sus esbirros, la relación entre Hideki y sus secuaces era impersonal, casi marcial. Su atuendo no podía ser más diferente. Los japoneses vestían como el día anterior: trajes de zapa, camisa blanca, corbata negra y gafas de sol, mientras que los estadounidenses, en su mayoría, llevaban jersey y vaqueros. Solo Carlo iba vestido elegantemente, con chaqueta de seda gris, jersey de cuello cisne de seda negro y pantalones de gabardina negros.

Cuando Louie se levantó de la mesa, Hideki se detuvo e hizo una breve reverencia.

—Hola, Barbera-san.

—Bienvenido, Shimoda-san —contestó Louie, que se sintió un poco torpe cuando intentó imitar la reverencia de Hideki. Retrocedió y le indicó que tomara asiento en un reservado limpio, sin tazas de café ni platos de pasta.

Hideki y Louie se acomodaron en el reservado, mientras Susumu y Yoshiaki se acercaban al bar y se sentaban muy tiesos en un par de taburetes, con los brazos cruzados. No hablaron, sino que continuaron mirando a su jefe.

—Gracias por venir a visitar mi humilde restaurante —empezó Louie. Mientras hablaba, deseó que fuera Hideki la víctima de aquella noche, o mejor todavía, que murieran los tres y no tan solo los insolentes sicarios, sentados en la barra con sus estúpidas gafas de sol y el pelo pincho.

—Es un placer —contestó Hideki en un inglés pasable—. Y también es un placer darle las gracias por su generosa ayuda, sobre todo esta noche. Sería difícil para nosotros hacerlo solos, en una avenida tan famosa.

—Es un placer ayudarle, y tiene razón al suponer que el emplazamiento dificulta más la tarea. Para nosotros, sería el equivalente a robar en una oficina de la calle más bulliciosa del distrito de Ginza, en Tokio.

—No es fácil.

—No es fácil —admitió Louie—. Perdone, Shimoda-san. —Louie llamó a Carlo y Brennan, quienes se encontraban apoyados contra la pared opuesta a la barra, con la vista clavada en Susumu y Yoshiaki—. Id a hacer lo que hemos acordado, y llamadme en cuanto terminéis.

Ambos asintieron y salieron a toda prisa de la sala.

—Siento muchísimo la interrupción, Shimoda-san —dijo Louie—. Envío a dos de mis hombres al depósito de cadáveres de la ciudad para comprobar lo que usted dijo sobre su compatriota. Quiero estar seguro de que lo consideran una muerte natural y no un homicidio premeditado.

—¿Tiene contactos en el depósito de cadáveres municipal? —preguntó Hideki. Estaba muy impresionado.

—Un recurso al que pocas veces acudimos —contestó Louie.

—Me gustaría que me informara de lo que averigüen.

—Volviendo a lo que hablábamos, quiero que sepa que no será fácil entrar a robar en las oficinas de iPS USA. Puede hacerse, pero habrá que proceder con celeridad. Para mayor seguridad, solo podremos estar unos minutos en la oficina. Tengo entendido que buscan cuadernos de laboratorio. ¿Estoy en lo cierto?

—Por completo. Hemos de apoderarnos de esos cuadernos.

—¿Qué clase de cuadernos son?

—No estoy autorizado a decirlo.

Louie se quedó estupefacto. Miró fijamente a Hideki. El tipo tenía la cara dura de intentar extorsionar a Louie para que le ayudara a obtener unos cuadernos de laboratorio, pero no quería contar nada sobre ellos. Era irritante, por decir algo. Y lo más irritante era que, después de hablar con Paulie, Louie sabía que la base de la extorsión era, en expresión del propio Louie, una chorrada. La Aizukotetsu-kai de Hideki jamás se aliaría con Dominick, porque significaría coaligarse con la odiada Yamaguchi, lo cual no ocurriría jamás. Louie sintió que se iba irritando más a cada momento que pasaba, pero también le picaba la curiosidad. ¿Por qué eran tan importantes aquellos malditos cuadernos de laboratorio?

—¿Cuál es su aspecto? Quiero decir, una vez dentro de la oficina, mis chicos y sus chicos no tendrán mucho tiempo. Todo el mundo tendrá que buscar los cuadernos desaparecidos.

—Me han dicho que son de color azul oscuro, pero la mejor manera de reconocerlos es que pone «Satoshi Machita» en la cubierta, en letras amarillas. Será fácil reconocerlos.

—¿Qué demonios...? Usted dijo que fueron robados.

—Fueron robados. Los robó el propietario de iPS USA.

Louie se masajeó la frente con saña. Nada tenía lógica. Empezaba a creer que Hideki le estaba tomando el pelo, pero ignoraba por qué motivo.

—Creo que deberíamos dejar de hablar de los cuadernos y concentrarnos en los planes de esta noche —dijo Hideki.

—Solo unas preguntas más. Quiero comprender lo que está pasando. Debe entender que nos arriesgamos por usted.

—No estoy autorizado a hablar de los cuadernos.

—¡Escuche! —dijo de repente Louie—. Me estoy cabreando. Hasta llegar a esos cuadernos, usted y yo nos hemos llevado la mar de bien. Nunca hemos tenido un desacuerdo y estamos ganando dinero a espuertas. O contesta a mis preguntas o hemos terminado, y consiga esos cuadernos sin mi ayuda. El problema es que no fue sincero conmigo sobre Satoshi desde el primer momento. Dijo que era un susto, y me convenció de que era una deuda de juego o algo por el estilo. Pero resulta que es mucho más y quiero saber de qué va este rollo.

—Me obligará a acudir a la competencia —advirtió Hideki.

—¡Chorradas! —bramó Louie.

Susumu y Yoshiaki percibieron el cambio en la atmósfera y se pusieron en pie. Al mismo tiempo, Arthur y Ted salieron de su reservado. Los cuatro se miraron fijamente.

—No pedirá la ayuda de Vinnie más que yo —continuó Louie—. Ayer me enteré de algo. La Aizukotetsu-kai y la Yamaguchi-gumi se llevan como el perro y el gato.

Durante unos breves minutos, nadie se movió en la sala. Era como en aquellos momentos cargados de tensión previos a una tormenta de verano, cuando un rayo está a punto de caer pero nadie sabe cuándo. Después, de pronto, la atmósfera se relajó, cuando Hideki exhaló un audible suspiro.

—Tiene razón.

—¿En qué? —preguntó Louie. Se había dado cuenta de que Hideki le había tomado por idiota.

—En todo lo que ha dicho. No he sido sincero con usted.

Recibí órdenes de matar a Satoshi y conseguir los cuadernos. Esperaba lograr ambos objetivos al mismo tiempo, pero no fue así. Ni siquiera yo conozco los detalles de los cuadernos, pues se trata de una historia complicada relacionada con quién será el propietario de las importantes patentes de la próxima generación de células madre, las células madre pluripotentes inducidas.

—Más despacio. ¿Qué es eso?

—¿Qué sabe usted de células madre?

—Nada —admitió Louie.

—No soy un experto, pero es un tema del que los medios japoneses no paran de hablar. Se nos recuerda de manera constante que fue un científico japonés, llamado Shigeo Takayama, quien produjo la primera célula madre pluripotente. La Universidad de Kioto patentó el procedimiento a su nombre. Después, mi *oyabun* se enteró de que otro investigador, Satoshi Machita, había superado a Takayama al crear las células especiales, cosa demostrada por sus cuadernos de laboratorio. Si bien de día trabajaba con ratones bajo la tutela de Takayama, por la noche trabajaba solo en sus propios fibroblastos maduros, y creó células humanas iPS antes que nadie.

—De modo que el tipo al que sus chicos mataron ayer es considerado el abuelo de estas células especiales.

—Exacto.

—Lo cual aumenta el valor de esos cuadernos.

—Sí. En Japón se utilizarán para contrarrestar las patentes de la Universidad de Kioto, y aquí en Estados Unidos se utilizarán para conseguir las patentes. Lo mismo pasará con la oficina de patentes europea y la OMC.

Louie reflexionó sobre esta revelación durante unos momentos, y pensó en las posibles ganancias económicas, pero después las retiró al fondo de su mente. De ninguna manera iba a participar en el robo de la oficina de iPS USA. Después, Hideki le dijo algo que le dejó patidifuso.

—El gobierno informó de estas cosas a mi *oyabun*.

—¿El gobierno? —preguntó Louie, sorprendido—. ¿Qué gobierno?

—El gobierno japonés.

—Me cuesta creerlo.

—Pero es cierto. Un viceministro se entrevistó con mi *oyabun* y le contó todo esto, incluido el hecho de que Satoshi había huido del país ilegalmente con la ayuda de la Yamaguchi-gumi. Fueron ellos quienes organizaron el robo de los cuadernos de laboratorio en la Universidad de Kioto. Era precisamente la Universidad de Kioto la que tenía el control material, pero no legal, de los cuadernos de laboratorio, pues Satoshi había sido empleado suyo. Es el gobierno japonés quien quiere los cuadernos.

—¡Por Dios! No puedo creer que el gobierno japonés acudiera a su jefe para pedirle ayuda. Repítame su nombre.

—Hisayuki Ishii-san.

—Nuestro gobierno jamás habría acudido a mí —dijo Louie, y lanzó una carcajada estentórea.

—Siempre ha habido concesiones entre la yakuza y nuestro gobierno. Por eso funcionamos de una forma tan descarada en Japón. El gobierno japonés nos ha considerado útiles en determinados momentos, y las autoridades suelen dejar en paz a la yakuza. Pasa lo mismo con el pueblo japonés. También nos considera útiles en el seno de una cultura por lo demás estricta y estratificada.

—Si eso es cierto, ¿por qué la Yamaguchi-gumi se opone a su gobierno, ayudando a Satoshi a huir del país y a iPS USA, probablemente con el fin de obtener los cuadernos?

—No estamos seguros, pero mi jefe supone que la Yamaguchi-gumi es una organización más joven que otras yakuza, y no se siente tan ceñida a la tradición. También es mucho más grande, casi el doble del tamaño de la anterior más pequeña.

»Ahora que me he sincerado con usted, ¿por qué no hablamos del robo de esta noche?

Antes de proseguir, Louie se preguntó en silencio si deseaba saber algo más sobre los cuadernos de laboratorio y sus antecedentes, pero no se le ocurrió nada. Debido a la aparente sinceridad de Hideki, Louie se alegraba de no haber planeado su asesinato. Bastaría con matar a los dos sicarios descontrolados.

Louie describió con la mayor concisión posible los falsos planes de la noche, incluido el lugar y la hora donde recogerían a los yakuza, y el hecho de que el robo hubiera sido planificado con la ayuda de una explosión que distrajera a la policía, una explosión que tendría lugar en la Quinta Avenida, al sur del lugar del robo, tal vez en la Biblioteca Pública de Nueva York. Cuando terminó, hizo una pausa para que Hideki tuviera tiempo de hacer preguntas. Estaba seguro de que el plan sonaba real.

—¿Qué pasará si todavía hay policía o público en los alrededores de iPS USA después de la explosión?

Louie pensó que era una buena pregunta, y la meditó un poco antes de contestar.

—Si hay público o policía en las inmediaciones, abortaremos la misión. No entraremos a robar. La aplazaremos a otro día. No puede haber bajas civiles si podemos evitarlo. Ha de ser un robo limpio sin violencia, salvo por el guardia de seguridad, si lo hay. Que sus chicos lleven mascarillas, guantes y ropa oscura corriente, sin camisas blancas ni gafas de sol.

Louie miró a Hideki. Siguió una pausa. No podía creer que aquel tipo no tuviera más preguntas. Estaba claro que el japonés carecía de experiencia en organizar tales acontecimientos, y se estaba tragando el plan, aunque desde la perspectiva de Louie era, como diría él, una chorrada.

—Si no tiene más preguntas —dijo por fin—, yo le haré una. Cuando hablamos por teléfono, usted me aseguró que la muerte de Satoshi sería considerada natural. ¿Cómo se llevó a cabo el asesinato?

—He sido sincero con usted respecto a los cuadernos de laboratorio —respondió Hideki—, pero no puedo decir nada sobre esta técnica concreta, pues mi *oyabun* me lo ha prohibido expresamente. La utilizamos en muy raras ocasiones, pero siempre ha funcionado tal como esperábamos.

—¿Por qué la utilizaron en esta ocasión?

—En concreto, porque no queríamos que el asesinato pareciera un asesinato.

—Agradezco el esfuerzo. Si lo declaran muerte natural, la policía no se inquietará. Eso es importante para mí, pero ¿por qué lo hicieron así?

—Debido a la intervención de la Yamaguchi-gumi. Hicieron un gran esfuerzo para trasladar a Satoshi a Estados Unidos, después de ayudar a iPS USA a apoderarse de sus cuadernos de laboratorio. Si su muerte hubiera sido un asesinato, temíamos que sospecharan de nosotros, la Aizukotetsu-kai, como instigadores. Son nuestros rivales y ha existido tensión entre nosotros porque robaron los cuadernos ante nuestras propias narices, en nuestra ciudad de Kioto. En el pasado, esa situación podría haber provocado un desenlace violento. El problema es que han crecido demasiado. Nos aplastarían aunque actuáramos de manera preventiva.

—¡Dios mío! —exclamó Louie—. Menudas intrigas.

—Vivimos un tiempo de cambios, me temo. La yakuza respetaba más las tradiciones. Los de la Yamaguchi-gumi son unos advenedizos.

Después de confirmar que Susumu y Yoshiaki estarían esperando delante de la librería Barnes & Noble de Union Square a las once de la noche, los tres yakuza se fueron, y todos hicieron reverencias antes de salir.

—Qué gente más rara —dijo Arthur en cuanto el sonido de la puerta al cerrarse se filtró a través de los pesados cortinajes.

—Toda la situación es rara —respondió Louie.

12

Jueves, 25 de marzo de 2010, 15.10 h

—Esto no me gusta —dijo Carlo—. Nunca he estado en un depósito de cadáveres. ¿Cómo puede trabajar la gente en un lugar como ese un día sí y el otro también?

—Es interesante —dijo Brennan. Le gustaban las series televisivas de forenses.

Habían entrado en una zona de la Primera Avenida donde estaba prohibido aparcar, en la esquina sudeste de la calle Treinta. El IML estaba delante de ellos, en la esquina nordeste.

—¿No te molesta? —preguntó Carlo, nervioso. Iba en el asiento del conductor del Denali, y aferraba el volante con tanta fuerza que tenía los nudillos blancos.

Brennan negó con la cabeza.

—¿Por qué? Venga, acabemos de una vez. Tal vez deberíamos llamar a ese tal Vinnie Amendola para ver si quiere salir a encontrarse con nosotros en un bar, o algo por el estilo. Como lleva tanto tiempo trabajando aquí, seguro que se conoce la zona.

—Creo que Louie dejó muy claro que quería que hablaras con él cara a cara en el depósito de cadáveres.

—No dijo que lo hiciera yo en concreto. Habló en plural.

Tampoco dijo que debíamos hablar con él en el depósito. Pero tú mandas.

Había momentos en que Carlo le irritaba, sobre todo por el hecho de que estaba oficialmente al mando cuando los dos tenían una misión, como en aquel momento. La inteligencia de Carlo no impresionaba a Brennan, y pensaba que sus cualidades deberían imponerse a la veteranía de Carlo. En una ocasión sacó el tema a relucir con Louie, pero se llevó una reprimenda, de modo que nunca había vuelto a hablar de ello. Pero el asunto seguía alojado en el fondo de su mente, como un dolor de muelas.

—Yo mando —admitió Carlo—. Vamos a hacerlo de la siguiente manera: tú vas al depósito, contactas cara a cara con ese tipo y le dices que quiero hablar con él donde le vaya bien, pero que debe ser ahora.

—¿Qué harás mientras estoy en el depósito?

—Quedarme sentado aquí y vigilar el coche. En esta zona está prohibido aparcar. Si no estoy aquí cuando salgas, es que he dado un par de vueltas a la manzana.

Brennan miró a Carlo un momento, con la sensación de que le estaba tomando el pelo.

—Como quieras —rezongó, mientras bajaba del 4×4.

—Me apetece una cerveza, de modo que sugiere un bar.

Brennan se limitó a asentir antes de cerrar la puerta con más fuerza de la necesaria. Sabía que eso irritaba a Carlo, pero le traía sin cuidado, puesto que el muy holgazán se estaba aprovechando de él. Cuando Brennan cruzó la calle Treinta, había olvidado su malhumor y sentía curiosidad por lo que iba a ver. Al entrar en el vestíbulo del edificio reconoció que, probablemente, no iba a ver gran cosa. Todas las puertas que permitían el acceso al interior estaban cerradas. Frente a él vio a una mujer negra de aspecto maternal y apacible, de ojos centelleantes y sonrisa cordial. Estaba sentada detrás de un mostrador de recepción en forma de U, en una silla alta giratoria. Según la placa de identificación, se llamaba Marlene Wilson.

—¿En qué puedo ayudarle? —preguntó Marlene, como si fuera la recepcionista de un hotel de lujo.

—Busco a Vinnie Amendola —dijo Brennan, desarmado por la agradable presencia y comportamiento de Marlene. Se había preparado para algo más intimidante, incluso gótico.

Marlene utilizó un directorio del IML para buscar el número. Hizo varias llamadas antes de que Vinnie se pusiera. Después le pasó el teléfono a Brennan.

Tras asegurarse de que estaba hablando con la persona correcta, Brennan dijo que acababa de hablar con Paulie Cerino y deseaba transmitirle un mensaje.

—¿El verdadero Paulie Cerino? —preguntó Vinnie con voz vacilante. Era tal vez la última persona de la que esperaba oír noticias aquel día.

—El Paulie Cerino de Queens —confirmó Brennan. Sabía que era un nombre que aterrorizaba a ciertas personas, sobre todo a desgraciados que habían pedido prestado dinero, que habían tenido mala suerte al póquer o apostado a los caballos o equipos deportivos equivocados.

—¿Ha salido de la cárcel Paulie Cerino? —preguntó Vinnie. Aunque Vinnie no era jugador, no le gustaba recibir noticias de Paulie Cerino.

—No, sigue en la cárcel, pero espera conseguir muy pronto la condicional. Por eso me ha enviado. ¿Puedes venir a recepción? Hemos de hablar.

—¿De qué vamos a hablar? —preguntó Vinnie, mientras intentaba decidir qué hacer. Intuía que, fuera quien fuera aquella persona, no deseaba relacionarse con ella.

—Paulie quiere que te haga unas preguntas.

—¿No puede llamarme él en persona? —preguntó Vinnie, vacilante—. Le daré mi número de móvil.

—Paulie tiene muy pocas oportunidades de llamar.

—Entiendo.

—Son unas preguntas sencillas.

—De acuerdo, ya subo —dijo Vinnie, y colgó.

—¿Es usted familiar o solo amigo de Vinnie? —preguntó Marlene, con el fin de entablar conversación. Había oído a Brennan y se preguntaba si pasaba algo, debido a la conversación sobre la cárcel.

—Familiar —contestó Brennan—. Muy lejano.

Cuando Vinnie apareció, se llevó a Brennan lejos de Marlene. Los dos hombres se miraron. Aunque eran más o menos de la misma edad, el parecido terminaba allí. El pelo oscuro y la tez olivácea de Vinnie contrastaban con la piel transparente cubierta de pecas y el pelo rojo de Brennan, que era más bien de un color anaranjado como el de las zanahorias.

—La última vez que Paulie envió a un par de personas a verme —dijo Vinnie, después de que ambos se presentaran—, terminé forzado a hacer algo ilegal, lo cual me metió en líos, y casi perdí el empleo. Solo digo esto para informarle de que no me hace la menor gracia oír hablar de Paulie Cerino.

—No vamos a obligarte a hacer nada —prometió Brennan—. Como ya he dicho, solo hemos venido a hacerte algunas preguntas.

—¿Por qué habla en plural?

—Mi compañero está en el coche. Pensamos que podríamos invitarte a una cerveza por aquí cerca.

—Es imposible hasta que salga, a las cuatro y media.

—Qué pena —dijo Brennan con sinceridad. Después de que Carlo sugiriera la cerveza, a Brennan le había hecho cada vez más gracia la idea.

—Bien, encantado de conocerle.

—¡Un momento! ¿Por qué no aquí mismo? Llamaré a mi compañero. Nos sentaremos en el sofá.

Vinnie paseó la vista entre Brennan, el sofá, Marlene y el sofá de nuevo. No le gustaba la idea del sofá. De hecho, ni siquiera le gustaba estar parado en el vestíbulo con gente como Brennan, teniendo en cuenta que debía de ser miembro de la familia Vaccarro, tal vez uno de sus sicarios o pistoleros. Cuando Vinnie era joven, sus amigos y él adoraban a los tipos como Brennan, pero eso cambió cuando uno de los hombres de Paulie Cerino había disparado contra un tipo delante de la confitería del barrio. Vinnie y sus amigos se encontraban en la misma calle, en la heladería, cuando oyeron los disparos, y habían competido para ver quién corría más deprisa y echaba un vistazo antes de que llegara la policía. Cuando Vinnie vio el cuerpo tendido en la calle, con sangre y sesos derramados sobre la acera, vomitó al instante, mientras brotaba sangre de la cabeza de la víctima. Había sido una de las imágenes terribles de la infancia que se habían grabado en el córtex visual de Vinnie. Desde entonces, Vinnie solo sentía miedo por el estilo de vida de los gángsteres.

—¡Aquí no! —dijo Vinnie, preocupado por si el jefe aparecía de repente. La oficina del jefe y el resto del personal administrativo se hallaban frente a la zona de recepción. Desesperado, intentó pensar en algo, pues tampoco quería dejarles entrar en el interior restringido del edificio—. Ya sé —dijo de repente—. Vamos a encontrarnos en la calle Treinta. Vuelva a la zona de recepción y a las puertas del garaje. Nos encontraremos allí. —Vinnie indicó la entrada principal del edificio, como si Brennan lo hubiera olvidado—. Nos veremos dentro de dos minutos.

Con la sensación de que le habían echado a patadas, Brennan salió del edificio y volvió al coche de Carlo. Abrió la puerta del pasajero y se asomó.

—¿Y bien? —preguntó Carlo.

—Está muy nervioso, y me ha hablado de sus últimos contactos con Paulie. Dice que casi perdió el empleo.

—¿No quiere hablar con nosotros?

—Dice que no puede salir mientras trabaja, pero se encontrará con nosotros en la calle —respondió Brennan, mientras señalaba la calle Treinta.

—Por el amor de Dios —se lamentó Carlo, y bajó del coche. Dejó las luces de posición encendidas.

Cuando doblaron la esquina y pisaron la calle Treinta, vieron que Vinnie aparecía entre un grupo de furgonetas blancas.

—Al menos no tenemos que entrar —dijo Carlo, mientras se subía la cremallera de la chaqueta.

Brennan presentó a Carlo a un nervioso Vinnie, quien no dejaba de mirar atrás por si alguien les prestaba atención.

La intuición de Vinnie sobre la ocupación de Brennan se vio confirmada cuando observó el atuendo de Carlo, sobre todo la chaqueta de seda gris, el jersey de cuello cisne negro y las cadenas de oro. Así vestían todos los mafiosos de su infancia.

—¡Escuchen! —dijo Vinnie—. Debemos ser breves, porque estoy en horario de trabajo. ¿Qué quieren preguntarme?

—Sabes que hemos venido en nombre de Paulie Cerino —dijo Carlo.

—Eso ha dicho su amigo.

—Quería recordarte lo que hizo por tu padre.

—Puede decirle al señor Cerino que jamás olvidaré lo que hizo por mi padre. Pero también puede recordarle lo que hice por él la última vez que se puso en contacto conmigo, y espero que se considere compensado.

—Se lo diré —replicó Carlo, ofendido por el descaro implícito de Vinnie—. Pero es el capo quien decide cuándo está pagada una deuda, no el deudor.

Vinnie respiró hondo y se calmó. Lo último que deseaba era discutir con aquellos tipos.

—Haga el favor de preguntarme lo que quiera.

Carlo fulminó con la mirada a Vinnie un momento, y reprimió las ganas de darle una buena bofetada.

—Aquí, en el depósito de cadáveres, tenéis un cuerpo que llegó a última hora de anoche. Un japonés que se desmayó en el andén del metro de Columbus Circle.

—Conozco el caso —dijo Vinnie. Por ser uno de los técnicos de la morgue más veteranos, se enorgullecía de saber todo lo que pasaba en el IML—. ¿Qué quiere saber al respecto?

—¿Qué juez de instrucción lleva el caso?

—Aquí no hay jueces de instrucción —dijo Vinnie con aire de superioridad—. Tenemos médicos forenses, no simples funcionarios.

—Da igual —replicó irritado Carlo. Se sentía cada vez más harto de la actitud de Vinnie, pero lo pasó por alto de nuevo—. ¿Quién lleva el caso?

—Fue asignado al doctor Southgate —empezó Vinnie.

Después de oír el nombre de Southgate, Carlo empezó a relajarse. Era casi agradable poder comunicar buenas noticias, sobre todo si significaban menos trabajo, como pensaba que sería en esa ocasión. Por desgracia, no se sintió tan relajado cuando Vinnie continuó.

—Pero el doctor Southgate se puso enfermo, y la doctora Laurie Montgomery le sustituyó.

Carlo no se conformó.

—¿Cómo has dicho?

Lo había oído bien, pero su mente no encajaba el cambio.

—El doctor Southgate empezó el caso, pero se puso enfermo y la doctora Laurie Montgomery, o ahora Laurie Montgomery-Stapleton, le sustituyó. ¿Por qué lo pregunta?

—¿Por qué cambiaron? —inquirió Carlo, sin hacer caso de la pregunta de Vinnie.

—Ya se lo he dicho. El doctor Southgate se puso enfermo. Se fue a casa.

—¡Mierda! —exclamó Carlo, mientras intentaba reprogramar su cerebro después de aquel revés.

—¿Cuál fue el diagnóstico? —preguntó Brennan, pues daba la impresión de que Carlo había perdido la voz.

—Hasta el momento no hay diagnóstico —dijo Vinnie. Se estaba preguntando a qué venía tanto interés por parte de Paulie Cerino.

—¿Y la manera de la muerte? —preguntó Brennan, utilizando la jerga de las series de forenses.

—De momento debería decir natural, pero eso podría modificarse. Es el primer caso de la doctora Montgomery después de su baja por maternidad, y le oí decir que estaba decidida a descubrir alguna patología aunque eso acabase con ella. No encontró nada durante la autopsia, de manera que revisará el caso con minuciosidad.

—Por lo tanto, en tu opinión, la doctora Montgomery va a investigar este caso con más detenimiento si cabe.

—Eso insinuó —admitió Vinnie—. Es muy tozuda, debo reconocerlo.

Brennan y Carlo intercambiaron una mirada de descontento, y después los ojos de Brennan se iluminaron.

—Quiero recordarte que estamos hablando en la más estricta confidencialidad. A Paulie le disgustaría enormemente que hablaras de esta conversación con alguien. Lo comprendes, ¿verdad?

—Sí —dijo Vinnie, y hablaba en serio—. Sin duda —añadió. Sabía muy bien que los mitos sobre la mafia eran ciertos en su mayor parte. Cuando les provocaban, los gángsteres eran capaces de episodios muy desagradables.

—En fin, algo podría pasarte a ti o a tu familia.

Aunque la angustia de Vinnie había disminuido hasta cierto grado mientras proseguía la conversación, regresó en toda su intensidad. En respuesta a la amenaza, se limitó a asentir. Era el tipo de intimidación que había temido cuando oyó pronunciar el nombre de Paulie Cerino.

—Paulie está muy interesado en el caso del misterioso hombre del metro. Por si te interesa, te aseguro que nosotros no matamos a ese individuo, pero es mejor para todos que el caso se pierda en el olvido, por decirlo de alguna manera. Paulie preferiría que quedara como el caso de un individuo no identificado, que falleció de muerte natural. ¿Lo entiendes?

Vinnie asintió, pero se preguntó por qué le decían todo aquello, pues él no podía influir en el desenlace del caso.

—No te he oído —dijo Brennan.

—Sí —balbució Vinnie. Todo su descaro se había evaporado.

—Estamos interesados en esa tal Laurie Montgomery-Stapleton. En tu opinión, ¿crees que perseverará en sus amenazas de descubrir alguna patología aunque, y cito sus palabras, «acabe con ella»? Creo que dijo eso.

Temeroso de contradecirse, Vinnie se sintió impulsado a confesar la verdad, en lugar de decirles lo que intuía que deseaban escuchar.

—Dijo que iba a descubrir alguna patología, y que no iba a tirar la toalla.

Brennan miró a Carlo.

—Paulie se llevará un disgusto.

—Yo estaba pensando lo mismo. Todo el mundo se llevará un disgusto.

—¿Qué vamos a hacer? —preguntó Brennan, como si Vinnie no estuviera delante.

Carlo se volvió hacia Vinnie, que estaba empezando a sentirse como un ratón acorralado por varios gatos.

—Deja que te pregunte una cosa. ¿Cómo crees que reaccionaría la doctora Montgomery a un pequeño unte del orden de varios de los grandes, y tal vez uno para ti?

—¿Está hablando de un soborno? —preguntó Vinnie, lo bastante nervioso para no estar seguro de lo que le estaban preguntando.

—Algunas personas lo llaman así —admitió Carlo—. Hay montones de nombres.

—No creo que reaccionara bien —se apresuró a decir Vinnie—. Creo que ofrecerle un soborno sería convencerla de que hay algo que descubrir. Ahora no sabe nada. Solo piensa que es extraño no descubrir ninguna patología cuando practicas una autopsia, tal vez no lo bastante grave para matar a alguien pero sí algo anormal. El hombre con el que más trabajo, de hecho es el marido de Laurie, siempre descubre algo. Es como un reto para él.

—¿Algo más? —preguntó Carlo a Brennan—. ¿Se te ocurre alguna pregunta más?

—No se me ocurre nada —admitió Brennan.

Carlo se volvió hacia Vinnie.

—Tal vez tengamos que hacerte más preguntas. ¿Nos das tu número de móvil?

Impaciente por marcharse, Vinnie recitó el número contra su voluntad.

—Gracias, colega —dijo Carlo mientras apuntaba el número—. Bien, vamos a ver si hemos cometido algún error. —Era un 917, y Carlo tecleó las cifras a toda prisa en su teléfono. Un momento después, sonó el móvil de Vinnie en el bolsillo de su bata de laboratorio—. Perfecto.

Esperó a que saltase el contestador de Vinnie antes de colgar.

Después, Carlo extendió la mano para estrechar la de Vinnie, y la apretó más en lugar de soltarla.

—Recuerda lo de guardar silencio sobre nuestro encuentro —dijo, mientras clavaba los ojos sin pestañear en las pupilas de Vinnie—. Y si se te ocurre algo para frenar el entusiasmo de Laurie Montgomery-Stapleton por avanzar en el caso del andén del metro, llama. Tienes el número de mi móvil en el tuyo.

Por fin, Carlo soltó la mano de Vinnie.

—Hasta la vista —dijo, y se alejó. Brennan miró un momento a los ojos de Vinnie, y corrió tras su compañero.

—A Louie no le hará ninguna gracia saber lo que hemos averiguado sobre el caso y sobre Laurie Montgomery-Stapleton —dijo Brennan.

—Ya puedes estar seguro —contestó Carlo.

De pronto, Brennan se detuvo.

—¡Espera un momento! Hemos olvidado preguntar a Vinnie otra cosa que Louie deseaba saber.

—¿El qué?

Brennan se volvió, pero Vinnie ya había desaparecido en el interior del IML.

—Olvidamos preguntarle si tenía alguna sugerencia sobre cómo animar a Laurie Montgomery a abandonar el caso de Satoshi y declararlo muerte natural.

—Le preguntamos si aceptaría un soborno.

—Pero no es lo mismo, ¿sabes a qué me refiero? Podría tener alguna idea.

Caminaron en silencio hasta llegar a la esquina de la Primera y la Treinta. Carlo detuvo a Brennan.

—¡Tienes razón! Tendríamos que habérselo preguntado.

—Llámale. Tuviste la buena idea de pedirle el número. ¡Llama!

—Bien pensado. Lo haremos desde el coche.

El Derali estaba donde Carlo lo había dejado, con las luces de posición encendidas. Por desgracia, ya había una multa bajo el limpiaparabrisas y una controladora de aparcamiento estaba parada al lado, esperando la grúa.

—¡Mierda!

—Lo siento, señora —dijo Carlo, mientras corría hacia el vehículo—. Estaba en el IML.

—En tal caso, tendría que haber dejado el vehículo con todas las furgonetas del IML. Nunca nos molestamos en multarlas.

—Tal vez podría repensarse lo de la multa —dijo Carlo, esperanzado.

—¡No puedo! —respondió la controladora—. Saque su 4×4 de aquí, antes de que lleguen los chicos de la grúa.

Carlo masculló algunas palabras escogidas en honor de la controladora, pero subió al 4×4 junto con Brennan. Una vez acomodado tras el volante, Carlo sacó el móvil y activó el botón de rellamada. Antes de que contestaran, la controladora ya estaba dando golpecitos en la ventanilla.

—Vale, vale —dijo Carlo a través del cristal. Cuando puso en marcha el motor, Vinnie contestó.

—Ahora te meterán una multa por utilizar el móvil mientras conduces —advirtió Brennan, lo cual provocó que Carlo le dirigiera una mirada siniestra. Colgó a Vinnie antes de hablar y siguió por la Primera Avenida hasta girar a la izquierda por una calle lateral. Después frenó ante la primera boca de incendio y volvió a llamar a Vinnie.

—Espere, buscaré un sitio discreto —dijo Vinnie cuando contestó—. De acuerdo —dijo al cabo de un momento—. ¿Qué pasa?

—Escucha, nos hemos dado cuenta de que olvidamos pedir tu opinión sobre esta situación. ¿Se te ocurre alguna sugerencia sobre la doctora Laurie Montgomery-Stapleton? ¿Alguna forma de conseguir que se olvide del caso del metro y lo certifique como muerte natural?

—No, en absoluto. Si intentara algo, pasaría lo mismo que con el soborno. La animaría más de lo que está ahora. Es una especie de reto personal, por motivos privados. Si cree que en todo esto hay algún elemento delictivo, será como un perro con un hueso. Lo sé porque ya se han producido algunos casos en que ella decía A y los demás decían B, y después de que lo investigara, resultó que tenía razón. Además, no quiero mezclarme con ustedes. Lo siento, pero es verdad. Aunque no voy a contar nada a nadie, como el hecho de que vinieron aquí ni nada por el estilo.

Brennan, que escuchaba las dos partes de la conversación, indicó a Carlo que le pasara el teléfono. Carlo se encogió de hombros y se lo dio.

—Soy Brennan. ¡Escucha! ¿Qué te parece si escribes un anónimo en el que se diga que algunas personas desagradables quieren que la muerte natural del metro sea certificada de inmediato, pues hay un seguro para la familia?

—¿Cómo puede haber un seguro si la persona no ha sido identificada?

—*Touché!* —admitió Brennan—. Bien, olvídate del seguro. Escribe una nota para que se entere de que si no lo deja tal como está, o sea, muerte natural, se creará problemas, grandes problemas. Ocúpate de informarla de que la situación es grave.

—En ese caso, acudirá a la policía, y la policía sospechará que pasa algo. No es mi intención decirles cómo tienen que llevar su negocio, pero creo que cualquier cosa que hagan para llamar la atención sobre la víctima aumentará las probabilidades de que la doctora Montgomery-Stapleton se enfrente al caso con más suspicacia.

—¿Y si incluyes una nota diciendo que si habla con la policía o con quien sea sufrirá las consecuencias? Si yo fuera esa médico y recibiera una nota diciendo que sufriré las consecuencias si no abandono una autopsia y certifico que es una muerte natural, lo haría sin pensarlo dos veces. ¿Para qué arriesgarme en tales circunstancias?

—Eso lo haría usted, pero no Laurie Montgomery-Stapleton.

—Espera. —Brennan miró a Carlo—. ¿Qué puedo decir? En mi opinión, enviar una nota amenazadora es lo que Louie tenía en mente cuando nos envió aquí. No lo dijo explícitamente, pero casi. Si no, ¿cómo piensa Vinnie «transmitir una amenaza»?

—Creo que tienes razón —dijo Carlo—. Además, acaba de llegar de una baja por maternidad. ¿No dijo eso Vinnie, o me lo estoy inventando?

Brennan acercó el auricular de nuevo a su oído y habló con Vinnie.

—Sí —dijo Vinnie—. Hoy es su primer día, y eso está relacionado con su interés obsesivo por el caso.

—Las mujeres cambian después de tener un hijo —dijo Carlo—. Lo sé. Mi mujer tiene dos. Ser madre da mucho trabajo y hacen cualquier cosa por proteger a sus retoños.

—¿Has oído eso? —preguntó Brennan a Vinnie.

—Lo he oído —respondió Vinnie. Estaba cada vez más preocupado por su relación con aquella gente.

—Escríbele una nota diciendo que si no da carpetazo al caso, ella y su familia sufrirán las consecuencias. Haz hincapié en lo de la familia. Y también en que se producirán las mismas consecuencias si habla con alguien de la nota, sobre todo con la policía. No ha de ser tan larga como *Guerra y paz*. De hecho, la claridad es más importante que la extensión.

—Creo que antes dijeron que yo no tendría que hacer nada, que solo querían hacerme un par de preguntas.

—No vas a causarnos problemas, ¿verdad? —preguntó Brennan en voz más baja—. Porque en estos momentos nos dirigimos a tu casa para esperar a tus hijas cuando vuelvan del colegio.

Carlo compuso una expresión inquisitiva. Brennan le tranquilizó con un ademán.

—No —se apresuró a contestar Vinnie—. No, en absoluto.

—De acuerdo —dijo Brennan—. Te diré algo: escribe el anónimo y después llama a este número, para saber cómo ha ido.

Brennan devolvió el teléfono a Carlo. Este colgó con brusquedad y llamó a Louie.

—Creo que deberíamos darle la mala noticia cuanto antes —dijo a Brennan mientras llamaba.

—Buena idea. Comentemos también la idea del anónimo, para ver qué opina. Puede que sea arriesgado, si lo único que consigue es aumentar la curiosidad de la doctora en lugar de acojonarla.

—Soy Carlo —dijo este cuando Louie descolgó—. Me temo que tengo malas noticias...

13

Laurie dijo al taxista que la dejara delante del IML para no tener que cruzar la Primera Avenida, que estaba colapsada por el tráfico. Era la hora punta. Había tardado más de sesenta minutos en recorrer la distancia desde la comisaría de Midtown North hasta el IML, que en circunstancias normales exigía menos de la mitad de ese tiempo. El tráfico de Nueva York estaba peor que nunca.

Saludó con la mano a Marlene cuando entró y después subió al tercer piso. Antes de llegar a su despacho, asomó la cabeza por la puerta del de Jack, que estaba abierta.

—¿Dónde demonios has estado? —preguntó Jack con fingida irritación—. He pasado por tu despacho varias veces, y sabía que no estabas en la morgue.

La cara de Laurie adoptó una sonrisa traviesa cuando hurgó en su bolso y sacó dos discos compactos. Los alzó para que Jack los viera.

—¿Qué tienes ahí? —preguntó Jack, mientras se reclinaba en la silla y estiraba los miembros. Delante de él había una masa de expedientes, libros, revistas, placas e informes de laboratorio, así como un secador de pelo sin la carcasa, con las tripas al aire, como sugiriendo que estaba haciendo veinte cosas a la vez. Llevaba unos guantes de látex.

—Un par de películas emocionantes —dijo Laurie.

Jack hizo una mueca de exagerada incredulidad.

—De veras —insistió Laurie—. De cine negro, estoy segura.

—Venga ya. —Jack cogió un disco, que llevaba la etiqueta NYPD—. Qué demonios...

—Vídeos de cada una de las cámaras del andén del tren A en Columbus Circle.

Jack dejó que sus hombros se derrumbaran, al tiempo que exhalaba un suspiro.

—No me digas que te estás planteando ver todo esto. ¿Qué contienen, diez horas de gente entrando y saliendo del metro?

—Más bien siete.

—Y piensas verlas todas.

—Si es necesario —anunció con orgullo Laurie—. Sé que fallará en argumento y personajes, y que se habrá rodado en un blanco y negro granulado, pero las veré igualmente.

—Laurie, si no te importa que lo diga, creo que exageras con tu único caso. ¿Por qué deseas someterte a esta tortura? Solo porque no descubriste patologías no es motivo para pegarte semejante paliza. Mañana, cuando lleguemos, echa un vistazo a las placas, porque estoy seguro de que le has pedido a Maureen O'Conner que las tuviera a primera hora, y echa un vistazo al examen toxicológico, porque también estoy seguro de que le pediste a John que se diera prisa, y acabemos de una vez. No será preciso ver siete horas de grabaciones.

—Cuento con tener nuevos casos mañana por la mañana.

—Pues tanto mejor. Eso significa que verificas histología y toxicología por la tarde, que con toda probabilidad saldrán negativos; caso cerrado, certificado de defunción firmado y entregado.

—El vídeo de seguridad podría revelarme algo que necesito saber.

—¿Por ejemplo?

—Si la víctima sufrió un ataque o no. Quien llamó al 911 no estaba seguro. Fue una imagen fugaz que distinguió mientras estaba apretujado entre la multitud y le empujaban a bordo del tren.

—Ummm. Supongo que esa información podría ser importante. De todos modos, te felicito por tu meticulosidad. Dudo que nadie de esta casa hubiera pensado en pedir las cintas de seguridad. ¡Empezando por mí! ¿Vuelves ahora o ya has pasado por tu despacho?

—Vuelvo en este mismo momento. ¿Por qué lo preguntas?

—Por ningún motivo en particular —dijo Jack, distraído.

Laurie le miró de soslayo. Tuvo la sensación de que distinguía una sonrisa traviesa, porque las comisuras de su boca estaban algo curvadas hacia arriba.

—¿De veras? —preguntó—. ¿Por qué me lo preguntas si has ido a mi despacho?

—Oh, por nada. La última vez que fui a buscarte, reparé en una nota de John acerca de un nivel de alcohol en sangre normal referente a tu caso. Supuse que habías conseguido convencerle de que lo hiciera ipso facto. Me estaba preguntando si habías tenido la oportunidad de verla.

Lanzó una risita.

—No, aún no la he visto —contestó Laurie, algo confusa. A veces Jack se comportaba de una forma un poco rara, y esa era una de dichas ocasiones. Cuando ocurría, ella solía atribuirlo a su tendencia a pensar en una docena de cosas al mismo tiempo, como el desorden de su escritorio sugería que estaba haciendo en aquel momento.

—¿A qué hora quieres volver a casa? —preguntó Laurie para cambiar de tema. Estaba ansiosa por marcharse. Se había propuesto, con un gran esfuerzo, no llamar a Leticia para no molestarla más. Y como Leticia no la había llamado, habían estado incomunicadas más rato del que le parecía normal. Quería saber cuándo quería marcharse Jack, como excusa para llamar a Leticia y decirle a qué hora volverían a casa.

Jack se encogió de hombros.

—Tal vez después de que anote lo que he encontrado aquí. Es muy interesante..., al menos para mí.

—¿Estás hablando del secador?

—En efecto —dijo Jack, mientras levantaba el aparato—. ¿Te acuerdas del caso que estaba empezando cuando tú terminabas el tuyo?

—La azafata de Delta. ¿Qué has descubierto?

—Lo mismo que tú: nada. Bien, nada, salvo unos miomas insignificantes. De modo que llamé a Bart Arnold y le pregunté si podía enviar a un investigador médico-legal al apartamento de la mujer para recoger todos los aparatos del cuarto de baño, cosa que hizo. Recibí el secador y ese artilugio dental. ¿Cómo se llama?

—Irrigador bucal.

—Bien, el irrigador estaba bien, pero fíjate en este secador.

Jack levantó el aparato y aplicó los contactos de un voltímetro a una de las varillas de la clavija y la carcasa restante. Después se inclinó hacia atrás para que Laurie pudiera leer la medición.

—¡Cero ohmios! —dijo, y recordó que había tenido un caso parecido el primer año que estuvo en el IML—. Electrocución de bajo voltaje.

—Por eso el novio la vio salir del cuarto de baño, antes de desplomarse y morir.

—¡Pero el secador parece nuevo!

—Estoy de acuerdo, lo cual redobla el interés del caso. Echa un vistazo al cable negro interior.

Jack señaló con un destornillador.

—Da la impresión de que lo han pelado, y lo han hecho pasar por encima del borde metálico de la carcasa.

—Yo opino lo mismo. Cuando la joven salió de la ducha, tal

vez incluso parada sobre el suelo mojado, conectó el secador y se electrocutó.

—Entonces fue un homicidio, sin duda. Buena deducción. ¿Presentaba quemaduras, quizá en las plantas de los pies?

—Nada. Pero no es sorprendente, pues un tercio de los electrocutados de bajo voltaje no presentan quemaduras.

—¿Cómo te acordaste de eso?

—No me acordé —admitió Jack—. Lo leí justo antes de que entraras.

—¿Crees que lo hizo el novio, tal vez mientras la víctima estaba de viaje?

—Eso diría yo, pero puede ser difícil de demostrar. Una forma sería encontrar las huellas del novio dentro del secador, por eso llevo guantes. Las huellas que se encuentren ahí corresponderán al culpable del asesinato.

—Buen trabajo —repitió Laurie.

Era su tipo de caso favorito. Exigía experiencia, conocimientos y cierta creatividad para juntar todas las piezas, y a cambio proporcionaba una verdadera sensación de haber servido a la justicia.

—¿Cuánto tiempo necesitarás para redactar tu informe sobre el secador?

—Una media hora.

—De acuerdo. En cuanto termines, baja a mi despacho y nos iremos a casa.

—¿Todo ha ido bien entre Leticia y J.J.?

—Por lo visto, no soy tan indispensable como pensaba. Todo ha ido a las mil maravillas. Leticia llegó a decirme que no llamara tan a menudo.

—¿Con esas palabras?

—Con esas palabras.

—Debo decir que ese comentario me parece algo inapropiado.

—Estoy de acuerdo contigo.

—Hasta dentro de media hora.

Laurie sacó el móvil del bolso mientras recorría el silencioso pasillo del tercer piso. Alentada por el comentario de Jack, marcó el número de Leticia. Saludó con la mano cuando pasó por delante de la puerta del subdirector, pero Calvin Washington estaba demasiado ocupado para darse cuenta. Cuando se acercó a su despacho, Leticia aún no había descolgado. Al entrar, empezó a contar los tonos de espera. Cuando dejó el bolso y los dos discos, había llegado a diez. Después de colgar el abrigo, ya iba por los quince. Por fin, en el decimoséptimo, descolgaron el teléfono. A esas alturas, el ritmo cardíaco de Laurie había alcanzado las ciento cincuenta pulsaciones.

—Hola —dijo Leticia con calma, como insinuando que estaba aburrida.

—¿Va todo bien? —soltó Laurie, aunque la serenidad forzada de Leticia ya la había convencido de que todo iba bien.

—Estamos bien.

—El teléfono ha sonado mucho rato.

—Claro, porque estábamos tomando un bañito después de cambiar un pañal muy sucio.

Una vez más, Laurie se sintió algo avergonzada por su exageración.

—Solo quería decirte que llegaremos más o menos dentro de una hora.

—Aquí estaremos.

—¿Y la cena?

—Es el siguiente punto del orden del día.

—Dile al niño que le echamos de menos.

—Se lo diré —anunció Leticia con apatía.

Laurie colgó el teléfono con una sensación ambivalente. Era evidente que Leticia se sentía irritada por la llamada, pero también Laurie, por la incapacidad de Leticia de mostrarse más paciente el primer día. Laurie reconocía que una docena de llamadas era una exageración, cuando no existían problemas. Al mismo tiempo, se daba cuenta de que también debía ser paciente con Leticia, puesto que las llamadas interferían en la atención que un niño de año y medio exigía.

Se sentó a la mesa y levantó la hoja que Jack había comentado. Indicaba que el nivel de alcohol en sangre era de 0,03 por ciento, lo cual significaba que era muy inferior al límite marcado por la ley, pero no cero, lo cual sugería que el hombre había tomado una o dos copas un par de horas antes de su muerte, un hecho que, probablemente, no tenía nada que ver con su fallecimiento.

Añadió el informe al expediente de la víctima, y en ese momento se fijó en un sencillo sobre blanco depositado sobre el teclado del ordenador, con su nombre completo mecanografiado: doctora Laurie Montgomery-Stapleton. Llevaba pegado un post-it de Marlene, en el cual la informaba de que habían encontrado el sobre en el vestíbulo y que lo habían pasado por debajo de la puerta principal. Sacó la única hoja de papel que contenía, la desdobló y vio que había un breve mensaje dirigido a ella, con el encabezado de «Doctora».

> Doctora:
> Perdone por entrometerme, pero me han amenazado si no lo hago. Estoy enterado de que una gente muy desagradable desea que abandone la investigación de la muerte natural del asiático encontrado en el andén del tren A. Si no lo hace de inmediato, usted y su familia sufrirán graves consecuencias. Denunciar a la policía esta advertencia provocará las mismas consecuencias. Sea lista. No desperdicie su tiempo.

Si bien había contenido el aliento tras la primera lectura, cuando Laurie volvió a leer la nota una leve sonrisa se dibujó en las comisuras de su boca. Cuando la leyó por tercera vez, la sonrisa se convirtió en una risita reprimida. Cuando Laurie se preguntó quién podía ser responsable de tal nota, pensó al instante que debía de ser Jack. Infantil e inapropiada, era típica de su sentido del humor, pues quería que dejara de obsesionarse con el caso. De hecho, cuanto más lo pensaba, más segura estaba de que el autor era Jack. La extraña forma de preguntarle si había pasado por su despacho antes de ir a verle le delataba. También era una indicación de que esperaba que se abalanzara hacia él fuera de sí, después de leer una carta tan aterradora. La leyó por cuarta vez, y rió de nuevo. Era algo muy improbable. Si alguien estaba preocupado por su investigación y quería que la abandonara, lo último que haría sería llamar la atención sobre ella, pues eso solo serviría para exacerbar su interés por la investigación.

En cuanto Laurie cayó en la cuenta de quién era el responsable de la nota, empezó a pensar en cómo dar la vuelta a la tortilla, o sea, en devolverle la pelota a Jack, pues se trataba de algo inoportuno, en el mejor de los casos. En lugar de reaccionar de una forma exagerada, pensó que se lo iba a tomar con calma. Sería más divertido mostrarse indiferente y ver cuánto tiempo aguantaba Jack su falta de reacción, ignorante de si lo había descubierto o no. Laurie deslizó la nota doblada dentro del sobre y la dejó en el centro de su escritorio. Estaba convencida de que su incapacidad de reaccionar a aquella travesura infantil pondría de los nervios a Jack.

Devolvió la atención al expediente, una gruesa carpeta amarilla hecha de papel pesado y rígido. Contenía toda la documentación relacionada con el caso: una hoja de trabajo, un certificado de defunción cumplimentado a medias, un inventario de documentos médico-legales, dos hojas de notas sobre la autopsia que ella ya había rellenado, un aviso telefónico del fallecimiento recibido por las operadoras, una hoja de identificación, un informe pericial del investigador médico-legal y una hoja de certificación de que habían practicado radiografías, tomado las huellas dactilares y fotografiado el cadáver. Las fotografías también constaban en el expediente y Laurie las sacó. Había una foto frontal de cuerpo entero, así como de la parte posterior y de perfil. Laurie las guardó en su bolso, pues pensaba examinarlas aquella noche cuando viera alguna grabación de las cintas del metro. Entonces se le ocurrió otra idea. Como Jack tenía razón sobre lo que tardaría en visionar las cintas, pensó en abreviar el metraje, si ello era posible. El expediente también contenía los números de teléfono de la operadora del 911 y del hombre que había llamado, Robert Delacroix. Laurie marcó el número de Delacroix, y esta vez el hombre contestó. Laurie se identificó y pidió disculpas por molestarle de nuevo.

—Ninguna molestia —respondió Delacroix—. Cualquier cosa que me haga sentir menos culpable es positiva.

—¿Puede decirme en qué punto del andén estaba usted cuando vio que el asiático empezaba a encontrarse mal?

—Caramba —dijo Robert, e hizo una pausa para pensar—. Como había tanta gente, nunca conseguí alejarme demasiado de la escalera.

—¿Podía ver el final del andén en ambas direcciones?

—No, que yo recuerde.

—¿Estaba hacia la mitad? Supongo que es la única alternativa.

—Yo diría que sí.

Dio las gracias a Delacroix y colgó, y después decidió esperar a que Jack terminara de redactar en su despacho la autopsia referente al secador. Supuso que merodear por allí le impulsaría a escribirla con más celeridad. Ahora que ya estaba preparada para marcharse, quería llegar a casa lo antes posible.

14

—¿Estás ocupado? —preguntó Carl Harris, después de asomar la cabeza por la puerta abierta de Ben Corey.

Ben levantó la vista de la revista biomédica que estaba examinando. Su escritorio estaba atestado de otras que llegaban a diario. Era importante para iPS USA conocer todos los avances en la ciencia de las células madre, con el fin de procurar que su control sobre la propiedad intelectual estuviera al día.

—Para ti nunca —contestó Ben—. Entra y siéntate.

—Quería saber cómo había ido tu entrevista con Michael esta mañana.

—Supongo que debería decir que a medias.

—¿Y eso?

—Nuestra entrevista fue bien, pero luego se reunió con Vinnie Dominick y el jefe de la Yamaguchi-gumi, Saboru Fukuda. Michael me llamó hace unos minutos. Dijo que había hablado con ellos primero de iPS RAPID, y que obtuvo buenos resultados. Michael dijo que los dos parecieron muy contentos de aportar más dinero para aumentar su capital, sobre todo después de enterarse de que Satoshi había firmado el contrato ayer. En lo tocante al dinero, todo fue muy positivo, de modo que solo hemos de decidir cómo procedemos: ¿adquisición o licencia? ¿Has hecho progresos en eso?

—He iniciado la auditoría. No llevan tanto tiempo funcionando como para contar con un historial sólido, pero creo que aconsejaré adquirir antes que obtener la licencia. Si consiguen la patente que han solicitado, será un gran negocio y nos conducirá a denunciar su patente. Lo he consultado con la asesoría jurídica, y Pauline está de acuerdo. Me alegro de que nuestros dos ángeles inversores nos apoyen.

—Yo también, pero no les hace mucha gracia cambiar nuestra relación con ellos.

—Bien, no la cambiaríamos en breve plazo, si vamos a pedirles financiación para una segunda ronda.

—No, pero eso no augura que podamos cortar con ellos en el futuro.

—Creo que podremos esperar a que estemos preparados para la OPA.

—Buena idea. En esta coyuntura, podremos enseñarles lo que sacarán en limpio de la OPA, en cuanto tengamos las cifras esperadas. Nos encargaremos de que comprendan que no podemos lanzar la OPA sin que se retiren.

—Tiempo al tiempo —dijo Carl, y se puso en pie—. ¿Vas a quedarte mucho más rato? Ya pasan de las cinco.

Ben dio unos golpecitos sobre la pila de revistas.

—Me quedaré una hora o más. He de reducir el tamaño de este montón. Además, si me marchara ahora pillaría mucho tráfico y me arrepentiría de haberlo dejado.

—Hasta mañana —dijo Carl, y se encaminó hacia la puerta.

—¡Espera! —gritó Ben.

Carl se detuvo y dio media vuelta.

—¿Has visto a Satoshi o sabes algo de él? Le conseguí un espacio de laboratorio en Columbia, y tiene que firmar estos documentos legales, pero creo que hoy no ha hecho acto de presencia.

Carl negó con la cabeza.

—No le he visto. ¿Le has llamado al móvil?

—Sí, media docena de veces. Creo que lo tiene desconectado, porque sale enseguida el buzón de voz.

—Tal vez se ha ido de viaje, como tenía proyectado.

—¿De qué estás hablando?

—Me preguntó hace un par de días dónde podía alojarse en Washington. Dijo que quería ir con su familia.

—¡Mierda! —masculló Ben, y meneó la cabeza.

—¿Qué pasa?

—Ya lo hizo una vez. Desapareció durante una semana con su familia para ir a ver las cataratas del Niágara.

—Bueno, no puedes echarle la culpa. Es libre por primera vez en su vida.

—Sí, maravilloso —dijo con sarcasmo Ben—. Ahora he de preocuparme por él como si fuera un hijo descarriado.

—Pensemos en positivo. Tal vez venga mañana.

—Eso sería estupendo. ¿Por qué intuyo que no va a ser así?

15

Acomodada en el asiento trasero de lo que le parecía un taxi nuevo, Laurie se descubrió contando en silencio los números de las calles, mientras Jack y ella iban hacia el norte, en dirección a Central Park West. Pasaron ante el Museo de Historia Natural y la calle Ochenta y seis, y su nerviosismo experimentó otro arrebato. Laurie notó que su pulso se aceleraba a causa de dicho nerviosismo. Aunque Jack iba sentado a su lado, dándole una charla sobre cómo Lou y él habían confirmado los descubrimientos de la autopsia de la víctima de los disparos, no podía concentrarse en lo que le estaba diciendo. Estaba demasiado ansiosa por ver a J. J. Dejó que Jack continuara divagando, pues no parecía importarle que ella hubiera dejado de hacerle observaciones durante los últimos dos kilómetros.

—¿Me puede repetir el número de la calle Ciento seis? —preguntó el conductor.

Laurie recitó el número, interrumpiendo a Jack en mitad de una frase.

—¿Me estás escuchando? —preguntó Jack, mientras Laurie se inclinaba hacia delante para mirar a través de la mampara de plástico y el parabrisas, a medida que se aproximaban a la calle. No fue hasta que el taxi giró a la izquierda cuando se calmó—. ¿Me has oído? —insistió Jack.

—No —admitió Laurie. A su derecha se encontraba el pequeño parque recreativo que Jack había renovado diez años antes, añadiendo luces a la pista de baloncesto, donde en aquel momento se estaba jugando un partido. También había renovado la sección infantil y añadido toboganes, columpios y un cercado grande con arena.

—Te he preguntado si me estabas escuchando.

—¿Debo mentir o decir la verdad?

—Miente para no herir mis sentimientos.

—¿Te importa pagar? —preguntó Laurie, mientras el taxi se acercaba al bordillo que había delante de su casa remozada de piedra caliza color rojizo. Laurie ya había abierto la puerta antes de que el vehículo parara por completo. Con el bolso en la mano, salió corriendo y entró en la casa. Sin quitarse la chaqueta, subió las escaleras todo lo deprisa que sus piernas le permitieron hasta la cocina, que se hallaba en el segundo piso.

Leticia oyó que se abría la puerta principal, cogió a J. J. y se encontró con Laurie en lo alto de la escalera. Leticia era una atractiva y atlética chica negra de unos veinticinco años, con una suave nube de pelo oscuro. Solía acompañarla una sonrisa irónica y, por principios, no soportaba a los imbéciles. Como prima de Warren Wilson, el compañero de baloncesto de Jack, compartía la característica familiar de un cuerpo bien esculpido, que unos vaqueros y un top ceñidos destacaban de manera espectacular. Indecisa sobre doctorarse después de terminar la universidad, Warren había sugerido que, mientras se decidía, trabajara de canguro para Jack y Laurie.

—Hola, pequeño —balbució Laurie mientras extendía las manos para recibir al niño. Pero a pesar de sus ansias, pilló al niño desprevenido, y J. J. reaccionó volviéndose hacia Leticia y agarrándose a ella con todas sus fuerzas. Lloró mientras Laurie y Leticia le desprendían los deditos del cuello de esta.

J.J. reconoció casi al instante a su madre y se tranquilizó, pero el daño ya estaba hecho. Laurie se sintió rechazada, al menos durante unos minutos, hasta que la racionalidad se impuso. En aquel momento la reacción de Laurie fue más de vergüenza que de sentimientos heridos.

Cuando Jack subió la escalera, las mujeres se estaban riendo del incidente. Escuchó mientras Leticia se disculpaba por haberse molestado a causa de las múltiples llamadas telefónicas de Laurie.

—Cada vez que llamabas, era en el peor de los momentos posibles —explicó—, como cuando le estaba bañando. Tuve que apresurarme a sacarle de la bañera, cosa que no le hizo la menor gracia y se resistió, y después tuve que secarle y envolverle en una toalla antes de poder llegar al teléfono.

—Mañana me portaré mejor, lo prometo —dijo Laurie—. Está claro que la separación ha sido peor para mí que para él.

—Me temo que así ha sido —admitió Leticia—. Se ha portado de maravilla todo el día. Le encantó ir al parque.

Jack intentó apoderarse de J.J., pero este se aferró a Laurie en esta ocasión. Ambas mujeres rieron cuando Jack desistió, confuso por las carcajadas. Jack levantó las manos para indicar que se rendía.

—Vale —dijo al niño—, ahora puedes quedarte con mamá, pero ya llegará mi turno.

Se despidió de Leticia y añadió que iba a jugar al baloncesto con su primo. Apretó el hombro de Laurie y subió la escalera para ir a buscar su equipo.

—Juegan casi todas las noches —explicó Laurie.

Después de hablar sobre la jornada de J.J. un rato más y concretar la hora en que llegaría Leticia por la mañana, la joven se marchó.

—Es un muñeco —dijo, antes de saludar con la mano a J.J. y salir.

Durante la ausencia de Jack, Laurie jugó con J.J. durante

casi una hora y después lo puso en su sillita mientras preparaba una cena ligera para Jack y ella. Debido a las prisas, sería una ensalada con queso y pan. Después acostó a J.J. en la cuna y se sentó en la mecedora a su lado. Le alegró que se durmiera antes de lo habitual, lo cual confirmó lo que ya sabía: el día había sido más fácil para él que para ella.

Después de la cena, Jack y Laurie se retiraron a su estudio común. Jack quería echar un vistazo a uno de sus textos forenses para repasar la parte de las heridas de bala, mientras Laurie encendía su ordenador e introducía uno de los discos de seguridad del metro. No sabía qué podía esperar. Al lado del ordenador puso tres fotografías de Juan Nadie.

—Sigo creyendo que no deberías perder el tiempo con eso —dijo Jack.

—Ya me lo imagino —contestó Laurie, y recordó por primera vez la nota amenazadora desde que la había guardado en el cajón central de su escritorio—. ¿Por qué? ¿Crees que es demasiado peligroso?

Se volvió hacia Jack.

—¿Peligroso? —preguntó Jack, confuso—. ¿Peligroso por qué? Lo que quiero decir es que no vas a encontrar nada que vaya a modificar el caso. Vas a examinar con todo detenimiento el cerebro, aunque no confirmes si hubo ataque o no.

—¿De veras? —preguntó con ironía Laurie, mientras apretaba el botón de la bandeja del CD.

—Como quieras —dijo Jack, y volvió a lo suyo. Si quería perder el tiempo, adelante, pensó.

La primera pantalla que encontró Laurie era el menú de las cámaras grabadoras, dispuestas en orden numérico, de la uno a la nueve. Clicó la número uno y la acción empezó enseguida. La calidad del vídeo no era muy buena. El gran angular creaba distorsión y la imagen era tan granulada como temía. Para colmo, corría a doble velocidad. Cuando la disminuyó, se vio mejor, pero tampoco mucho.

—Voy al salón —dijo—. Lo miraré en el DVD, a ver si me ayuda en algo.

—Buena suerte —contestó Jack sin prestarle atención.

En el salón, Laurie introdujo el disco en el DVD. En la pantalla de la televisión la calidad mejoraba un poco. Con las fotos a su lado, en el sofá, apoyó los pies sobre la mesita auxiliar y miró unos veinte minutos. Era tan aburrido como cabía esperar, gente que bajaba o subía del tren. Después vio algo interesante. Un adolescente vestido con ropa varias tallas más grande, con la entrepierna de los pantalones colgando entre las rodillas, tropezaba a propósito con un hombre de edad madura que leía un periódico. Al mismo tiempo, la cartera del hombre desaparecía de su bolsillo a tal velocidad que Laurie tuvo que parar la cinta, rebobinarla y avanzarla fotograma a fotograma.

—¡Santo Dios! —exclamó, y llamó a Jack para que viera la secuencia. Él se quedó tan impresionado como ella.

—¿Qué debería hacer?

—No quiero parecer cínico, pero aunque lo denuncies, creo que no pasará nada. El NYPD está saturado de casos mucho más graves.

Laurie anotó la hora que aparecía en la pantalla, junto con el número de la pantalla en el reverso de una de las fotos. Pensó que se lo daría a Murphy por la mañana, para que decidiera él.

Al terminar con la cámara número uno, Laurie decidió saltar a la cámara número cuatro, con la esperanza de que el número de las cámaras indicara su posición en el andén, lo cual significaría que la número cuatro estaría cerca del centro del andén, donde Robert Delacroix pensaba que había estado. La cámara número uno había mostrado la entrada norte del túnel.

Al cabo de pocos minutos, Jack apareció en la puerta del salón y le hizo señas.

—Voy a leer a la cama.

—De acuerdo, cariño —dijo Laurie, y paró la cinta. Sabía muy bien que la idea de Jack de leer en la cama consistía en dormirse al cabo de una o dos páginas—. Hasta mañana.

Jack sonrió, consciente de que tenía razón. En respuesta, se acercó al sofá, se agachó y le dio un beso en los labios.

—No te quedes levantada hasta altas horas de la madrugada viendo esto. No conseguiré sacarte de la cama por la mañana.

—Solo me quedaré un ratito más —prometió Laurie, con buenas intenciones.

Cuando terminó la cámara cuatro, clicó la cámara cinco. Vio varios minutos hasta darse cuenta con un sobresalto de que se había dormido. El chorro silencioso de gente que entraba y salía de los trenes era hipnotizador. Como no tenía ni idea de cuándo se había dormido, rebobinó el vídeo hasta el principio, reconociendo que si no lo hacía corría el riesgo de pasar por alto lo que esperaba encontrar.

Se esforzó por permanecer despierta hasta terminar la cámara cinco, y de pronto tardó un momento en reaccionar. El hombre que estaba buscando se hallaba exactamente en el centro de la pantalla. Al menos, se le parecía mucho. Apretó el botón de pausa del mando a distancia para congelar la escena. En aquel momento, el hombre estaba mirando hacia atrás y hacia lo alto de la escalera por la que, en teoría, acababa de bajar, aunque no le reconoció hasta que se acercó al borde del andén. Levantó las fotos del cadáver y las comparó. Estaba bastante segura de que el hombre de las fotos y el de la pantalla eran el mismo. Aunque no podía estar segura al cien por cien debido al ángulo de la cámara, la hora coincidía: faltaban pocos minutos para la llamada al 911. Laurie echó hacia atrás la imagen y vio que el hombre retrocedía escaleras arriba. Aun viendo la grabación fotograma a fotograma, intuyó que el hombre corría, porque tropezaba con otras personas que se movían más despacio que él. Examinó el otro lado de la imagen y comprobó que la vía estaba desierta. El tren no había llegado todavía.

Laurie continuó rebobinando fotograma a fotograma, hasta que el tipo desapareció. Lo único que había averiguado era que llevaba una bolsa de lona. Reclinada en el asiento, dejó que el vídeo avanzara a velocidad normal. El hombre corría.

—No quiere perder el tren —dijo Laurie en voz alta, mientras le veía tropezar con la gente. A velocidad normal, las colisiones parecían más violentas que plano a plano.

Se abrió paso entre la muchedumbre del andén, irritando a la gente. Un hombre agarró el brazo del asiático, pero este se liberó del desconocido y continuó adelante, sin dejar de mirar hacia atrás como si le persiguieran.

—¡Le están persiguiendo! —exclamó Laurie, al tiempo que se inclinaba hacia delante. Dos asiáticos más habían bajado la escalera y, al igual que el primero, se abrieron paso entre la multitud, uno de ellos provisto de un paraguas, el otro con las manos vacías. Mientras Laurie miraba, los dos perseguidores alcanzaron a su presa justo cuando el metro entraba en la estación. En aquel momento, Laurie apenas podía ver a los hombres, pues eran más bajos que los demás usuarios apretujados a su alrededor. Durante los siguientes momentos el movimiento fue escaso, pues la gente que salía del tren se topaba con la que entraba. Por fin, la multitud volvió a moverse y en ese instante Laurie vio que el hombre de la bolsa estaba sufriendo un ataque, o al menos lo aparentaba, de pie, mientras su cabeza se bamboleaba rítmica y rápidamente, hasta que se relajó. Cuando la gente empezó a subir al tren y la multitud fue menguando, Laurie vio que los dos hombres dejaban caer al otro sobre el andén. La actividad ya no era frenética, y la bolsa se hallaba en poder de uno de los otros dos. Laurie también cayó en la cuenta de que los dos hombres podían haber desprovisto de la cartera con suma facilidad a su víctima mientras le sostenían erguido, lo cual explicaría por qué no llevaba ninguna identificación cuando llegó a urgencias.

—¡Dios mío! —exclamó Laurie—. ¡Fue un robo!

Continuó mirando mientras la gente seguía pasando alrededor y por encima del cuerpo caído. Le asombró la demostración de insensibilidad de los neoyorquinos. La única reacción positiva fue la de un hombre que se encontraba en la puerta del tren, quien se estaba llevando el móvil al oído, y Laurie se preguntó si sería Robert Delacroix. Desvió su atención hacia los dos asiáticos, mientras se perdían de vista con parsimonia.

Laurie paró el vídeo. Entró corriendo en el dormitorio con la intención de despertar a Jack. Quería que viera las imágenes, aunque sabía lo que iba a decir: «Vale, parece un robo, pero quizá no lo fue. Tal vez la bolsa era de uno de los hombres que la cogió. Lo importante es que la autopsia fue negativa».

Entró en la habitación y paró en seco. Como de costumbre, cuando Jack decía que iba a la cama a leer, ya se había dormido. El pesado libro de texto que se había llevado al dormitorio estaba abierto y extendido sobre su pecho. Laurie lo levantó con cuidado y lo dejó sobre la mesita de noche. Era un ritual que tenía lugar casi todas las noches. Al contrario que Laurie, Jack no tenía problemas en dormirse o levantarse por la mañana, dos actividades que siempre habían resultado difíciles para ella.

De nuevo en el salón, Laurie sacó el disco del DVD y volvió al estudio. Lo introdujo en el ordenador, fue a la cámara cinco y examinó toda la secuencia hasta encontrar el mejor plano de los dos hombres, y después imprimió una copia. Cuando miró a los dos ladrones, cambió de opinión por completo sobre el caso. Al principio se había sentido decepcionada porque su primer caso era una muerte natural sin identificar, y totalmente libre de patologías, un caso que no podía poner a prueba su competencia. Ahora su perseverancia estaba demostrando que era mucho más interesante de lo que nadie esperaba, sobre todo ella.

Laurie empezó a experimentar aquella antigua emoción que la embargaba cuando dilucidaba casos complicados y diferentes, y ardía en deseos de llegar a su despacho por la mañana para ver los resultados de laboratorio y las placas de histología. La verdad del asunto era que su intuición, pese a la preocupación de que la hubiera abandonado durante la baja maternal, había regresado y sugería que le aguardaban más sorpresas. Su plan consistía en ocultar lo que había descubierto gracias a las cintas de seguridad, hasta averiguar quién había matado al hombre. Laurie sabía que, por ley, los perpetradores de delitos tenían que asumir la responsabilidad de la salud de sus víctimas. Si una persona sufre un infarto y muere a consecuencia de que está huyendo de un ladrón, se considera homicidio, no muerte natural, y el ladrón será juzgado y penado en consecuencia. Laurie sabía que tenía entre manos un homicidio, y el caso había pasado de ser aburrido a ser atractivo, al menos eso pensaba mientras guardaba las fotos y el disco en la bolsa que llevaba al IML.

El siguiente trabajo era intentar dormir, un reto para ella, teniendo en cuenta las nuevas circunstancias que había descubierto por mediación de las cintas de seguridad. Además, existía la preocupación muy real de que J. J. se despertara. A veces, Laurie deseaba no tener necesidad de dormir, pues creía que se contentaría con leer durante toda la noche. Pero cada mañana, sin excepción, se sentía agotada más o menos durante la primera hora, de modo que sabía cuál era la realidad.

Después de ir a ver a J. J., que dormía profundamente, Laurie se dispuso a acostarse. Cuando se tendió por fin entre las sábanas y apagó la luz, reflexionó sobre el día. No había sido tan tranquilo. De hecho, había sido bastante ajetreado. Había echado de menos a J. J., tal como reflejaban todas sus llamadas a casa, y se había sentido herida cuando dio la impresión de rechazarla, lo cual sugería una vulnerabilidad definitiva. En el aspecto laboral, su caso no había tranquilizado su sensación de incompetencia, pero parecía que eso estaba cambiando con los descubrimientos de la noche. Una vez dicho y hecho todo, reconoció que le gustaba muchísimo su trabajo, y se sintió razonablemente segura de que era capaz de compaginar la profesión con la maternidad y de dar lo mejor de sí en ambas.

16

Jueves, 25 de marzo de 2010, 22.44 h

—¡Ahí están! —dijo Carlo cuando Brennan dobló por la calle Diecisiete, en el lado norte de Union Square. Como de costumbre, la zona estaba llena de gente, incluidos músicos callejeros, mendigos y estudiantes de todas las edades y etnias. Pese a la multitud, Susumu Nomura y Yoshiaki Eto conseguían destacarse un poco debido a su atuendo. Como la noche anterior, iban vestidos con traje de zapa, camisa blanca, corbata negra y gafas de sol.

—Vamos a repasarlo una vez más —dijo Carlo—. Iremos al muelle, en teoría para recoger los explosivos que utilizaremos en la supuesta maniobra de distracción, con la excusa de que necesitamos todas las manos disponibles para cargar los explosivos hasta el 4×4, y entraremos. Allí es donde los mataremos. Recuerda que estos tipos van armados, y que no vacilan a la hora de utilizar sus armas.

Todos los presentes rezongaron en señal de aprobación. Brennan y Carlo iban delante, con Brennan otra vez al volante. Arthur y Ted estaban apretujados en la tercera fila. Los asientos de en medio estaban reservados a Susumu y Yoshiaki.

Brennan paró frente al bordillo que había delante de Barnes

& Noble, que había cerrado unos cuarenta minutos antes, pero cuyas luces interiores continuaban encendidas. Susumu y Yoshiaki estaban mirando el escaparate.

—Vale —dijo Carlo, al tiempo que se volvía en el asiento y miraba a Arthur y Ted—. ¿Preparados? ¿Tenéis las armas a mano?

Tanto Arthur como Ted levantaron las manos para que Carlo echara un vistazo a sus respectivas automáticas, y después las ocultaron.

—Bien —dijo Carlo—. No esperamos problemas, pero hay que estar prevenidos. —Se volvió hacia Brennan—. ¿Preparado?

—Es evidente —respondió Brennan en tono aburrido. A veces pensaba que Carlo era un poco melodramático.

Carlo bajó la ventanilla y silbó. Susumu y Yoshiaki dieron media vuelta al instante y se acercaron a toda prisa al coche, al tiempo que hacían una reverencia a Carlo. Subieron a la fila de en medio, aunque hicieron una brevísima pausa al darse cuenta de que había gente en el asiento de atrás, cuyos rostros apenas iluminaban las luces de la calle.

—Arthur y Ted están ahí atrás —explicó Carlo.

Los japoneses se volvieron en su asiento para mirar a Arthur y Ted en cuanto se acomodaron y cerraron la puerta. Se inclinaron múltiples veces, mientras repetían «*Hai, hai*» una y otra vez. Los demás supusieron que estaban muy animados por el robo que iban a cometer.

Brennan rodeó por la izquierda Union Square y se desplazó hacia el este por la calle Catorce hasta East River. Allí se desvió hacia el norte por el FDR Drive. Nadie habló durante un rato. Todo el mundo estaba nervioso, pero por motivos diferentes. Arthur era el único preocupado por lo que podía suceder, pues era el más meditabundo del grupo y un firme creyente en el adagio de que, si algo puede salir mal, saldrá mal.

Brennan salió del FDR en la calle Treinta y cuatro, pasó a la Tercera Avenida, y desde allí descendió por el túnel de Queens-Midtown. Como Susumu y Yoshiaki esperaban llegar más al norte del FDR, se pusieron nerviosos por haber entrado en el túnel y se enzarzaron de inmediato en una discusión en japonés. Era evidente que se hallaban confusos. Fue Yoshiaki quien habló.

—Perdón —dijo, al tiempo que se inclinaba hacia delante—. ¿Por qué vamos a Queens?

Carlo se volvió en el asiento y estableció contacto visual con Yoshiaki.

—Hemos de recoger explosivos —dijo, creyendo equivocadamente que hablaba en un inglés rudimentario—. Utilizamos explosivos como distracción mientras entramos en iPS USA para robar los cuadernos de laboratorio. ¿Comprendido?

—¿A qué lugar de Queens vamos? —preguntó Yoshiaki.

—A un antiguo depósito de la familia Vaccarro, en un muelle del río —explicó Carlo—. Lo utilizamos como almacén. Hay explosivos allí que utilizaremos esta noche.

—¿Qué es un muelle?

—Una cosa larga hecha de madera que se adentra en el agua para que los barcos puedan aparcar al lado.

—¿*Futou*? —preguntó Yoshiaki.

—Sí, bueno, no lo sé.

—¿East River?

—Exacto. East River. El muelle está en East River.

Durante unos cuantos kilómetros, Yoshiaki y Susumu hablaron sin parar, hasta el punto de que Carlo empezó a preocuparse por si se negaban a continuar y pedían regresar a la ciudad. Pero eso no sucedió. Enmudecieron de repente, y Carlo confió en que siguieran así un rato más.

Cuando dejaron atrás el túnel, Brennan salió de la autopista en cuanto pudo, cruzó Newtown Creek por McGuinness Boulevard y giró a la derecha por Greenpoint Avenue. Al principio había montones de bares y restaurantes, pero a medida que se acercaban al río el barrio se deterioraba hasta el punto de que la palabra que mejor lo describía era «ruinoso». Mientras Carlo miraba por la ventanilla, lo que más destacaba era la ausencia de luces y de gente. En contraste con el bullicio de Union Square, aquella zona parecía el decorado de una película postapocalíptica. Daba la impresión de que no había nada vivo, hasta que vio una rata grande cuyos ojos relucieron de pronto como diamantes cuando el roedor miró en dirección a los faros del Denali.

Cinco minutos después, Brennan frenó ante la puerta cerrada con candado de la valla metálica de tres metros de altura, coronada con rollos de alambre de espino, que rodeaba la propiedad de la familia Vaccarro. Carlo bajó con la llave, y a la luz de los faros abrió la puerta para dejar que Brennan entrara. Después, en la oscuridad, volvió a cerrar la verja, avanzó corriendo y volvió a subir al 4×4.

El bulto del depósito de hormigón estaba a la izquierda de Brennan cuando avanzó hacia la base del muelle. A mitad de camino, del lado del edificio había un pequeño porche frente a una puerta de entrada provista de numerosos candados. Sobre la puerta había un letrero de madera con la pintura desportillada y podía leerse con cierta dificultad: AMERICAN FRUIT COMPANY.

—¿Explosivos aquí? —preguntó Yoshiaki, mientras contemplaba el depósito a oscuras.

—Eso es —contestó Carlo.

Deslizó la mano bajo la solapa de la chaqueta y soltó la correa que sujetaba su Glock 22 en la funda de la sobaquera. Después abrió el compartimiento que había entre los dos asientos delanteros y sacó dos linternas. Tendió una a Brennan. Cuando Brennan apagó los faros, Carlo y él encendieron las linternas. Sin luna, la oscuridad era absoluta.

—Vale —dijo Carlo—. Todo el mundo abajo para ayudar a transportar el material.

Brennan y él saltaron del coche al unísono. Carlo abrió la puerta trasera para que Yoshiaki bajara, mientras Brennan hacía lo propio con Susumu. Para hacer hincapié en la idea de que iban a trasladar material, Carlo continuó hasta la parte posterior del vehículo y abrió el maletero. El plan era entrar en la oficina para apoderarse de los explosivos.

Carlo continuó hasta la puerta de la oficina y sacó el mismo llavero que había utilizado para la verja. Con la linterna debajo del brazo, abrió el candado, y después la puerta. Justo cuando estaba a punto de abrir la puerta y encender la luz de dentro, oyó un alboroto a su espalda. Se volvió y vio que Yoshiaki apartaba de un golpe la mano de Brennan. Este solo intentaba que entrara. Tanto Yoshiaki como Susumu se habían parado en el porche.

—Nosotros esperamos fuera —dijo.

Carlo vio que Arthur y Ted bajaban del coche. El problema era que todavía sostenían sus armas tal como Carlo había ordenado, por si se producía una emergencia. El otro problema era que Susumu estaba mirando en esa dirección, mientras Yoshiaki tenía la vista clavada en el frente. Era evidente que los dos secuaces japoneses habían empezado a sospechar algo raro.

La reacción de Susumu fue gritar «*Kaki!*» (pistolas), sacar su arma y disparar varias veces, alcanzando a Arthur en el antebrazo derecho con una bala que salió por la espalda. Como llevaba el arma preparada, Ted lanzó una andanada de balas, varias de las cuales alcanzaron su objetivo. Una de ellas se hundió en el pecho de Susumu, perforó su corazón y le mató al instante.

Yoshiaki echó a correr. Como no podía elegir, fue en dirección al muelle, agachado y en zigzag, y su reacción pilló a todo el mundo por sorpresa. Carlo y Brennan enfocaron sus linternas hacia el hombre que huía, mientras se esforzaban por desenfundar sus armas. Ted tuvo que dar unos pasos adelante porque el coche le estorbaba. Disparó varias veces en rápida sucesión, pero no supo si había alcanzado al fugitivo o no. En cualquier caso, Yoshiaki siguió corriendo agachado y en zigzag, y no tardó en desaparecer en medio de la oscuridad brumosa que flotaba sobre el muelle.

—¡Ayuda a Arthur! —gritó Carlo a Ted. Arthur había caído de rodillas, y se aferraba el brazo derecho con la mano izquierda. Había dejado caer el arma después de ser alcanzado. Una mancha roja se iba extendiendo sobre su camisa, encima del antebrazo derecho.

—¡Mierda, mierda, mierda! —gritó, como sorprendido—. ¿Por qué tuvo que dispararme a mí?

Como Carlo y Brennan se estaban alejando, y con ellos sus linternas, Ted y Arthur se encontraron inmersos en la negrura más absoluta. Por suerte para Arthur, casi no sentía dolor, tan solo una pesada lasitud.

Ted volvió al 4×4, abrió la puerta del conductor y encendió los faros. Pasar de una oscuridad casi total a una iluminación brillante provocó que ambos hombres entornaran los ojos. Sin perder tiempo, Ted buscó algo que pudiera utilizar como torniquete, y después se quitó el cinturón.

—Echemos un vistazo a esa herida —dijo a modo de advertencia, antes de rasgar la camisa de Arthur desde el puño hasta la axila. En la parte frontal del brazo de Arthur, a mitad de camino entre el hombro y el codo, había una herida limpia de unos seis milímetros. Detrás, el orificio de salida parecía un disco de hamburguesa. Por suerte para Arthur, no sangraba demasiado.

—Vivirás —anunció Ted, y al mismo tiempo constató que el torniquete no sería necesario.

Brennan y Carlo corrieron hacia el final del depósito, y entonces pararon en seco. Yoshiaki había corrido hasta el extremo del muelle y se hallaba inmóvil.

—No podemos permitir que escape —dijo Carlo, sin aliento.

—No hace falta que me lo digas —respondió Brennan, también sin aliento.

—¿Qué está haciendo?

—Parece que se está quitando los zapatos.

—¡Mierda! —exclamó Carlo—. No intentará nadar, ¿verdad?

—Creo que sí. Se está quitando la puta ropa.

—Corre y dispárale antes de que intente escapar.

—Y una mierda. Seguro que va armado. ¡Corre tú!

Los dos hombres se quedaron parados mirando. Por lo visto, Yoshiaki estaba apilando con pulcritud su ropa. Al momento siguiente, desapareció.

Sin necesidad de hablar, Carlo y Brennan, con una pistola en la mano y una linterna en la otra, corrieron como locos hacia el final del muelle. Cuando se acercaron, ambos disminuyeron la velocidad, temerosos de que fuera un truco para atraerles. Avanzaron con paso vacilante y las armas apuntando hacia delante y preparadas.

Brennan fue el primero en oír el chapuzón.

—¡Se ha tirado al agua! —gritó, al tiempo que corría y dejaba atrás la pulcra pila de ropa, depositada sobre un par de zapatos, colocados en paralelo al muelle.

Brennan corrió hacia el extremo del muelle. Vio a Yoshiaki nadando con torpeza, girando la cabeza de lado a lado, mientras movía un brazo y después el otro. Brennan le enfocó con la linterna, justo cuando Carlo se detenía a su lado. Los dos hombres apuntaron sus armas a Yoshiaki y vaciaron sus cargadores a toda prisa. Cuando el sonido del último disparo se disipó, junto con los ecos procedentes de los edificios y muelles cercanos, Brennan y Carlo examinaron el punto donde Yoshiaki había estado chapoteando unos momentos antes, mientras intentaba nadar hasta Manhattan. Ahora, como el resto del río, estaba inmóvil como un charco de petróleo, al tiempo que reflejaba la plácida línea del horizonte de Manhattan.

Primero durante cinco minutos, después durante diez, y por fin durante quince, Brennan y Carlo mantuvieron las linternas apuntadas hacia aquel punto, con la esperanza de que fuera el final de un asunto embarazoso. En un momento dado se produjo un repentino y veloz remolino, como sugiriendo la presencia de un animal grande, lo cual asustó a los dos hombres, pero Yoshiaki no emergió para dar una última y desesperada bocanada de aire. Estaba claro que había muerto.

—Seguro que le hemos dado —dijo Carlo para romper el silencio.

—Eso parece. No se nos ha ido por un pelo. Si hubiera escapado, Louie habría pedido nuestra cabeza.

—¿Por qué no nadamos hasta ahí y recuperamos el cadáver? —preguntó Carlo.

—¡Y una mierda! —replicó Brennan, estremecido. Tan solo pensar en sumergirse en aquel río negro y aceitoso, con lo que pudiera albergar, le ponía la piel de gallina.

—Solo estaba bromeando —dijo Carlo, y dio a Brennan una palmada en la espalda lo bastante vigorosa para que el hombre diera un paso adelante para evitar caer.

Brennan asió el antebrazo de Carlo antes de que este pudiera apartarlo.

—Te he dicho que no me pegues —rugió Brennan, y acercó su cara a la de Carlo. La tensión de los anteriores acontecimientos provocó que reaccionara con exageración a esa provocación repetida.

Carlo le propinó un fuerte empujón.

—Madura de una vez. Por los clavos de Cristo, era una broma eso de que te lanzaras a nadar. No encontrarías el cuerpo ni en un millón de años. Con las corrientes de esta zona, es probable que el cadáver se encuentre ya a unos sesenta metros río abajo. —Carlo se agachó para recoger la ropa y los zapatos de Yoshiaki—. Volvamos a ver cómo está Arthur. Igual tenemos que pasar por urgencias antes de dirigirnos a los Estrechos para deshacernos de Susumu.

Los dos hombres regresaron a toda prisa por el muelle. De vez en cuando, el agua emitía un sonido remolineante alrededor de los pilotes, lo cual demostraba la fuerza de la corriente.

—Lo de Yoshiaki no hará ninguna gracia a Louie —comentó Carlo.

—Dímelo a mí —dijo Brennan, que se había tranquilizado un poco—. Pero la situación habría sido diez veces peor si el tipo hubiera llegado a Manhattan.

—Tal vez no deberíamos hablar de ello a menos que lo pregunte. Joder, con lo fuerte que es la corriente, quién sabe dónde acabará. Es posible que llegue al mar, adonde estaba destinado.

Brennan miró un momento a Carlo.

—Tú decides. Tu trabajo es comunicarte con el capo, pero si estás preguntando si me chivaré a tus espaldas, eso no sucederá.

—Bien. En ese caso, no se lo diré a menos que pregunte.

—¿Cómo explicarás lo de Arthur?

—Le diré la verdad. Estos japoneses son unos salvajes, por eso queríamos deshacernos de ellos. No se lo piensan dos veces a la hora de sacar las armas y disparar. Joder, Arthur es un buen ejemplo.

Al llegar al coche descubrieron que todo estaba controlado. Ted había vendado la herida de Arthur con la manga de la camisa del herido, y sangraba muy poco. El problema consistía en que Arthur padecía serias incomodidades. Aunque al principio no le había molestado mucho, en cuanto desapareció el entumecimiento comenzó a quejarse de que el dolor era terrible.

Metieron el cuerpo de Susumu en una bolsa de cadáveres, lo subieron al maletero del 4×4, entraron en el vehículo y salieron del recinto de American Fruit Company en dirección a Elmhurst. En cuanto llegaron a la autopista, Carlo llamó a Louie.

Cuando Louie cortó la comunicación después de hablar con Carlo, no sabía si encolerizarse o sentirse tranquilo. Por experiencia, sabía que los golpes podían salir bien o mal. Se alegraba hasta cierto punto de que todo hubiera terminado, pero le molestaba que Arthur hubiera resultado herido. Cuatro contra dos se le antojaba ventaja más que suficiente.

Sin colgar el auricular, Louie sacó su agenda del cajón central del escritorio y buscó el número del doctor Louis Trevino. Doc, tal como le llamaban, había sido el médico de la familia Vaccarro durante muchos años. Lo habían reclutado en el hospital de Santa María, donde había trabajado de interno y cuidado de las necesidades de la familia Vaccarro durante años, incluido cierto número de heridas de bala de dudosa explicación.

El teléfono sonó muchas veces antes de que contestara una voz cansada.

—Doc, soy Louie. Tenemos un problema con Arthur.

—¿Cuál?

—Una herida de bala en el antebrazo derecho. Entró y salió.

—¿Tocó el hueso?

—Creo que no.

—Mejor así. ¿Y los vasos mayores?

—Negativo de nuevo, al menos de momento.

—¿Dónde está?

—Les dije que fueran directamente a Santa María. Calculo que llegarán dentro de, digamos, media hora.

—Los recibiré en urgencias —dijo Trevino, y colgó.

Después de la llamada a Doc, Louie se sentó a su escritorio y se preparó para la siguiente llamada. Sabía cuál era el mensaje que deseaba transmitir, pero no estaba seguro de las palabras. Mientras reflexionaba, miró por la ventana de su estudio, situado frente a la sala de estar de su gran mansión de Whitestone, Nueva York. Como los árboles se habían quedado sin hojas, podía ver al otro lado del patio de su vecino el elegante puente de Whitestone con sus cables iluminados. Mirar el puente le recordó que tenía una vista mucho mejor del puente de Throgs Neck desde la sala de estar, que daba al lado opuesto, donde su jardín ondulante descendía hasta el muelle. Pensar en su muelle le recordó que pronto llegaría el momento de sacar el barco de su refugio invernal.

Pensó de nuevo en el problema que afrontaba y llamó a Hideki Shimoda, con la intención de eliminar cualquier sospecha de que los Vaccarro estuvieran implicados en la desaparición de Susumu y Yoshiaki, tal como Paulie había sugerido con astucia. El principal ingrediente era que debía comportarse como si estuviera muy cabreado.

Louie llamó, armándose de valor. Para su sorpresa, descolgaron el teléfono y contestaron al primer tono con un simple «*Hai*», como si Hideki hubiera estado durmiendo con la mano sobre el teléfono.

—Muy bien, Hideki, de qué va la puta historia, y no me venga con chorradas —rugió Louie—. Mis chicos acaban de llamarme, y dicen que aún están dando vueltas por Union Square esperando a que sus jodidos hombres lleguen. ¿Cuál es la puta historia?

Louie decía tacos muy pocas veces, pero se había dejado de cuentos, suponiendo que Hideki así lo esperaría. La respuesta no fue la que pensaba.

—Perdone, creo que quiere hablar con mi marido.

Louie puso los ojos en blanco cuando un irritado Hideki se puso al aparato. Louie intentó repetir la sarta de improperios de antes, pero con muchos menos tacos. Después del error de no preguntar quién se había puesto al teléfono, era lo mejor que podía hacer.

—¿Es usted Barbera-san? —preguntó Hideki.

—¿Quién cree que puede llamarle a esta hora? —preguntó Louie, en el tono más irritado que logró fingir.

—¿Está diciendo que Susumu y Yoshiaki no han aparecido esta noche?

—Eso es exactamente lo que estoy diciendo. Y quiero recordarle que la operación la iban a llevar a cabo ustedes, no nosotros.

—Eso es cierto, Barbera-san. Espere un momento. Deje que les llame para preguntar dónde están. Tiene que ser un malentendido. Lo siento. Son mis hombres de confianza.

Louie oyó que Hideki hablaba en japonés con la persona que le acompañaba. Después volvió a ponerse.

—Mi esposa ha ido a buscar mi móvil. Lo lamento muchísimo. ¿Hay tiempo todavía para llevar a cabo la operación?

—Primero veamos dónde están sus hombres. Si se encuentran cerca de Union Square, tal vez podríamos intentarlo.

Louie oyó que Hideki hacía dos llamadas. Sin éxito.

—No puedo localizarles —dijo—. Esto es muy extraño.

—Por lo que usted sabe, ¿estaban enterados de que el robo era esta noche?

—Por supuesto.

—¿Cuándo fue la última vez que habló con ellos?

—Cuando me dejaron en la oficina después de ir a verle, Barbera-san. En aquel momento estaban ansiosos por trabajar con ustedes de nuevo esta noche. Así lo manifestaron.

—¿Cree que haya podido pasarles algo?

—¿A qué se refiere?

—Anoche mis chicos me dijeron que sus hombres habían expresado cierto temor sobre sus rivales. Algo acerca de una amenaza que recibieron si mataban a Satoshi.

—¿Qué rivales?

—La Yamaguchi-gumi.

Siguió una pausa. Louie dejó que la idea germinara un minuto entero.

—Podría preguntar a Carlo y Brennan si recuerdan con exactitud lo que dijeron —añadió.

17

El taxi dejó a Laurie justo delante del IML. Pagó la tarifa y bajó del vehículo. Iba sola. Jack había insinuado con bastante claridad que quería recuperar su amada bicicleta. A Laurie no le hacía ni pizca de gracia la idea, y temía por su vida desde el primer día, pero no le contradijo. En parte, la razón de que se sintiera decepcionada por no haberla acompañado era porque si viajaban juntos le sería más fácil justificar el gasto del taxi, pero había parado uno porque se sentía particularmente ansiosa por ponerse a trabajar lo antes posible en lo que había averiguado la noche anterior acerca de su único caso. Rebosaba de confianza en que iba a ser un día interesante. Qué poco sabía ella.

El «traspaso» de J.J. aquella mañana había sido perfecto y mucho más fácil que el día anterior. Leticia había llegado antes de lo previsto. J.J. la había reconocido enseguida y manifestado su contento, así que no hubo lágrimas. Y Laurie, como estaba menos angustiada que el día anterior, había logrado tenerlo todo preparado antes de que Leticia apareciera.

—¡Buenos días, doctora Laurie! —dijo Marlene Wilson con su habitual voz cantarina. Laurie le devolvió el saludo y entró en la sala de identificación.

Laurie irrumpió en la habitación como una fuerza invasora y tiró su chaqueta sobre una de las butacas de vinilo demasiado rellenas. Entonces se detuvo con brusquedad. ¡Podría haber sido el día anterior! Había la misma gente en los mismos sitios, haciendo exactamente lo mismo: Arnold Besserman estaba sentado a su escritorio repasando los expedientes de los cadáveres que habían llegado por la noche; Vinnie Amendola estaba en la misma silla que la mañana anterior, absorto por completo en su periódico, y, lo más sorprendente de todo, Lou Soldano había vuelto y dormía como un tronco, con los pies apoyados en el radiador, el último botón de la camisa desabrochado y la corbata aflojada.

Arnold fue el único que se fijó en ella. La saludó sin prestarle demasiada atención, con la vista concentrada en su trabajo.

—Te agradezco que te encargaras del caso no identificado de ayer por la mañana —dijo, después de los saludos.

—De nada —contestó Laurie, camino de la máquina de café—. Resulta que es un caso de narices.

—Me alegro —dijo Arnold, con un tono y una actitud que desalentaban continuar la conversación.

«Como quieras», pensó Laurie en silencio. Le habría dado más explicaciones si Arnold las hubiera pedido, pero se alegraba de que no lo hubiera hecho, pues ya había decidido que no hablaría del caso con nadie, ni siquiera con Jack, hasta que averiguara algo más sobre la causa de la muerte. Durante la noche, su creatividad había dado a luz otra idea, que exigiría volver a llevar a cabo el examen externo.

—¿Dónde está Jack? —preguntó Laurie.

—Aún no le he visto —contestó Arnold—. ¿No ha venido contigo?

—Ha vuelto a la bicicleta.

—Idiota —comentó Arnold.

Laurie no contestó. Aunque estaba de acuerdo con Arnold sobre lo de la bicicleta, no creía que fuera asunto suyo criticar a

Jack. Para cambiar de tema, preguntó por Lou, intrigada por el hecho de que hubiera venido dos días seguidos.

—Llegó con algo extraordinario, un flotador, para ser exacto, y otro individuo no identificado.

—Ah, ¿sí?

Laurie sintió curiosidad al instante. Un «flotador» significaba alguien que había sido recuperado del agua. Como había agua por todas partes alrededor de Nueva York, puesto que Manhattan era una isla, los flotadores abundaban. Había tantos que, para que uno de ellos llamara la atención de un capitán de la policía y le mantuviera despierto toda la noche, tenía que ser un caso extraordinario. Mientras Laurie añadía azúcar al café, decidió preguntar cuál era la historia.

—No sabemos gran cosa —contestó Arnold, mientras terminaba un caso y lo añadía a la pila—. Lo pescaron alrededor de Governors Island, algo bastante común. Lo que no es común es que quienes han visto el cadáver afirman que debería exhibirse en el Museo de Arte Moderno. En teoría, el cadáver es una masa increíble de tatuajes, que van desde el cuello hasta los tobillos, pasando por todo lo que hay en medio. Yo todavía no lo he visto, pero así me lo han descrito. Cuando termine con esto, iré a echar un vistazo.

—¿Sabes la etnia?

—Asiático.

—¿Cuál fue la causa aparente de la muerte? ¿Ahogamiento?

—No. El expediente refiere múltiples heridas de bala. La investigadora médico-legal escribió que alguien debió de dispararle con una metralleta por detrás, pues había al menos doce orificios de entrada.

—Caramba. Quien le mató lo quería bien muerto —comentó Laurie, mientras recordaba un caso que había visto en una revista de patología, acerca de un japonés con asombrosos tatuajes que había recibido múltiples balazos y había sido decapitado con una espada de samurái llamada *katana*. Según describía el artículo, el hombre había resultado muerto, junto con otros más, durante una guerra intestina entre familias yakuza rivales, en Tokio.

Laurie echó un vistazo a la forma como dormía Lou, cada vez más intrigada por el esfuerzo que se había tomado para traer el caso del flotador. Dudaba que fueran los tatuajes. Imaginó que lo que había llamado su atención debía de ser fascinante, porque le había exigido quedarse levantado toda la noche dos días seguidos.

—¿Por qué el capitán Soldano vino con el cuerpo? ¿Ha comentado algo?

—Debe de estar interesado en la autopsia. La razón en concreto, no tengo ni idea. ¿Por qué no se lo preguntas?

Laurie bebió el café, se acercó a Lou y le miró. Parecía tan cansado como la mañana anterior, si no más. Esta vez tampoco roncaba, sino que respiraba rítmica y profundamente. Recordó el comentario de Jack acerca de que cuanto antes se fuera a la cama, mejor, y apoyó la mano sobre la de él. Lou tenía las manos apoyadas sobre el pecho, con los dedos entrelazados.

—¡Lou! —le llamó Laurie en voz baja, intentando despertarle con la mayor suavidad posible—. Soy yo, Laurie —continuó, y sacudió con delicadeza sus manos. Vio que sus ojos se abrían y pasaban de la confusión al reconocimiento en cuestión de uno o dos segundos. Después bajó los pies del radiador y comenzó a incorporarse con pesadez—. ¿Quieres café? —preguntó Laurie, al tiempo que él empezaba a desperezarse.

—No, gracias —logró articular Lou—. Concédeme un segundo.

—No hace falta un médico para saber que esta costumbre de permanecer levantado toda la noche no es buena para ti. Trabajas demasiado.

Lou parpadeó varias veces y respiró hondo.

—Vale —dijo—. Estoy en plena forma. ¿Dónde está Jack?

—Esta mañana va a venir en bicicleta. Yo he venido en taxi,

y no había tráfico. Llegará dentro de unos minutos, si Dios quiere. Ni siquiera deseo pensar en otra alternativa. ¿No puedes conseguir que lo deje?

—Lo he intentado —dijo Lou, frustrado—. ¿Has visto lo que he traído?

—Supongo que te refieres al flotador. No he visto el cadáver, pero Arnold me lo ha descrito.

—Es increíble.

—Eso me ha dicho. Pero supongo que no lo has traído por los tatuajes.

—No, cielos —dijo Lou con una breve carcajada—. He venido preocupado porque presiento que está a punto de desencadenarse una especie de guerra en el seno del hampa, sobre todo con esas nuevas bandas asiáticas y rusas que se hacen la competencia. La economía va mal para la gente normal últimamente, y cuando la gente normal sufre, las bandas también, y son capaces de degollarse mutuamente. La política habitual es avisarme si la Unidad de Control del Puerto recoge cadáveres que sugieran un asesinato profesional. El puerto es el lugar habitual donde arrojar cuerpos de diciembre a marzo, cuando el suelo en Westchester o en Jersey está demasiado duro para cavar.

—Vale. ¿Has venido a presenciar la autopsia, y en ese caso, quieres que la haga yo o quieres esperar a Jack?

—Me da igual. Me encantaría que la practicaras tú. Cuanto antes, mejor.

—Arnold —llamó Laurie—. ¿Te parece bien que me ocupe del caso del detective?

—Por supuesto. Hoy no hay mucho trabajo, y además te debía una.

Laurie estaba a punto de protestar porque quería más casos, pero se contuvo al recordar que deseaba ocuparse del caso del día anterior, sobre todo después de considerar demasiada casualidad que fuera a practicar la autopsia de dos asiáticos no identificados.

—Vinnie —llamó Laurie—. ¿Me echas una mano? Sé que Marvin todavía no ha llegado, pero tú estás libre. También sé que te gusta trabajar con Jack, pero quizá podrías sobrevivir un día sin su guía. Hemos de empezar la autopsia de este flotador ahora mismo, para que el capitán Soldano pueda volver a casa cuanto antes.

Todavía parapetado detrás de su periódico, Vinnie cerró los ojos y apretó los dientes al escuchar la petición de Laurie. Se sentía como un cobarde. En lugar de hablar de la inquietante reunión que había mantenido con los sicarios de los Vaccarro, había obedecido sus órdenes repecto al anónimo amenazador. Para evitar que le identificaran, había mecanografiado la carta en el monitor de los técnicos del depósito de cadáveres, pero la había transferido a un *pendrive* de su llavero antes de borrarla. La imprimió en una fotocopistería de los alrededores. Como medida extra de seguridad, se había puesto unos guantes de látex para no dejar huellas dactilares ni en la hoja ni en el sobre. De vuelta en el IML, todavía con los guantes de látex y evitando que le viera la recepcionista o quien fuera, deslizó el sobre bajo las puertas dobles del vestíbulo. Para volver a entrar, había doblado la esquina y accedido por una de las zonas de recepción que recibían los vehículos con los cadáveres.

—¡Vinnie! —Oyó que Laurie le llamaba de nuevo, pero desde mucho más cerca. Bajó el periódico poco a poco. Laurie estaba delante de él—. ¿No me has oído?

Vinnie negó con la cabeza.

Laurie repitió lo de empezar con el flotador.

Vinnie, resignado, se levantó y tiró el periódico sobre la silla de atrás.

—Acompaña al capitán Soldano abajo y prepárale. Después, prepara al flotador. Subo corriendo a mi despacho, pero bajo enseguida. ¿Lo pillas?

Vinnie asintió, sintiéndose como un traidor. No podía mirar a Laurie a la cara. El problema era que sabía demasiado sobre el grupo Vaccarro, y desde luego no se había tomado a broma lo de que iban a ir a su casa para ver llegar a las niñas del colegio. Se encontraba entre la espada y la pared.

Cuando Vinnie bajó al depósito de cadáveres, miró a Lou y se preguntó en qué estaría pensando el detective. La última vez que Vinnie se había visto obligado a hacer un favor a Paulie Cerino, fue el detective Soldano quien lo descubrió. De modo que Vinnie estaba aterrorizado por la posibilidad de ser el sospechoso número uno si Laurie hacía caso omiso de la amenaza y entregaba la carta a las autoridades, lo cual significaba al jefe, Harold Bingham, algo que Vinnie suponía que haría. Lo único que podía hacer era esperar que consideraran la carta amenazadora un trabajo externo, no interno.

Ya en su despacho, Laurie cerró la puerta, encendió el monitor del ordenador y procedió a colgar su chaqueta. Después se puso a toda prisa un pijama verde y un traje Tyvek encima. En cuanto el monitor se iluminó, entró en la red y miró el artículo que recordaba sobre el yakuza asesinado. Lo que quería era ver el resultado de la autopsia, cosa que hizo enseguida. Luego salió de su despacho y bajó a la morgue.

Tras haberse aclimatado al entorno del depósito, después de haber presenciado tantas autopsias, Lou había ofrecido su ayuda a Vinnie para sacar el cuerpo de la cámara frigorífica y trasladarlo a la mesa de autopsias. Cuando Laurie llegó al nivel del sótano y entró en la sala de autopsias, Vinnie y Lou ya estaban preparados.

—Son los tatuajes más impresionantes que he visto en mi vida —admitió Laurie. Desde el cuello hasta los tobillos, pasando por las muñecas, todo estaba cubierto de trabajados tatuajes en un arco iris de colores, literalmente todo—. El problema es que dificulta el examen externo. Pero no cabe duda de que era miembro de alguna familia yakuza.

—¿De veras? —preguntó Lou—. ¿Por los tatuajes?

—Más que eso. —Laurie levantó la mano izquierda del cadáver—. Le falta la última articulación del dedo meñique izquierdo, una mutilación autoinfligida común entre los yakuza. Para demostrar arrepentimiento ante su jefe si así se le indica, un yakuza ha de cortarse parte del dedo y entregárselo. Es una manera ritual de debilitar la presión sobre la espada, y así depender más del jefe.

—¿Me estás tomando el pelo? —preguntó con incredulidad Lou.

—No. Y aquí hay algo más. —Laurie levantó el pene flácido del hombre y señaló una serie de nódulos—. Otro interesante ritual yakuza. Un pene perlado. Lleva perlas auténticas sepultadas bajo la piel, una por cada año de cárcel. El individuo se lo practica a sí mismo sin anestesia.

—Aj —gimió Lou. Vinnie y él intercambiaron una mirada de incomodidad.

—¿Cómo demonios sabes todo eso sobre la yakuza? —preguntó Lou. Siempre se había sentido impresionado por los conocimientos generales de Laurie, pero esto parecía el no va más. Lou sabía algunas cosas sobre la organización e historia de la yakuza, tras haber pasado seis años en la unidad del crimen organizado del NYPD, antes de pasar a homicidios.

—Debería dejaros pensar que soy lista, así de sencillo —confesó Laurie—, pero cuando he subido a mi despacho he consultado un artículo que recordaba sobre la autopsia de un yakuza asesinado.

—Ya he colocado las radiografías —dijo Vinnie, al tiempo que señalaba el visor.

—¡Excelente!

Laurie enlazó las manos enguantadas delante de ella y se acercó para inspeccionarlas. Había múltiples cuerpos extraños sembrados alrededor del pecho y el abdomen, y en varias extremidades. Todos parecían ser balas intactas o fragmentos de bala. Daba la impresión de que el cráneo estaba intacto.

—Seguiremos la trayectoria de las balas —dijo Laurie a Lou—. ¿Hay algo en concreto que desees averiguar?

—Lo que consideres apropiado para este tipo de caso. Me gustaría obtener algo de material de las balas, tanto del núcleo como de la carcasa, para saber si proceden de la misma arma o de múltiples armas. Ya hemos fotografiado los tatuajes para ver si nos pueden ayudar en la identificación.

—¿Toda la documentación en orden? —preguntó Laurie a Vinnie.

—Creo que sí. Tenemos las radiografías. Las fotos están en la carpeta, y sé que han tomado las huellas dactilares. Creo que todo es correcto.

—Fantástico —dijo Laurie—. Manos a la obra.

El grupo volvió a la mesa.

—Algo que se me ocurre enseguida —dijo—. Empezaremos buscando orificios de salida. —Utilizó las manos para alisar la piel, sobre todo alrededor de las múltiples heridas de salida. Intentó en vano encontrar heridas de entrada ocultas—. Por lo visto, le dispararon por detrás. Ya tenemos una pequeña información, ¿verdad, Lou?

—Desde luego —respondió este, aunque no tenía ni idea de a qué se refería—. ¿Tal vez estaría huyendo?

—Podría ser. O nadando. —Se volvió hacia Vinnie—. Démosle la vuelta para ver los orificios de entrada.

Vinnie obedeció las órdenes de Laurie y le ayudó a dar la vuelta al cadáver, con la colaboración de Lou, pero no respondió de forma verbal, lo cual Laurie consideró extraño. Para Laurie, una de las características emblemáticas de Vinnie era su humor irónico y sarcástico, que en ocasiones superaba al de Jack. Pero esta mañana se encontraba ausente.

—¿Pasa algo, Vinnie? —preguntó cuando tuvieron el cadáver depositado sobre la mesa—. Estás muy callado esta mañana.

—No, estoy bien... —contestó Vinnie, demasiado deprisa desde el punto de vista de Laurie. Por un momento, se preguntó si estaría resentido por haberle pedido ayuda, en lugar de dejarle que esperara a Jack.

En aquel momento, Jack entró como una tromba en la sala de autopsias vestido de calle, con una mascarilla sobre la cara, lo cual significaba violar dos normas al mismo tiempo.

—Eh, ¿qué está pasando aquí? Llego diez minutos tarde y resulta que me han robado un caso especial del NYPD y han secuestrado a mi técnico de confianza de la morgue.

—Tendrías que haberme acompañado en el taxi —le amonestó Laurie.

—Hola, Lou; hola, Vinnie —dijo Jack, y se acercó a la mesa sin hacer caso del comentario de Laurie.

—Hola, doctor Stapleton —respondió Vinnie en voz baja.

Jack levantó la cabeza y miró a Vinnie.

—¿Doctor Stapleton? Qué formal. ¿Qué te pasa? ¿Estás enfermo?

—Estoy bien.

La verdad era que había experimentado un recrudecimiento de su culpabilidad cuando Jack llegó. Ojalá pudiera marcharse para que otro ocupara su lugar. De hecho, pasó por su mente que tal vez debería tomarse un breve permiso de excedencia hasta que hubiera terminado el asunto de los Vaccarro y el caso del metro.

—¡Dios mío, mirad esos tatuajes! —exclamó Jack, cuando se fijó en el cadáver de la mesa—. Es fantástico. ¿Cuál es la historia?

—Un flotador —respondió Lou. Contó a Jack lo que sabía del caso hasta el momento.

—¡Interesante! Nunca había visto nada semejante —contestó Jack. Devolvió su atención a Laurie—. ¡Qué bien te lo pasas! Luego hablamos. Espero que histología y el laboratorio hayan descubierto algo sobre tu caso de ayer.

Jack hizo ademán de marcharse, pero se detuvo.

—¡Eh! —chilló, pero ella no contestó. No solo no contestó, sino que parecía hipnotizada, mientras observaba el perfil del asiático con la cabeza vuelta a un lado. Jack chasqueó los dedos delante de su cara y ella reaccionó como si acabara de despertar de repente.

—Esto es increíble —dijo—. Creo que he visto a este hombre.

—¿Te refieres a que has visto el cadáver o que le has visto vivo?

—Vivo. Por increíble que pueda parecer.

—¿Dónde? ¿Cuándo?

Tanto Lou como Vinnie reaccionaron a este diálogo mirando a Laurie con la misma intensidad que Jack.

Laurie sacudió la cabeza.

—¡No puede ser! —dijo, y alzó las manos—. Es una coincidencia demasiado grande.

—¿Qué clase de coincidencia? —preguntó Jack, mientras se acercaba a Laurie de nuevo. Era difícil ver su rostro a través de la mascarilla de plástico.

Laurie volvió a negar con la cabeza, como si intentara desechar una idea desquiciada.

—Anoche hice un descubrimiento en el caso cuya autopsia practiqué ayer...

—Pensaba que ayer ni siquiera tenías caso —interrumpió Lou.

—Me lo dieron después de que te fueras a casa. Sea como sea, creo que puede existir una relación entre el caso de ayer y este. Es evidente que no puedo estar segura en una fase tan temprana, pero creo que existe la posibilidad.

—¿Qué clase de relación? —preguntó Lou—. ¡Podría ser importante!

—No te hagas falsas ilusiones —advirtió Laurie.

—Al menos, dime qué sospechas —suplicó Lou.

Estaba entusiasmado. Por eso se había sentido tan interesado en la patología forense y se tomaba el tiempo y el esfuerzo de ir al IML. Desde que conocía a Jack y Laurie, en cierto número de casos había sido la autopsia lo que había aportado los datos fundamentales para resolver un homicidio, como esperaba que ocurriera con el que tenía tendido sobre la mesa.

—De momento, no. ¡Aguanta un poco, por favor! Puede que esta tarde cuente con los datos que necesito. Siento no poder ser más explícita.

—Esto me parece demasiado melodramático —se quejó Lou—. Si este caso es la espoleta que puede hacer estallar una guerra en el seno del crimen organizado, es importante que obtengamos la pista lo antes posible o no podremos evitar que salpique a civiles inocentes. No me importa que los malos se maten entre sí. En algunos aspectos, facilita el trabajo del NYPD. Me preocupa que los civiles resulten perjudicados.

—Lo siento —dijo Laurie—. En este momento, tengo la cabeza hecha un lío.

—¿Intentas demostrarte algo? —preguntó Jack—. ¿Es esa la explicación, como dice Lou, de tu enfoque melodramático? Porque existe la posibilidad de que Lou o yo pudiéramos aportar algo a tus procesos mentales.

—Puede que haya algo de eso —confesó Laurie—. Quiero hacerlo yo sola.

—Bien, dime al menos una cosa —pidió Jack—. ¿Descubriste si tu víctima de ayer sufrió un ataque?

—Sí, creo que sí.

18

Viernes, 26 de marzo de 2010, 9.10 h

El enorme 747-400 se ladeó con delicadeza al acercarse al aeropuerto JFK de Nueva York. Unos pocos minutos después se deslizó sobre la pista 13R sin apenas moverse, otro aterrizaje perfecto del vuelo 853 de Tokio a Nueva York vía el Polo Norte. En cuanto el avión redujo a la velocidad apropiada, el capitán lo dirigió fuera de la pista, hacia la terminal.

Había sido un vuelo largo para Hisayuki Ishii, de modo que estiró los brazos y las piernas. Por suerte, había podido dormir a ratos durante las casi ocho horas de vuelo, y se sentía razonablemente bien, pese a llevar encerrado tanto tiempo en un cilindro de aluminio. El hecho de ir en primera clase contribuía a dicha sensación, por supuesto. Se preguntó vagamente si sus dos lugartenientes, Chong Yong y Riki Watanabe, habrían viajado igual de bien unas filas más atrás, en clase preferente.

El prolongado vuelo había proporcionado a Hisayuki la rara oportunidad de pensar. Por lo general, sus días estaban tan ocupados que era un lujo poder concentrarse. No se le había ocurrido nada nuevo con relación a los problemas actuales, tan solo tenía una idea más clara de lo que debía hacerse. Como Satoshi y su familia estaban muertos, lo que necesitaba conseguir eran los cuadernos de laboratorio, tal como había pensado al inicio del vuelo, y ahora estaba más convencido que nunca. Los cuadernos aportaban la base legal para disputar las patentes a la Universidad de Kioto. El otro problema preocupante era la relación con la Yamaguchi-gumi, la auténtica razón de haber tomado la precipitada decisión de volar a Nueva York la mañana después de reunirse con el *oyabun* de la Yamaguchi-gumi, Hiroshi Fukazawa. Tenía que asegurarse de que Saboru Fukuda no sospechaba que Satoshi había sido asesinado, lo cual dependía de si los hombres de Hideki Shimoda habían llevado a cabo el atentado tal como Hisayuki había especificado.

Con tales pensamientos, Hisayuki sacó el móvil y llamó a Hideki. Mientras esperaba respuesta, miró por la ventanilla del avión. Daba la impresión de que la aeronave se arrastraba hacia delante poco a poco, lo cual le despertó la tentación de quejarse a la tripulación, pues estaba impaciente por llegar. No se quejó, por supuesto, pero eso le hizo caer en la cuenta de la tensión que estaba experimentando debido a la situación, tras haberse enterado de los cambios ocurridos desde que estaba en el aire y fuera de cobertura: «¿Había ido bien el atraco a iPS USA? ¿Estaban los cuadernos de laboratorio en su posesión? ¿Había salido algo en los medios capaz de alertar a la Yamaguchi-gumi de que Satoshi y sus familiares habían sido asesinados?». Hisayuki estaba ansioso por saber las respuestas a estas preguntas, e impaciente por escucharlas de labios de Hideki.

Cuando Hisayuki estaba a punto de tirar la toalla, Hideki respondió malhumorado en inglés, lo cual sugería que le había despertado. Cambió el tono, la actitud y el idioma en cuanto reconoció la voz de su *oyabun*.

—¿Qué ha pasado desde la última vez que hablamos? —preguntó Hisayuki en japonés, sin alzar la voz. Había averiguado durante el viaje que el caucásico sentado a su lado solo hablaba inglés.

—Cosas buenas, cosas malas —contestó Hideki.

—Primero dime las malas —dijo nervioso Hisayuki.

—Mis dos hombres de confianza están desaparecidos desde ayer por la tarde. Los conoció durante su última visita: Susumu Nomura y Yoshiaki Eto.

—Si no recuerdo mal, iban a participar en el robo a iPS USA de anoche.

—Exacto, pero no aparecieron en el lugar de la cita para reunirse con los hombres de Barbera. Estos esperaron alrededor de una hora a que llegaran, pero no lo hicieron. Cuando llamé a ambos anoche y a primera hora de esta mañana, me salió el buzón de voz. Me preocupa que no vuelvan a aparecer.

—¿Y el robo?

—No se llevó a cabo, cosa muy comprensible. Barbera-san y sus hombres nos estaban ayudando a nosotros, no al revés.

Hisayuki hizo una pausa e intentó pensar. Era una noticia muy mala. Nervioso, solo se le ocurrió que la Yamaguchi-gumi había matado a los hombres de Hideki para vengarse del asesinato de Satoshi. Preguntó a su *saiko-komon* si pensaba lo mismo.

—Me temo que sí —dijo contrito Hideki. Después contó lo que Louie Barbera le había dicho sobre la conversación de Susumu y Yoshiaki con los hombres de Louie, en especial que tenían miedo de la Yamaguchi-gumi debido a que les habían amenazado si mataban a Satoshi.

—¿Eso fue antes o después del atentado? —preguntó Hisayuki.

—Tuvo que ser antes.

—Me parece absurdo —dijo Hisayuki, mientras se esforzaba por comprender—. Desde el punto de vista de la Yamaguchi, existen escasos motivos para sospechar que sabemos algo de Satoshi, sobre todo de su llegada a Estados Unidos. No lo sabríamos si el gobierno no nos lo hubiera dicho. No entiendo qué está pasando, a menos que el gobierno esté aprovechando la situación para azuzar las discordias entre los yakuza y provocar una guerra entre clanes.

Hisayuki pensó en la posibilidad de que el gobierno estuviera implicado en un plan tan retorcido, pero la desechó enseguida. El problema de las patentes de Kioto era demasiado importante para mezclarlo con objetivos de segundo orden.

En aquel momento, el avión llegó a la puerta.

—Vamos a bajar dentro de un momento —dijo Hisayuki—. Ya me has dado la mala noticia, dime ahora la buena.

—Hasta el momento, no ha aparecido la menor mención, ni en los medios locales ni nacionales, sobre la muerte de Satoshi y sus familiares.

—¿Ninguna?

—Ninguna.

—Pero si esto es así, ¿cómo se enteró la Yamaguchi-gumi de la muerte de Satoshi, la participación en ella de Susumu y Yoshiaki, y dónde?

—No tengo ni idea.

Hisayuki se preguntó de nuevo en silencio si el gobierno, por alguna ignota razón, habría informado a la Yamaguchi-gumi de que el atentado iba a perpetrarse, pero desdeñó de nuevo la idea. Era absurdo. El gobierno quería que asesinaran a Satoshi, y también recuperar los cuadernos de laboratorio.

—Estoy confuso —admitió Hisayuki—. Tengo la sensación de que hay algo más implicado en todo esto, pero no entiendo qué es.

—Tal vez Susumu y Yoshiaki aparezcan de un momento a otro —dijo con optimismo Hideki—, y nos den una explicación razonable de su paradero durante las últimas doce horas.

—Eso sería estupendo.

—Aunque los medios no han publicado nada sobre Satoshi, eso podría cambiar.

—¿Por qué?

—Cuando Barbera-san me llamó anoche para informarme de que Susumu y Yoshiaki no se habían presentado a la cita, me habló de un problema.

—Te escucho.

En aquel momento, Chong Yong, japonés de nacimiento pero de ascendencia coreana, y Riki Watanabe aparecieron en la fila de Hisayuki y empezaron a recoger el equipaje de mano del compartimiento de arriba. Casi todos los pasajeros de primera clase ya estaban desembarcando.

—Voy a bajar dentro de un momento —dijo Hisayuki a Hideki—. Nos encontraremos en el hotel Four Seasons de la calle Cincuenta y siete dentro de una hora. ¡Sé puntual!

—Por supuesto, pero deje que termine de informarle. Barbera-san me dijo que tiene un contacto en el depósito de cadáveres de la ciudad, el cual confirmó que la muerte de Satoshi se consideraba natural, pero lo está investigando una doctora que, por lo que sea, sospecha que no es así. Lo alarmante es que tiene fama de ser muy minuciosa y, en palabras de Barbera-san, de resolver casos difíciles.

—Eso no es bueno —murmuró Hisayuki.

—Estoy de acuerdo, y también Barbera-san. Anoche dijo que le va a enviar una advertencia para que abandone el caso.

—¿Ya lo ha hecho?

—Aún no lo sé. Barbera-san dijo que iba a investigarlo esta mañana.

Se acercó una de las azafatas.

—Señor Ishii, hemos llegado a Nueva York.

Detrás de ella llegaba un equipo de empleados encargados de la limpieza.

Hisayuki se levantó, pero no apartó el móvil de la oreja. Al mismo tiempo, con la cabeza hizo una señal a Chong y Riki, que cargaban con su equipaje, para que le siguieran y se encaminó hacia la puerta.

—¡Llama a Barbera-san y solicita una reunión esta misma mañana! —ordenó—. En concreto, pregúntale si la doctora ha recibido la advertencia y, si no, dile que nos interesaría saber todo lo posible sobre ella.

—Le llamaré ahora mismo —contestó Hideki—. ¿Querrá ir a Queens en coche para reunirse con él?

—Solo si insiste. Quizá podrías recordarle que acabo de llegar en avión de Tokio. Tal vez se apíade. Pero si protesta, dile que será un placer para mí aceptar su hospitalidad.

—Creo que preferirá quedar en la ciudad —sugirió Hideki—. Creo que le gusta. Casi siempre nos encontramos en Manhattan.

19

Viernes, 26 de marzo de 2010, 9.30 h

—Hola, señorita Bourse —dijo Ben de buen humor.

—¡Buenos días, señor! —contestó Clair, desviando la vista de la novela que estaba leyendo a escondidas detrás del monitor. Nadie había entrado durante la media hora anterior, y en esencia no tenía nada que hacer.

—¿Carl ha llegado ya? —preguntó Ben mientras pasaba de largo, sin apenas disminuir el ritmo de sus zancadas.

—¡Sí! —dijo Clair a la espalda del director general.

Ben asomó la cabeza en el despacho de Carl.

—¿Podemos vernos?

Sin esperar la respuesta, Ben continuó hasta llegar a su despacho. Colgó la chaqueta en el armario y se sentó al escritorio. El sol matutino de finales de marzo entraba a raudales en la habitación a través de la puerta abierta del despacho de Jacqueline, que estaba orientado al este. El respaldo de su butaca de cuero negro estaba caliente debido a la intensidad de los rayos solares. Ben dijo hola a Jacqueline, cuyo escritorio no se veía, y ella le devolvió el saludo.

Cuando Ben apartó a un lado la última pila de revistas y despejó el centro del escritorio, Carl entró y ocupó su lugar habitual, en el centro. Tuvo que entornar los ojos para protegerlos del sol.

—¿Estás haciendo progresos en el posible acuerdo con iPS RAPID? —preguntó Ben, directo al grano. No había estado pensando en otra cosa con el fin de no obsesionarse con Satoshi, que estaría divirtiéndose en Washington, donde él creía que se encontraba en ese momento.

—Lo máximo que podía esperarse en tan poco tiempo. Les envié una serie de preguntas por correo electrónico anoche, y ya han contestado a algunas. Creo que responderán a casi todas hoy mismo. Las restantes, el lunes, sin la menor duda.

—¿Tu impresión inicial ha cambiado en algo?

—No, la verdad es que no. Creo que responderán favorablemente a una oferta de compra. No tengo ni idea del precio. Yo diría que esos tipos son auténticos investigadores, más que hombres de negocios, y les gustaría tener dinero en mano ya. Tal vez teman que aparezca algo superior a su patente.

—Podría ser —admitió Ben—, pero mi intuición me dice lo mismo. Creo que ha llegado el momento de pasar al ataque, sobre todo ahora que nuestro valor de mercado ha subido, gracias a nuestro contrato de licencia con Satoshi. ¿Estás trabajando en eso también?

—No tengo tiempo —bromeó Carl—. ¡Claro que sí! Hoy hablaré con unos cuantos analistas para saber dónde creen que estamos, en materia de valor.

—De acuerdo —dijo Ben, indicando que la breve entrevista había terminado—. Mantenme informado. Quiero acelerar el asunto para aprovechar que nuestros ángeles inversores se mueren de ganas por aportar más capital.

Carl se levantó y estiró los miembros.

—Debo decir que nuestra posición es envidiable. Como responsable económico, nunca he tenido el placer de vivir esta situación, con acceso a capital ilimitado.

Carl casi había llegado a la puerta cuando Ben le llamó.

—Mañana tengo una carrera de entrenamiento de diez kilómetros, de modo que hoy me iré temprano. Pasaré a verte antes.

Carl levantó ambos pulgares y se volvió para marcharse.

—Carl —le llamó de nuevo Ben—, he olvidado preguntarte si habías visto a Satoshi esta mañana.

De hecho, no lo había olvidado. Como volvía a sentirse supersticioso, había esperado a que Carl sacara el tema a colación. Por verse obligado a preguntarlo, Ben estaba seguro de que la respuesta sería negativa, como así fue.

—Todavía no. ¿Has preguntado a Clair?

—No —admitió Ben.

—¡No ha llegado aún! —gritó Jacqueline desde su despacho—. Pregunté a Clair cuando llegué, y la respuesta fue no, y no ha llegado desde que estoy aquí.

—Ya lo sabes —dijo Carl—. Todavía no ha llegado.

Carl se llevó la mano a la frente a modo de saludo y desapareció pasillo abajo.

Ben meneó la cabeza decepcionado y algo paranoico. ¿Por qué le estaba haciendo esto Satoshi? Echó un vistazo al testamento y los demás documentos que le convertían en tutor del hijo de Satoshi, así como en fideicomisario si algo les sucedía a sus padres. En circunstancias normales, le habrían aportado cierta seguridad. Pero no era así. El problema era que Yunie-chan, la esposa de Satoshi, aún no los había firmado.

Con repentina determinación, Ben introdujo la mano en el bolsillo de la chaqueta y sacó el móvil. Por la misma sensación supersticiosa que le impedía preguntar a Carl sobre Satoshi, aún no había marcado el número del japonés aquel día. Hizo caso omiso de la sensación y lo tecleó. En cuanto oyó el principio del mensaje pregrabado, abortó la llamada. A continuación, llamó a la oficina de Michael Calabrese. Como de costumbre, no estaba, de modo que dejó un mensaje en su buzón de voz. Dadas las circunstancias, confiaba al menos en que él le devolvería la llamada, en contraste con los mensajes que había dejado a Satoshi.

Guiado por un impulso, Ben levantó el documento del fondo fiduciario y buscó la página de la firma. Estaba la firma de Satoshi, junto con su sello *inkan*. La firma no era más que un garabato ilegible. Ben había aprendido que el *inkan* rojo anaranjado era lo más importante, junto con los dos testigos, ambos empleados de iPS USA. También estaba la firma de Pauline Wilson como notaria. Lo único que faltaba era el garabato y el *inkan* de Yunie-chan.

De repente, Ben se sintió algo menos angustiado, aunque la esposa no hubiera firmado los documentos. Pensó que existían bastantes probabilidades de que Saboru Fukuda, alentado por Vinnie Dominick, pudiera falsificar la firma, así como el sello *inkan*. Sonrió debido a su paranoia. A continuación, miró el testamento de la esposa. También podría falsificarse, en caso necesario, lo cual convertiría a Ben en fideicomisario y tutor. Exhaló un suspiro de alivio y se dio cuenta de que, si ocurría lo peor y le pasaba algo a Satoshi con o sin su mujer, iPS USA no se encontraría con el culo al aire en relación con el acuerdo de licencia. Shigeru sería el titular, y Ben el fideicomisario.

Ben agarró los documentos y entró en el despacho de Jacqueline.

—Me gustaría que guardaras estos papeles en la caja fuerte —dijo—. Ponlos con los cuadernos de laboratorio de Satoshi.

—¡Ahora mismo! —contestó Jacqueline, mientras tapaba el auricular del teléfono con la mano izquierda.

—¿Cuál es mi agenda de hoy? —preguntó Ben. Había estado tan preocupado por la ausencia de Satoshi y la nueva oportunidad representada por iPS RAPID, que había olvidado por completo sus compromisos del día. Claro que olvidar su agenda era algo habitual en Ben.

—Está en blanco —contestó Jacqueline—. ¿Recuerdas que me pediste dejar el día de hoy libre, debido a tu carrera de mañana? Dijiste que querías irte temprano. Me lo tomé al pie de la letra.

—Ahora me acuerdo —dijo Ben, contento como un colegial al que hubieran suspendido las clases.

Ben volvió a su escritorio con renovados bríos. Ardía en deseos de participar en la carrera del día siguiente, como inicio oficial de su entrenamiento para el Ironman de Hawai, el más antiguo y prestigioso triatlón del mundo, que iba a tener lugar el 5 de junio. Levantó la revista de arriba de la nueva pila de publicaciones biomédicas, se reclinó en la butaca y alzó las piernas. Se estaba poniendo cómodo, cuando sonó el teléfono. Era Clair, desde el mostrador de recepción, con el mensaje de que Michael Calabrese se encontraba al teléfono.

Con mucha menos angustia que cuando había llamado, Ben contestó.

—Sé que llamaste, pero tengo noticias que tal vez sean buenas —dijo muy animado Michael—. ¿Recuerdas que hablé de otro posible ángel inversor para iPS USA?

—Por supuesto.

—Bien, se ha enterado del contrato que firmamos con Satoshi por mediación de Vinnie Dominick y quiere participar. Ya me ha llamado esta mañana y me ha dicho que quiere invertir lo mismo que Dominick y Fukuda. Como no quería cabrear a esos chicos, les llamé para preguntar si les importaba, porque eso reducirá sus beneficios, pero les da igual. La realidad es que hoy estáis sentados sobre muchísimo más capital que ayer.

—Llega en un buen momento, pues estamos considerando la posibilidad de hacer una oferta a iPS RAPID, de San Diego, en lugar de negociar un acuerdo de licencia. Creemos que existen bastantes probabilidades de que acepten la oferta.

—Bien, decidáis lo que decidáis, el dinero seguirá allí. Pasando a otra cosa, sé que me has llamado. ¿Para qué?

—Te llamé por Satoshi. No le he visto desde que firmó el contrato.

—¿Es eso raro?

—Supongo que no. Una vez desapareció en un viaje a las cataratas del Niágara sin decirme nada, y Carl dijo que le había comentado que estaba pensando en llevar a su familia a visitar Washington.

—¿Intentaste llamarle?

—Por supuesto. Muchas veces.

—¿Intentaste llamarle cuando fue a las cataratas del Niágara?

—Sí, pero tampoco contestó.

—Entonces yo no me preocuparía. Anteayer, cuando vino a firmar, lo primero que me dijo fue que lo que más le gustaba de Estados Unidos es la libertad de hacer lo que le diera la gana, en lugar de hacer siempre lo que se esperaba de él.

—Pero yo le había pedido el día de la firma que viniera a la oficina, o bien me llamara al día siguiente, ayer, porque me había pedido que le encontrase un espacio de laboratorio, cosa que ya he solucionado. También tenía que recoger unos documentos para que los firmara su mujer, pero ni apareció ni llamó. Ni siquiera ha aparecido hoy, al menos de momento.

—Bien, a mí no me parece preocupante, si es eso lo que quieres saber.

—Supongo que no, pero me inquieta. Iba a pedirte que te pusieras en contacto con Vinnie Dominick y le preguntaras dónde alojaron a Satoshi y su familia. Dijiste que debía de ser en alguno de sus numerosos pisos francos.

—Eso tenía entendido.

—¿Te importaría preguntarlo? Me gustaría saber la dirección y el número de teléfono, si tiene. Me sentiré mejor si sé cómo ponerme en contacto con él en caso necesario, porque no contesta al móvil. No se lo diré a nadie, desde luego.

—No les gusta revelar la dirección de sus pisos francos por motivos obvios, sobre todo porque a partir de ese momento dejan de ser seguros. Sé que dijeron a Satoshi que no debía revelar bajo ningún concepto dónde se alojaba temporalmente. Sé que Fukuda-san está buscando un alojamiento definitivo. En cualquier caso, lo preguntaré y explicaré tus motivos. Piensa que ya te han confiado un montón de dinero. No veo por qué no te confiarían la dirección de uno de sus pisos francos.

—Eso conseguirá que duerma mejor —confesó Ben.

20

El flotador había exigido más tiempo del que Laurie había imaginado al principio, porque la autopsia requirió seguir la trayectoria de más de una docena de balas a través del cuerpo de la víctima, la mayoría en el pecho y el abdomen. Casi todas habían dado en hueso y se habían desviado, pero algunas habían atravesado el cuerpo de parte a parte.

Hacia la mitad del examen, Lou decidió que ya había averiguado todo cuanto iba a averiguar y se marchó. Laurie y Vinnie continuaron con parsimonia, siguiendo la trayectoria de cada disparo y recogiendo de paso balas y fragmentos de proyectil.

Al principio, Laurie intentó sacar a Vinnie de su aparente desánimo haciendo que participara en la disección, pero acabó por rendirse. En cambio, con la parte de su cerebro que no necesitaba concentrarse en el trabajo que estaba haciendo, intentó imaginar cuál podía ser la relación del caso del día anterior con el de ese día. ¿Podía ser una especie de venganza? No había forma de saberlo. Además, Laurie fue la primera en cuestionarse si existía relación o no, y se sentía cada vez más ansiosa por averiguarlo. Lo que iba a dotarla de mayor seguridad sería estudiar la foto que había hecho y revisar de nuevo la cinta de seguridad, con una foto del cadáver actual al lado para comparar. Sabía que ni siquiera así estaría segura al cien por cien, pero tal vez sí lo bastante para cuestionar su posible significado. Laurie pensaba en serio que uno de los perseguidores que aparecían en las cintas de seguridad que había visto en casa era el hombre cuya autopsia estaba practicando en aquel preciso momento. Pero tenía que ser realista. Nunca era fácil identificar a la gente, y menos mirando una foto o una película de una persona viva y comparándola con un cadáver que había estado flotando en el río.

Laurie se sentía agradecida en especial por la sensibilidad de Jack. Estaba convencida de que él sabía que ella había visto al flotador en las cintas de seguridad, pero no insistió en hacer preguntas. Respetó su deseo de hacer el trabajo sola y ganar confianza profesional de esta forma.

—Gracias por ayudarme en este caso —dijo Laurie a Vinnie, mientras se preparaba para levantar el cadáver y depositarlo sobre la camilla—. Siento que hayamos tardado tanto.

—Ningún problema —contestó Vinnie, pero sin emoción.

—Quiero pedirte otro favor.

Vinnie miró expectante a Laurie sin decir palabra.

—Si hubiera una mesa libre, me gustaría que sacaras mi caso sin identificar de ayer. Quiero repetir el examen externo.

Vinnie no contestó.

—¿Me has oído? —preguntó Laurie, algo irritada. Ahora estaba segura de que no se comportaba como de costumbre. Incluso evitaba el contacto visual.

—Te he oído —dijo Vinnie—. Cuando haya una mesa libre, lo sacaré.

—A la de tres —dijo Laurie, mientras sujetaba los tobillos del flotador. Contó a continuación, y juntos levantaron el cuerpo de la mesa y lo dejaron sobre la camilla. Después se marchó sin hacer más comentarios.

Laurie paró junto a la mesa de Jack antes de salir.

—Parece que tienes una niña —dijo. Retrocedió y evitó mirar el rostro de la muchacha preadolescente. Los niños, sobre todo los pequeños, siempre resultaban difíciles para Laurie, pese a su intento en vano de comportarse como una profesional y mantener a raya los sentimientos mientras ejercía su trabajo.

—Por desgracia, sí. Un caso desgarrador, para colmo. ¿Quieres que te lo cuente?

—Supongo —dijo Laurie, muy poco entusiasmada.

Jack levantó el corazón de la niña de una bandeja y abrió los bordes de una incisión que había practicado para ver una válvula aórtica porcina.

—Una sutura se aflojó después de la sustitución, que se llevó a cabo con éxito, y se enredó en la válvula. ¡Una sutura entre cien! Es una tragedia para todo el mundo: el cirujano, los padres y, por supuesto, para la niña.

—Espero que el cirujano aprenda algo de su error.

—Eso espero yo también. Se va a enterar, desde luego. ¿Vas a trabajar en tu caso de ayer?

—Sí.

—¡Buena suerte!

—Gracias por no insistir antes en que diera más explicaciones.

—De nada, pero cada vez siento más curiosidad y quiero saber lo que has descubierto antes de que acabe el día. Supongo que tu visionado de las cintas de seguridad fue mucho más fructífero de lo que yo había imaginado.

—Eran interesantes —bromeó Laurie—. Hablando de otra cosa, Vinnie no se está comportando como de costumbre.

—¿De veras? Eso no parece muy propio de Vinnie. Observé que me llamó «doctor Stapleton» cuando me paré en tu mesa. Suele ser algo mucho más burlón.

—Tal vez sea por culpa mía, porque esta mañana le secuestré a propósito. Aunque le concedí la opción de esperarte y trabajar contigo.

—Gracias por la información —dijo Jack cuando Laurie se fue.

Laurie se quitó el traje Tyvek en el vestidor y lo desechó antes de subir en pijama. La primera parada fue en el despacho del sargento Murphy, donde comunicó la información sobre el robo visto en la cinta de seguridad. Después preguntó por Juan Nadie.

—No he sabido nada sobre su caso desde ayer —confesó el sargento—, pero espero que me digan algo hoy. Si no, llamaré a Personas Desaparecidas. Si han recibido alguna llamada sobre un asiático desaparecido, me lo dirán.

Laurie dio las gracias al sargento, subió un tramo de escaleras y fue a ver a Hank Monroe, el director de identificaciones del departamento de antropología. Laurie llamó con los nudillos a la puerta, que estaba cerrada. Por lo visto, a diferencia de casi todo el mundo, Hank prefería la privacidad.

Hank Monroe no le resultó mucho más útil que el sargento Murphy, y dijo que la Brigada de Personas Desaparecidas había admitido que aún no habían comparado las huellas digitales de la víctima con las bases de datos locales, y mucho menos a nivel estatal o federal.

—Como creo que te dije ayer, suelen esperar al menos veinticuatro horas o así, debido al inmenso número de casos que se resuelven solos cuando alguien llama dentro de ese período. Pero en cuanto me entere de algo, serás la primera en saberlo.

Desde el despacho del director de identificaciones, Laurie subió a toxicología y paró para ver al doctor John DeVries.

—Hasta el momento, los análisis de drogas, venenos o toxinas no han revelado absolutamente nada —dijo John en tono de disculpa—. Lo siento. Supongo que recibiste el análisis negativo de alcohol en sangre, ¿verdad?

—Sí. Agradezco que te dieras tanta prisa.

—Nos gusta ayudar —dijo John en su nueva encarnación—. Pero quiero subrayar que el hecho de que el análisis toxicológico haya sido negativo hasta el momento, no significa que no haya ninguna toxina presente. Con los agentes más potentes, como se necesita muy poco para matar a alguien, la única forma de identificarlos es buscarlos específicamente. Lo que intento insinuar es que si tienes motivos para sospechar de un agente concreto, nos lo has de decir, y lo buscaremos. Aunque ni siquiera así podemos garantizar el éxito, ni utilizando el truco de examinar la muestra dos veces con el espectómetro de masas.

—Comprendo —dijo Laurie, y era verdad. Había trabajado en varios envenenamientos a lo largo de los años. En uno habían encontrado el agente en el lugar de los hechos, y en otro habían descubierto pruebas de que el culpable había comprado el material. Pero en el caso actual, no concurría ninguna de esas circunstancias.

—No hemos terminado del todo —añadió John—. Si encontramos algo, te llamaré.

A continuación, Laurie bajó al cuarto piso y entró en el laboratorio de histología, preparada para el humor invariable de Maureen O'Conner. No salió decepcionada, ni a la hora de recoger las muestras del día anterior. Como de costumbre, Maureen estuvo a la altura de sus expectativas.

Bajó un piso más y entró en su despacho, ansiosa por ponerse a trabajar. Cerró la puerta para que no la molestaran, cosa que hacía pocas veces. Después depositó la bandeja de placas de histología al lado del microscopio y encendió el monitor.

Lo último que hizo antes de ponerse a trabajar fue sacar el móvil y llamar a Leticia. De hecho, se sentía orgullosa de haber resistido hasta casi las diez. Pensaba que demostraba una gran fortaleza de ánimo, al menos en comparación con el día anterior. Leticia se mostró de acuerdo.

—Me sorprende que no llamaras antes —dijo en broma cuando contestó.

—Yo también. ¿Cómo va todo?

—De primera. Esta mañana nos quedaremos en casa, y por la tarde iremos al parque. Se supone que el sol sale después de mediodía.

—Buena idea.

Mientras hablaba con Leticia, Laurie había sacado la foto que había hecho de las cintas de seguridad para compararla con la del nuevo expediente. Daba la impresión de que existía un parecido definitivo entre el hombre al que acababa de practicar la autopsia y el de la foto. De hecho, más de lo que esperaba.

Después de colgar, Laurie sacó de la bolsa los dos discos de seguridad e introdujo el primero en la bandeja del DVD. Después colocó la fotografía del flotador al lado del monitor para que le resultara más fácil compararlas. Avanzó el DVD con el ratón hasta la hora que quería y apretó el botón de reproducción.

La imagen era de la cámara cinco, en el momento en que la víctima bajaba corriendo la escalera hasta el andén del metro. Al cabo de unos segundos, los dos perseguidores aparecieron en lo alto de la escalera. En ese punto, Laurie avanzó la grabación fotograma a fotograma. Poco a poco, los hombres fueron aumentando de tamaño, de modo que Laurie distinguió mejor al primero, y después al segundo. Aunque los dos se parecían en tamaño y vestimenta, uno tenía una cara ovalada más rellena, mientras la del otro era estrecha y delgada. La diferencia más evidente era que el hombre delgado portaba un paraguas, mientras que el de la cara de luna no.

Laurie avanzó los fotogramas hasta que obtuvo una mejor definición del hombre de la cara rellena, pues sabía que el cadáver al que acababa de practicar la autopsia también tenía la cara rellena y ovalada. En aquel momento, con la cinta de seguridad congelada, levantó la foto del hombre tatuado y la comparó con la imagen de la pantalla.

Durante varios minutos Laurie contempló alternativamente la foto y la imagen del monitor. En cierto sentido, se sentía decepcionada. A partir de la comparación inicial de la foto que había hecho en casa y la foto del IML, había sido optimista y supuesto que la identificación sería fácil, sin términos medios. No había esperado este resultado. Era casi positiva. Miró de nuevo la foto y la imagen del monitor, y siguió avanzando fotograma a fotograma.

Como aún no estaba segura, tal vez debido a las gafas de sol, Laurie avanzó la cinta de seguridad hasta la cámara seis y buscó la misma secuencia temporal de la cámara cinco. Desde aquel ángulo apareció algo que no había visto en la cámara cinco. El hombre tenía un lunar del tamaño de una moneda de diez centavos en la sien derecha. No se veía muy bien, pero no cabía duda de su existencia. Miró en la foto la instantánea del perfil derecho y comprobó que también lo tenía. Laurie se sintió más segura de que se trataba del mismo individuo.

Se reclinó en la silla, asombrada por la coincidencia. Después se inclinó de nuevo hacia delante y continuó mirando la cinta de la sexta cámara, hasta el momento en que el tren entraba en la estación. Aunque no era fácil distinguirlo debido a la multitud que se precipitaba hacia el tren, Laurie intentó ver con exactitud lo que sucedía cuando los dos perseguidores alcanzaban a la víctima. No vio sus manos, pero enseguida dio la impresión de que los dos hombres sostenían a la víctima, mientras esta aparentaba sufrir convulsiones. Fue muy rápido, apenas un par de fotogramas. Lo que no quedaba claro era si los perseguidores provocaban las convulsiones de la víctima o si eran espontáneas, como en un infarto o una apoplejía.

Laurie volvió a retreparse en la silla y contempló el rápido desenlace de los acontecimientos, cuando los perseguidores depositaban el cuerpo de su víctima sobre el andén, tras haberle despojado de su bolsa y, presumiblemente, de su cartera. En este nuevo visionado, Laurie vio otra cosa de la que no se había percatado la noche anterior: que el hombre de la cara ovalada, después de despojar a la víctima de sus pertenencias, levantaba con cuidado el paraguas y lo abría hasta la mitad antes de cerrarlo. Daba la impresión de que cerrarlo exigía cierta fuerza. La idea que acudió de inmediato a la mente de Laurie fue que el paraguas ocultaba un rifle de aire comprimido.

Laurie detuvo la cinta y estaba a punto de revisar la misma secuencia desde otras cámaras, cuando un recuerdo muy concretó destelló en su mente. Se trataba de un famoso caso forense que habían comentado en una conferencia, cuando era residente de patología forense. Estaba relacionado con el asesinato cometido en Londres de un diplomático de un país del Telón de Acero que no podía recordar. Se llevó a cabo con la colaboración de una pistola de aire comprimido oculta por el KGB en un paraguas.

Dejó las fotos que todavía sostenía, entró en la red y efectuó una rápida búsqueda, y al cabo de escasos segundos estaba leyendo un texto acerca de Georgi Ivanov Markov, un búlgaro bastante famoso en su momento, que había sido asesinado con una pistola de perdigones fabricada por el KGB oculta en el mango de un paraguas. Pero lo más importante fue que Laurie averiguó que la sustancia utilizada era la ricina, una proteína muy tóxica derivada de las semillas del ricino.

Volvió a la red y buscó la ricina, muy interesada en los síntomas relacionados con el envenenamiento por esta sustancia. Dedujo al instante que su caso del día anterior no podía ser una copia del incidente de Markov, al menos no con ricina, pues esta provocaba síntomas gastrointestinales, y los síntomas se desarrollaban en horas, no al instante, como en su caso. En cuanto a la forma de administrarla, existían muchas probabilidades de que fuera una pistola de balines oculta dentro de un paraguas. Laurie estaba ansiosa por repetir los exámenes externos.

Ignoraba por qué no había llevado a cabo un examen externo mejor en su momento, a pesar de que Southgate lo hubiera realizado y determinado que era negativo. Es más, con la información de que disponía ahora, se sentía avergonzada de no haberlo hecho. Apenas iniciada la autopsia, su intuición le había susurrado que no era una muerte natural, puesto que no existía la menor patología. El reto consistía ahora en demostrar que su intuición era correcta: tenía que existir un diminuto orificio de entrada que hubiera atravesado la ropa.

Laurie descolgó el teléfono y llamó al móvil de Vinnie. Ella y casi todo el personal del IML habían descubierto que utilizar los teléfonos móviles era mucho más eficaz que utilizar las extensiones de la institución. Se preguntó si Vinnie estaría de mejor humor. Contestó al primer tono.

—¿Qué me dices de mi Juan Nadie asiático? —preguntó—. ¿Está preparado para echarle otro vistazo?

—Una mesa está a punto de quedar libre. Tardarán una media hora o así.

—¡Fantástico! ¿Bajo dentro de media hora o prefieres llamarme antes?

—Si no te importa, diré a Marvin que te llame —contestó Vinnie, que continuaba sintiéndose culpable por sus temores muy reales de quedar atrapado en una situación insostenible, en la que saldría perdiendo hiciera lo que hiciese. Si confesaba a Laurie que era el responsable de la nota amenazadora e intentaba convencerla de lo que debía hacer, él y/o su familia, en especial las niñas, serían acosados, cuando no asesinados. Si no hacía nada y Laurie no comprendía el mensaje, la matarían. La situación le estaba volviendo loco—. Ahora está libre, y sé que os gusta trabajar juntos.

—¡Como quieras! —replicó Laurie, muy irritada. Tenía la impresión de que Vinnie llevaba toda la mañana intentando provocarla, y ahora lo había logrado.

Laurie se calmó y dedicó su atención a las placas de histología. Hasta después de revisarlas todas, en especial las zonas del cerebro y el corazón, sin descubrir nada, aún existía la posibilidad de que el primer caso fuera una muerte natural, pese a que su intuición le dictaba lo contrario. La noche anterior estaba muy emocionada. Ahora lo estaba todavía más por la intriga añadida de que tenía tanto a la víctima como al asesino, lo cual podía documentar la guerra entre dos organizaciones criminales, tal como Lou había temido, puesto que al menos uno era un miembro de la yakuza.

21

No cabía duda para Vinnie de que Laurie sabía que su comportamiento era extraño. Por más que lo intentaba, no podía evitarlo aunque se esforzara. El problema consistía en que se había tomado al pie de la letra la amenaza de los Vaccarro, puesto que había oído toda clase de historias a lo largo de los años, y Carlo y Brennan habían amenazado a sus hijas. Mezclarse con esa gente solo podía abocar al desastre. Por desgracia, acudir a la policía estaba descartado.

Tras haberse negado a ayudar a Laurie, contestó al teléfono cuando sonó unos minutos después, pensando que Laurie llamaba de nuevo para comunicarle algún cambio de planes. Pero, para disgusto de Vinnie, era Carlo, el matón de Barbera.

—Buenos días, Vinnie, colega —dijo Carlo, con un falso tono de camaradería—. Soy el tipo de ayer. ¿Te acuerdas?

—Me acuerdo —contestó Vinnie, intentando aparentar normalidad, pero fracasando miserablemente. Carlo era la última persona del mundo con la que deseaba hablar. Ojalá hubiera mirado el número en la pantalla.

—Quiero hacerte unas preguntas, si tienes un momento.

A Vinnie le habría encantado negarse, alegar que no tenía

tiempo, pero no se atrevió. En cambio, pidió a Carlo que esperara un momento, hasta que pudiera encontrar un lugar discreto. Salió a toda prisa de la oficina de la morgue, donde algunos técnicos estaban reunidos, bebiendo sus primeras tazas de café.

—¿Has visto a la doctora Laurie Montgomery esta mañana? —preguntó Carlo cuando Vinnie le dio vía libre.

—Sí. Ya he trabajado en un caso con ella.

—Fantástico. ¿Cómo se comporta?

—Con absoluta normalidad. No como yo.

—Lo siento. Espero que tu inquietud no tenga nada que ver con nosotros.

—Lo tiene todo que ver —replicó Vinnie, con la vana esperanza de que si les plantaba cara le dejarían en paz—. Ayer dijiste que solo querías hacerme unas preguntas, y después, de golpe y porrazo, me obligasteis a enviar un anónimo.

—¿Qué decía ese anónimo? Sé que me lo dijiste cuando volviste a llamar, pero no me acuerdo.

—Decía lo que me ordenasteis, que si no certificaba el caso como muerte natural, ella y su familia padecerían las consecuencias. También decía que si acudía a la policía, ella y su familia sufrirían las mismas consecuencias.

—Bien, bien. ¿Sabes si recibió la nota?

—Por supuesto. Entré en su despacho y la vi sobre el teclado del ordenador. Habría sido difícil que ella no la viera.

—¿Y?

—¿Y qué?

—¿Sabes si la ha leído?

—Supongo que sí, pero no me dediqué a espiarla.

—¿Ha cambiado su comportamiento?

—No de la forma que quieres tú. De hecho, tal como te adelanté ayer, da la impresión de que la carta ha reavivado su interés en el caso. Esta mañana llegó a decir que había averiguado algo muy importante.

—¿Como qué? —preguntó Carlo, en tono mucho más serio.

—No lo sé. Dijo que quería investigar un poco más. Creo que está convencida de haber hecho progresos, y yo diría que no van en la dirección de declararlo como muerte natural, sino como homicidio.

Vinnie oyó una conversación ahogada, como si Carlo estuviera intentando tapar el auricular con la mano. Vinnie esperó, reprimiendo las ansias de colgar, pero mientras esperaba llegó a la conclusión de que se estaba mezclando demasiado en un asunto que no iba a terminar bien. Seguro que, a continuación, Carlo pediría que hiciera algo peor que redactar un anónimo, que ya había sido bastante grave en sí.

Vinnie colgó el teléfono, consciente de que podía estar poniendo a su familia y a él en un peligro mayor. Tan grande era su pánico que tomó la decisión repentina de abandonar la ciudad. Era su única alternativa. Tenía a su disposición muchos días de vacaciones y de permiso por enfermedad. Aunque sabía que la administración prefería saberlo con bastante anticipación. Vinnie confiaba en que harían una excepción, sobre todo si aducía una urgencia familiar.

Con súbita determinación, Vinnie llamó a su mujer, Charlene, que trabajaba para la empresa de mudanzas de su hermano en Garden City, Long Island. Sabía que podría pedir vacaciones. El negocio renqueaba. El verdadero problema serían las niñas y el colegio, pero la vida era así. Mientras esperaba a que le pasaran, subió corriendo al primer piso por la escalera de atrás, donde estaba la oficina de la jefa de personal.

—Mudanzas y Trasteros Hastings —dijo Charlene cuando contestó.

Vinnie no desperdició saliva. Charlene se quedó estupefacta al principio, pero se mostró comprensiva cuando Vinnie explicó que la situación estaba relacionada con la organización de Paulie Cerino y los Vaccarro. Como había crecido con Vinnie en Rego Park, Charlene lo sabía todo sobre la mafia y el peligro que representaba. También sabía que Vinnie estaba en deuda con Paulie Cerino, y lo que esto significaba.

—Hemos de hacerlo ya —insistió angustiado Vinnie—, ¡hoy mismo! Ve a buscar a las niñas y vayámonos. Al menos, Florida es agradable en esta época del año.

—He de hacer las maletas —dijo Charlene, que intuía el pánico de Vinnie.

—Por supuesto, pero no te pases. Y no digas a nadie que nos vamos.

—No podemos presentarnos por sorpresa en casa de tía Hazel, en Fort Myers. Y se lo he de decir a mi hermano.

—Díselo a tu hermano, por supuesto, pero que no se lo diga a nadie más. En cuanto a tu tía, la llamarás de camino. Será mejor que nos alojemos en uno de esos hoteles baratos cercanos a la playa.

—¿Cuándo llegarás a casa?

—Lo antes posible, dentro de una hora. En este momento me encuentro delante del despacho de la jefa de personal. He de conseguir la bendición de Twyla Robinson. No creo que haya problema. Hace solo una semana me recordaba la cantidad de vacaciones que me quedan.

—Procuraré llevarme deberes para las niñas.

—Buena idea.

—¿No crees que deberías avisar a la doctora Montgomery?

—Ya lo he hecho. Por eso he de irme. No quiero que me pidan nada más. No me cabe la menor duda de que iban a hacerlo antes de que les colgara.

—¿Cuánto tiempo crees que deberemos estar en Florida?

—No mucho. Tal vez una o dos semanas. Yo creo que mañana aquí se va a armar un cirio, y quiero estar al sur de la Línea Mason-Dixon* cuando eso suceda.

---

* En un sentido simbólico, la frontera cultural que separa el norte y el sur de Estados Unidos. *(N. del T.)*

22

—¡Prueba otra vez! —dijo Louie a Carlo, en referencia a Vinnie Amendola. Louie, Carlo y Brennan iban en el coche de Carlo, entrando en Manhattan para reunirse con Hisayuki Ishii. Brennan iba al volante, con Carlo al lado y Louie detrás.

Aunque Louie había hablado con el *oyabun* en numerosas ocasiones, nunca se había reunido con él en persona. Después de escuchar la conversación de Carlo con Vinnie, ardía en deseos de verle. Era evidente que Laurie Montgomery-Stapleton se estaba comportando como Paulie Cerino había predicho: testaruda, poco dispuesta a colaborar y demasiado lista. Había que hacer algo enseguida si querían que el fallecimiento de Satoshi continuara siendo considerado una muerte natural. Antes de enterarse de esa desagradable emergencia, Louie había supuesto que la conversación con el jefe yakuza iba a centrarse en los cuadernos de laboratorio y en el dinero que iban a ganar si los recuperaban. Ahora la conversación iba a girar en torno a Laurie Montgomery-Stapleton y a la forma de conseguir que diera marcha atrás.

—Ese cerdo no contesta —dijo Carlo, mientras cerraba el teléfono. Se dio la vuelta para mirar a Louie.

—Vamos a concederle un respiro —repuso Louie—. Creo que vamos a necesitar su colaboración. Podríais hacer una segunda visita al IML si no contesta antes de una hora o así.

Cuando llegaron al Four Seasons, los tres hombres bajaron y entregaron el coche al mozo del aparcamiento.

Con Louie en cabeza, atravesaron las puertas giratorias y subieron el medio tramo de escaleras que conducía a la zona de recepción. Rodearon el mostrador, pasaron de largo los ascensores y subieron más escalones hasta el nivel del bar y los comedores. Como solo Louie había estado antes en el hotel, tanto Carlo como Brennan se quedaron impresionados por las paredes de piedra y los inmensos espacios. A Brennan le recordaron un templo egipcio.

Como era media mañana, el bar de la izquierda estaba vacío, e incluso el comedor de la derecha se hallaba apenas ocupado. Fue fácil identificar a Hideki y los suyos, sobre todo teniendo en cuenta las proporciones de luchador de sumo del *saiko-komon*. Era imposible pasarlo por alto.

Tal como Louie había temido, tuvo que pasar por el ritual de reverencias e intercambio de tarjetas con Hisayuki Ishii, mientras Hideki Shimoda se encargaba de las presentaciones. Después, todos se sentaron. Entretanto, Carlo y Brennan se encaminaron al extremo izquierdo del bar. En el derecho se encontraban los lugartenientes de Hisayuki, uno tan grande como Hideki, pero con músculo, no grasa. Los secuaces no se presentaron porque daba igual. Se reconocían mutuamente por instinto.

Durante un rato, Louie, Hideki e Hisayuki mantuvieron una conversación trivial, reconociendo mutuamente el mérito del innegable éxito de su asociación comercial y admitiendo que no habían imaginado que pudiera ser tan lucrativa.

Después, Hisayuki agradeció a Louie que se hubiera prestado a ir al hotel en lugar de obligarle a desplazarse hasta Queens.

—El vuelo de Tokio a Nueva York es muy largo —explicó.

—Ha sido un placer —contestó Louie. Se sentía favorablemente impresionado por el *oyabun*. Para él, Hisayuki lo decía todo con su ropa cara y elegante. Pero era algo más que la ropa y el aspecto atildado lo que admiraba Louie. También estaba su mirada, su tranquila intensidad y su aparente inteligencia. Por su experiencia, Louie sabía por instinto que el hombre era un negociador nato, que siempre pensaba en los intereses de su organización y los suyos propios. Louie respetaba eso, pero también le indicaba que se enfrentaba a un formidable oponente—. Como estoy seguro de que está agotado a causa del vuelo —dijo—, tal vez deberíamos ir al grano.

—Es usted muy comprensivo —dijo Hisayuki, y se inclinó una vez más.

Louie se descubrió haciendo lo mismo. Era lo único que le molestaba de tratar con japoneses. Eso y el hecho de que nunca estaba seguro de cuáles eran sus verdaderas intenciones.

—Permítame que sea sincero —empezó—. Hasta hace poco hemos sido razonablemente francos el uno con el otro..., hasta hace muy poco. ¿No piensa usted lo mismo?

Sorprendido y perplejo por una pregunta tan directa, Hisayuki vaciló, y miró un momento a Hideki en busca de apoyo, pues este llevaba viviendo en Estados Unidos una década o más. Como no obtuvo apoyo, soltó «*Hai, hai*», como si la palabra japonesa fuera un método universal de afirmación.

—Pero ustedes, en especial mi amigo Hideki —dijo Louie, y cabeceó en dirección al japonés—, no han sido nada sinceros con nosotros durante estos días precedentes. Bien, no es que quiera machacar en hierro frío... —Hizo una pausa, mientras se preguntaba si los dos japoneses tenían idea de lo que significaba la frase «machacar en hierro frío»—. ¿Comprenden lo que quiere decir «machacar en hierro frío»?

Ambos hombres asintieron con tal celeridad que Louie supuso que no tenían ni idea.

—Significa hablar demasiado sobre algo, porque Hideki y yo

ya hemos sostenido esta conversación antes. El lío en el que nos encontramos ahora se ha producido porque no nos han dicho la verdad, o sea, que Satoshi no era un deudor y que no querían nuestra ayuda para darle un susto, sino para asesinarle, algo a lo que nunca habríamos accedido porque últimamente intentamos evitar ese tipo de violencia. Forma parte de un pacto no escrito con la policía. Nosotros no liquidamos a nadie y ellos nos dejan en paz desde el punto de vista profesional, lo cual significa que pueden concentrarse en los problemas del tráfico y en los tipos malos de verdad, como asesinos múltiples y terroristas.

»¿Me estoy expresando con claridad, Ishii-san? —preguntó Louie, mirando directamente a Hisayuki—. ¿O debería llamarle Hisayuki? Puede llamarme Louie.

—Hisayuki está bien —dijo el hombre, algo agobiado, pero recuperándose ya de la franqueza de Louie, mientras se esforzaba por recordar que el americano no intentaba ser grosero.

—De acuerdo, Hisayuki, ¿me sigue o soy demasiado directo? Por mis charlas con Hideki, creo que ustedes no son en general tan bruscos. ¿No es así?

—Tal vez —respondió Hisayuki de forma evasiva. No sabía muy bien lo que significaba «brusco», pero se había hecho una idea gracias al contexto.

—Bien, yo veo la situación así —continuó Louie—. Por parte de ustedes, están los cuadernos de laboratorio que les interesa obtener. Será un placer hablar de ellos, siempre que nos proporcionen más información, porque pensamos que entrar a robar en la Quinta Avenida es más peligroso de lo que creíamos al principio. Con el fin de que nos decidamos a colaborar, tendríamos que saber más y recibir una compensación adecuada. También deberían convencernos de que los cuadernos están en el edificio y se hallan disponibles, ya me entiende.

»Desde nuestra perspectiva, nos interesa volver a la situación anterior al revuelo que sus dos hombres, Susumu y Yoshiaki, provocaron en un andén de metro abarrotado y liquidando a toda una familia en New Jersey. ¿Me sigue todavía?

Louie hizo una pausa y miró a Hisayuki, a la espera de una respuesta. Louie pensó que Hisayuki parecía un poco agobiado.

—Tal vez podría hablar un poco más despacio —sugirió Hideki—. El *oyabun* habla inglés, pero no tiene muchas oportunidades de practicarlo.

—Lo siento —dijo Louie—. Hablaré más despacio, pero creo que la celeridad desempeñará un papel importante a la hora de evitar que la situación se deteriore aún más.

Hisayuki asintió, pero guardó silencio. Se sentía desorientado, pues estaba acostumbrado a llevar preparadas y mantener el control de las reuniones. En aquel momento no se daba ni una ni otra circunstancia. La desaparición de Susumu y Yoshiaki le había desconcertado. Era posible que la Yamaguchi-gumi sospechara ya que Satoshi y su familia habían sido asesinados por la Aizukotetsu-kai. Si tal era el caso, se encontraban inmersos en una situación muy peligrosa.

—En este momento da la impresión de que nadie sabe lo que ha pasado —dijo Louie, con el propósito de hablar más despacio—. Lo que quiero decir es que todavía no han descubierto a la familia, puesto que vivían en una zona muy poco concurrida, según me han informado.

Hisayuki supuso que era una vivienda proporcionada por los socios norteamericanos de la Yamaguchi-gumi, pero no dijo nada.

—Puede que hayan descubierto o no a la familia, lo cual me dice que hoy todavía no se ha producido una emergencia. Al mismo tiempo, quiero que limpien la casa y se deshagan de los cuerpos, puesto que ustedes fueron culpables del desaguisado. Nosotros ayudaremos, porque en el caso de que descubran lo sucedido nos encontraremos en una situación que me he esforzado por evitar. Sabrán de inmediato qué ha sucedido, un asesinato cometido por bandas, y eso arruinará nuestras vidas profesionales comunes. Eso será mañana. El domingo podemos organizar una reunión sobre los cuadernos de laboratorio. ¿Qué le parece el plan hasta el momento?

Hisayuki no se movió ni habló.

Louie permaneció callado. Quería alguna respuesta. Estaba empezando a pensar que celebrar una reunión con Hisayuki era un ejercicio de hablar con uno mismo. Lo único que hacía el hombre era parpadear. Su reticencia también conducía a Louie a pensar que el *oyabun* tal vez sospechara que él y la organización Vaccarro estaban relacionados con la desaparición de Susumu y Yoshiaki.

Tras varios minutos de incómodo silencio, Hideki intervino.

—Ha hablado de mañana y de pasado mañana, pero ¿y hoy? ¿Cuál es esa situación de deterioro a la que se refiere?

—Gracias por preguntar —dijo Louie sin sarcasmo—. He hablado del problema de la familia Machita, pero no lo he hecho de Satoshi. Tal vez recuerde, Hideki, que anoche hablamos un momento de la doctora Laurie Montgomery-Stapleton.

—Ah, sí. Repetí al *oyabun* lo que usted me dijo.

—Eso es cierto —dijo Hisayuki, que rompió de repente su silencio—. Estamos muy preocupados por ese asunto. ¿Ha reaccionado de manera apropiada a su advertencia?

—Por lo visto, no —admitió Louie, contento de poder hablar directamente con el *oyabun*. Louie se reclinó sobre el brazo de la silla y llamó a Carlo. Este se puso de pie al instante con expresión inquisitiva. Louie le indicó que se acercara. Cuando lo hizo, los hombres de Hisayuki bajaron de sus taburetes y se quedaron inmóviles, hasta que el *oyabun* les ordenó con un ademán que volvieran a sentarse.

—¡Llama a Vinnie otra vez! —dijo Louie a Carlo—. ¡Si contesta, averigua cómo está la situación en este momento!

Carlo llamó. Esperó a que saliera el buzón de voz, y después colgó. Miró a Louie y negó con la cabeza. Louie le despidió con un gesto y se volvió hacia los otros.

—Ahora tenemos dificultades con nuestro contacto —explicó—, pero a través de él hemos averiguado que nuestra advertencia no solo fue ignorada, sino que puede haber actuado como catalizador y reforzado la intención de la mujer de seguir investigando.

—Pero ¿no consideraban el fallecimiento como natural? —preguntó Hisayuki con particular interés.

—Eso tenemos entendido.

—Entonces, ¿por qué cambió de opinión esa mujer? —preguntó Hisayuki.

—No lo sé. Tal vez fue la carta de advertencia. El hecho es que se trata de una persona muy fuerte, muy decidida.

—Y acaba de volver de una baja por maternidad —añadió Carlo. No se había movido, pese a que Louie le había indicado que volviera a su sitio. Carlo llamó a Brennan—. ¿No dijo eso?

—Un año y medio de baja maternal —contestó Brennan. Se acercó a Carlo—. Satoshi fue su primer caso, y el único, de modo que estaba intentando demostrar algo. Al menos eso dijo nuestro contacto. Es la peor situación en que nos podíamos encontrar.

Louie se volvió hacia Hisayuki y Hideki.

—Hablé con mi jefe sobre esta mujer. Cuando habla de ella, lo hace en términos casi míticos. De hecho, intentó matarla, al igual que otro capo, sin éxito. Y a su leyenda hay que añadir que tiene contactos en el Departamento de Policía de Nueva York, lo cual no es bueno, como ya podrá imaginar.

»Con todos estos antecedentes, también nos enfrentamos a una limitación de tiempo específica. Según nuestro contacto, esta doctora afirma haber hecho ciertos progresos que revelará esta tarde, lo cual incluye probar que la muerte de Satoshi es un homicidio.

—¿Cómo va a hacerlo? —preguntó Hisayuki con aire de incredulidad.

—Creo que eso nos lo ha de decir usted.

Se hizo el silencio.

—Creo que nos debe una explicación —insistió Louie.

—Todo gira en torno a una toxina especial —dijo Hisayuki—. Se trata de algo de lo que no debo hablar.

—Me parece bien. ¿Cree que nuestra doctora Laurie Montgomery-Stapleton la descubrirá?

—Sería la primera vez, si lo consigue. Y ya la hemos utilizado antes.

—Bien, creo que no se lo deberíamos permitir. Hemos de pensar en una forma de desalentarla.

—Tal vez deberíamos matarla —sugirió Hisayuki.

—Esa opción está descartada. Cuando hablé con mi jefe, dijo que matarla desencadenaría una década de acoso policial diez veces peor de la que estamos intentando contener. Eso es absurdo.

—Pero si fuera la misma toxina, su muerte se consideraría natural. Tenemos más cantidades disponibles.

Louie reflexionó un momento. No se le había ocurrido esa idea. Era una posibilidad, y bastante satisfactoria. Pero cuanto más lo pensaba, menos prometedora le parecía. Era probable que no la descubrieran, aunque daba la impresión de que Laurie estaba haciendo progresos. A Louie no le gustaba correr riesgos innecesarios. Además, ¿cómo hacerlo tan deprisa? Quería llevar a cabo alguna acción aquella misma mañana. A menos que Laurie saliera a comer sola, algo con lo que no contaba. Teniendo en cuenta su tozudez, lo más previsible era que ni siquiera hiciera una pausa para comer. La solución sería introducir a alguien en el IML para que le inyectara la toxina. El único problema era que, según los cálculos de Louie, las probabilidades de llevar a cabo el golpe con éxito eran cercanas a cero, siendo generoso.

—Tengo una idea —dijo de repente Brennan—. El crío. Lo que quiero decir es que la hemos amenazado a ella, pero también a su familia.

—¿Qué crío? —preguntó Louie, irritado con Brennan por haber tenido la osadía de hablar sin que nadie se lo pidiera. Era vergonzoso tener subordinados convencidos de que podían hablar cuando les viniera en gana. Daba la impresión de que allí nadie mandaba.

—El crío que provocó la baja por maternidad —contestó Brennan—. ¿Por qué no lo secuestramos? Estoy seguro de que la doctora abandonará todo lo que esté haciendo. Si su hijo desaparece, le dará igual si una persona desconocida murió de muerte natural o no.

La ira de Louie se disipó al instante. «¡Un secuestro!», pensó. ¡Era brillante! Podía hacerse enseguida. No sería necesario que muriera nadie. Y la policía no tendría motivos para pensar que el crimen organizado estaba implicado.

Louie se volvió hacia Hisayuki.

—¿Qué le parece la idea del secuestro?

—Creo que es una buena idea. Pediremos rescate para fingir que no existe relación con Satoshi. El caso de Satoshi dejará de ser interesante.

—Exacto —corroboró Louie.

—¿Será fácil?

—Yo diría que sí. Lo más complicado será cuidar del crío. —Louie rió—. De hecho, apoderarnos del niño será más sencillo si está en casa con una canguro que si se encuentra en una guardería. Pero como el padre y la madre son médicos, supongo que estará en casa con la canguro.

—¿Podemos colaborar? Es muy importante para nosotros que la muerte de Satoshi siga considerándose muerte natural, no un asesinato.

—¿Y por qué, exactamente? Quiero decir, ya les hemos explicado por qué a nosotros nos interesa que la muerte de Satoshi se considere natural, pero ¿por qué a ustedes también? Si vamos a trabajar juntos, hemos de ser francos unos con otros, tal como dijimos al principio de esta conversación.

—Fue la Yamaguchi-gumi la que trajo a Satoshi a Estados Unidos. Si descubren que fue asesinado, existe la posibilidad de que nos culpen a nosotros. Queremos evitarlo.

Louie sabía que le quedaban muchas preguntas por formular, pero la respuesta obtenida le había complacido, porque la consideraba lógica, y no sentía gran interés por la relación entre la Aizukotetsu-kai y la Yamaguchi-gumi. Era problema de ellos.

—De acuerdo —dijo de pronto Louie. Miró a Brennan—. Brennan, querido muchacho. Como la idea ha salido de ti, estarás al mando. ¿Sabes mucho sobre secuestros?

—¿Estaré al mando? —preguntó Brennan, sorprendido y contento. Miró un momento a Carlo, sin saber qué significaba eso o cómo debería sentirse, pero enseguida devolvió su atención a Louie. Le gustaba la idea de estar al mando. Le gustaba muchísimo—. Lo primero que debo hacer es ponerme al ordenador y averiguar todo lo posible sobre Laurie Montgomery-Stapleton, empezando por dónde vive.

—Llevamos a cabo un secuestro en Jersey hace mucho tiempo —explicó Louie a Hisayuki—. Salió bien, pero exige planificación. Hay dos momentos muy delicados: el del secuestro y el de la recogida del rescate. El resto puede improvisarse en su mayor parte. El secuestro debería ser fácil en esta situación, porque se trata de un niño pequeño. No tendría que haber resistencia, aunque eso depende de cómo reaccione la canguro.

—¿Nos informará si podemos ayudar? —le interrumpió Hisayuki.

—Delo por hecho. —Louie consultó su reloj—. ¡Pongámonos manos a la obra! Me gustaría tener al niño en nuestras manos a eso de mediodía, si es posible.

—¿Qué haremos con el niño una vez esté en nuestro poder?

—Ese es otro problema. Hemos de encontrar un lugar. Pero no nos preocupemos de eso ahora. ¡Llevaremos el niño a mi casa! A mi mujer le encantan los bebés. Mañana ya buscaremos otro sitio.

—¿Qué te parece el depósito del muelle? —sugirió Carlo. No le gustaba que le dejaran al margen por completo.

—No hay calefacción —dijo Louie, al tiempo que se levantaba—. No nos interesa que el crío se ponga enfermo. Como ya he dicho, cuidar del niño puede ser la parte más difícil de todo este asunto. No queremos crearnos más dificultades, y muerto no nos servirá de nada. Hay algo llamado «prueba de vida» en los episodios de secuestros, algo que exigirán mientras mantenemos a Laurie Montgomery-Stapleton ocupada con las negociaciones.

»Encantado de conocerle, Ishii-san. —Louie extendió su mano de dedos morcilludos al *oyabun*—. Será mejor que empecemos cuanto antes. Esta noche, si está en forma pese al *jet lag*, podríamos cenar juntos. Siempre que tengamos al crío, podemos celebrar su llegada a nuestra ciudad y haber neutralizado a nuestra Némesis del IML.

—Eso sería un placer —dijo Hisayuki, mientras inclinaba la cabeza y estrechaba la mano de Louie al mismo tiempo.

Louie también inclinó la cabeza. Después repitió el mismo gesto con Hideki, quien había logrado ponerse en pie con cierto esfuerzo.

Louie empezó a conducir a Carlo y Brennan hacia la escalera, mientras decía a Hideki, sin volverse, que se pondría en contacto con él al cabo de una hora.

—Estaré esperando —contestó el japonés.

—¿Quieres que llame otra vez a Vinnie Amendola? —preguntó Carlo. Tenía la impresión de que le estaban ninguneando, pues su anterior sugerencia había sido rechazada de plano.

—De ninguna manera —respondió Louie, mientras bajaba la escalera delante de sus dos esbirros—. Solo le implicaremos como último recurso. Sería fácil convertirle en un agente doble. Brennan, ¿estás seguro de que podrás averiguar la dirección de la doctora en internet?

—Te sorprenderá lo que voy a averiguar sobre ella antes de dos minutos —se jactó Brennan, muy ufano—. Sobre todo porque es una empleada pública.

Brennan tenía facilidad para la informática. Había ido a un instituto de formación profesional después de haber sido expulsado del instituto de enseñanza media el primer año por absentismo escolar. En el instituto de formación profesional se había especializado en ordenadores y electrónica. Había aprendido a descifrar contraseñas con la agilidad del rayo para redondear su currículo.

Rechazado de nuevo, Carlo se rezagó y vio que el advenedizo Brennan atravesaba la puerta giratoria. Carlo sentía que le estaba eclipsando, y no le gustaba.

Los tres hombres aguardaron en silencio a que el mozo del aparcamiento fuera a buscar el coche. Entretanto, Louie estaba planeando los detalles del rapto, y se lo estaba pasando en grande. El anterior secuestro había sido satisfactorio, y soñaba con volver a repetirlo algún día. Era dinero fácil, pero no dejaba de constituir un reto. Brennan ya estaba revisando mentalmente las webs que quería visitar. Estaba seguro de que, si le daba la gana, podría averiguar cosas tan personales como el número que calzaba Laurie. Carlo estaba observando a Brennan, mientras se preguntaba cómo iba a borrar aquella sonrisa de autosuficiencia de su cara.

Cuando el coche llegó por fin, Carlo adelantó a Brennan y se sentó al volante. Brennan le dejó, pues Carlo seguía estando por encima de él de manera oficial y, al fin y al cabo, el vehículo era suyo. Brennan se conformó. Louie ocupó su lugar habitual, en uno de los asientos de en medio.

—Muy bien, vamos a hacerlo de la siguiente manera —dijo cuando el coche arrancó.

23

Viernes, 26 de marzo de 2010, 10.45 h

El teléfono de Ben sonó con un timbrazo mucho más alto de lo normal, lo cual provocó que pegara un brinco.

—¡Caramba! —exclamó Michael, muy impresionado—. Has descolgado antes de que terminara el primer tono. Debes de estar esperando una llamada muy importante.

—El teléfono me ha dado un susto de muerte —confesó Ben—. Esto está silencioso como una tumba. Dije a mi ayudante que no me asignara reuniones para hoy, y lo ha cumplido. Es una delicia.

—Ni reuniones, ni llamadas telefónicas —comentó Michael—. Tendría miedo de estar muerto.

—Es una forma estupenda de poder leer algo. En fin, ¿qué pasa?

—Acaba de llamarme Dominick. Le dejé un mensaje acerca de que querías la dirección y el número de teléfono de la casa de Satoshi. ¿Tienes bolígrafo y algo para escribir?

—Adelante.

—La dirección es Pleasant Lane, 417, Fort Lee. Suena encantadoramente residencial.

—Es un piso franco, no puede ser encantador. Aunque Satoshi no se quejó nunca, imagino que es poco menos que inhabitable. ¿Y el número de teléfono?

Ben anotó el número y observó que era el mismo código de zona que el suyo en Englewood Cliffs.

—¿Alguna noticia sobre la empresa que estás pensando comprar? —preguntó Michael.

—Ninguna. Carl está en ello. Creo que no habrá respuesta hasta dentro de un par de semanas.

—Me alegro de que lo digas. Te había entendido mal. Pensé que era cuestión de días, no de semanas. Tendré que llamar al presunto inversor y decirle que espere. Él también creía que era cuestión de días, como yo.

—¿Conoces bien a ese sujeto?

—Hace mucho tiempo que le conozco, y ya he trabajado con él otras veces. Es un tipo legal.

—¿Sería correcto decir que se dedica a lo mismo que los demás ángeles?

—Sería correcto. Tiene éxito, y no es del estilo de Vinnie Dominick, sino que se trata de una persona respetable.

Después de dar las gracias a su agente, Ben colgó y contempló la dirección y el número de teléfono de Satoshi. La dirección se encontraba a pocos kilómetros de su domicilio, de modo que sería fácil dejarse caer por allí, para comprobar que Satoshi estaba sano y salvo.

—Oh, a la mierda —dijo Ben, y descolgó el teléfono. Aunque su paranoia continuaba avivando la superstición de que sería más fácil encontrar a alguien en la casa si se tomaba la molestia de desplazarse en coche, decidió llamar. Si la casa era un piso franco destinado a ocultar un puñado de haraganes de la mafia, sería sucia y deprimente, como mínimo.

Ben marcó el número, se reclinó en la butaca y sonrió para sí. Se estaba portando como un adolescente. Pero después de veinte tonos sin obtener respuesta, tuvo que admitir que no había nadie en la casa. Daba la impresión de que convenía ir de visita, aunque estaba convencido de que iba a ser tan inútil como llamar al móvil de Satoshi. No cabía duda de que estaba con su familia en Washington pasándoselo en grande, mientras él era presa de los nervios.

24

Cuando Laurie se dedicaba a una tarea, solía olvidarse del mundo que la rodeaba. Tal era la situación mientras examinaba las placas de histología del caso del día anterior. En lugar de «Juan Nadie», había empezado a llamar al cadáver «Kenji», teniendo en cuenta su parecido genealógico con un compañero de clase de la facultad de medicina. Además, poner un nombre al individuo daba la impresión de estrechar el cerco a su alrededor.

El típico punto de partida cuando se revisaban placas era descubrir dónde residía la patología, pero en el caso de Kenji no existía ninguna. Empezó con el órgano más estrechamente relacionado con los ataques, el cerebro. Sabiendo que los ataques podían ser causados por lesiones ínfimas, o incluso originarse en zonas donde no existían lesiones, Laurie revisó cada placa metódicamente. Como confiaba en Maureen y en su meticulosa supervisión de los técnicos de histología, Laurie esperaba poder contar con secciones representativas de todas las áreas del cerebro. Comenzó con la corteza frontal y retrocedió hacia los lóbulos temporal y parietal. Primero examinaba cada placa con baja potencia, la estudiaba en su totalidad y después aumentaba la potencia. Tuvo que dedicar tiempo y atención, de modo que el sonido del teléfono la sobresaltó, más aún cuando oyó a Vinnie en lugar de a Marvin, y porque habían transcurrido cuarenta minutos.

—Ya puedes bajar —dijo Vinnie—. El cuerpo está sobre la mesa.

Hablaba con el mismo tono mecánico e indiferente que la había irritado antes.

—¡Estupendo! —mintió Laurie. Estaba a punto de colgar, cuando su curiosidad se sobrepuso—. Esperaba que llamara Marvin. ¿A qué viene el cambio?

—Marvin está ocupado en otro caso con el subdirector. Además, Twyla Robinson me dijo que no podía irme hasta que acabara contigo.

Su respuesta la pilló desprevenida. Cuando el subdirector intervenía en un caso, significaba con frecuencia que era interesante. Pocas veces practicaba autopsias, a menos que hubiera aspectos políticos implicados. También le sorprendía que hubiera salido a colación el nombre de Twyla Robinson. Era una menuda mujer negra, tan delgada como una modelo, de pómulos salientes y glorioso pelo negro como ala de cuervo. Como jefa de personal del IML, era una mujer de hierro. A Laurie siempre le había impresionado su capacidad de dirigir con tanta disciplina una organización tan numerosa, plagada de personalidades muy diferentes entre sí.

—¿He de preguntar por qué Twyla ha intervenido en que me ayudaras a repetir un examen externo? —preguntó con brusquedad Laurie. No era normal—. ¿Qué quiere decir que te vas?

—He pedido permiso por una emergencia familiar —dijo Vinnie, con cierta emoción en la voz.

—Lo siento mucho —dijo Laurie al cabo de una pausa. De pronto se sintió culpable por haber sido tan egoísta en su reacción al humor poco habitual de Vinnie.

—¿Puedo pedirte que bajes cuanto antes? He de irme, y Marvin está ocupado con un caso extra, después del que ha estado haciendo.

—Bajo ahora mismo. ¿Por qué no te vas? Solo voy a repetir el examen externo. No necesito ayuda. Ya encontraré a alguien que me ayude a depositar el cadáver sobre la camilla cuando haya terminado. De veras, no pasa nada. Deberías irte.

—¿De veras?

—De veras.

Laurie estuvo tentada de preguntar a Vinnie cuál era la emergencia familiar, pero no lo hizo. Vinnie no le había dado pie a hacer tal pregunta.

—¿Y Twyla?

—No te preocupes por eso. Hablaré con ella si es necesario. Ve a ocuparte de tu emergencia familiar.

—Gracias, doctora —dijo Vinnie por fin.

—De nada, Vinnie.

Por un momento, Laurie mantuvo la línea abierta, con la esperanza de que Vinnie dijera algo más, pero entonces oyó un clic. Ella también colgó.

Laurie hizo una pausa con el microscopio delante, que aún tenía la luz encendida. Meneó la cabeza. Sabía que era humano tener una visión del mundo algo egoísta, pero estaba decepcionada consigo misma por no haber sido más comprensiva con Vinnie, en lugar de tomarse su comportamiento como algo personal.

Apagó la luz del microscopio, se puso en pie, agarró un traje Tyvek del cajón inferior de su archivador, se lo puso y salió.

Mientras el anticuado ascensor bajaba y veía los números retroceder, al parecer con más lentitud de la habitual, dio un golpe a la puerta como si quisiera acelerar la velocidad. Si creía que antes estaba nerviosa, ahora todavía lo estaba más. El caso estaba adquiriendo una complejidad poco habitual, de lo cual podía arrogarse el mérito por haber perseverado, incluso frente a los intentos de Jack de debilitar su determinación. No pensaba criticar a Jack por ello, pues sabía que se había preocupado por su bienestar.

Una vez en el nivel del sótano, Laurie corrió hacia el vestidor, se puso la indumentaria adecuada y entró en el depósito, que se encontraba en pleno apogeo.

Se detuvo nada más entrar e inspeccionó la escena. Todas las mesas estaban ocupadas con cadáveres, rodeadas del personal que se encargaba del caso, salvo una, y Laurie supuso que era la de su Kenji. A continuación, vio a Calvin Washington, sobre todo debido a su tamaño intimidante y porque había cuatro personas en su mesa en lugar de las dos habituales. La única otra persona a la que Laurie reconoció fue a Jack, solo por su forma de moverse y reír. Pocas personas encontraban motivos para reír en una sala de autopsias, pero daba la impresión de que Jack siempre descubría un motivo, sobre todo cuando trabajaba con Vinnie.

En lugar de acercarse directamente a Kenji, Laurie se detuvo en la mesa de Jack. Estaba trabajando en un hombre relativamente joven, de unos treinta o cuarenta años. Laurie vio que tenía una pierna rota, con una fractura abierta. También tenía una herida grave en la cabeza y abrasiones en el pecho. No cabía duda de que se trataba de un accidente.

—¡Deprisa, Eddie! —gritó Jack cuando vio acercarse a Laurie—. Tapa a Henry. Aquí viene mi mujer.

—Apresúrate, Eddie, antes de que pueda ver algo —dijo Laurie, con las manos enguantadas delante de ella como un cirujano que mantuviera la esterilización. Eddie Prince era un técnico del depósito de cadáveres relativamente nuevo, al que no había conocido hasta el día anterior—. Vaya, vaya. A mí me parece un accidente grave. ¿Sería correcto dar por sentado que este hombre era un ciclista que tuvo un encuentro con un taxi?

—Un autobús —corrigió Jack.

Laurie solo pudo asentir. En realidad, no le gustaba bromear sobre el tema. Cuando Jack y ella se habían conocido, pensó que había algo encantadoramente infantil en la insistencia de Jack en ir y venir del trabajo en bicicleta, pero ahora, sobre todo con un hijo, pensaba que era una estupidez egoísta.

—¿Cómo va todo? —preguntó Jack—. Veo que tu caso de ayer ha vuelto. ¿Alguna pista?

—Podría ser —contestó Laurie, consciente de que Jack había desviado al instante el tema de la colisión entre la bicicleta y el autobús. Incluso trabajando en casos como el que le ocupaba en aquel momento, y siendo consciente de las estadísticas, que hablaban de entre treinta y cuarenta ciclistas muertos cada año en Nueva York, nada conseguía cambiar el comportamiento de Jack.

—¿Vamos a celebrar una rueda de prensa esta tarde? —preguntó Jack.

—No va a ser una gran revelación. —Laurie rió—. Aunque si resulta ser lo que sospecho, me sentiré muy satisfecha conmigo misma, y tú y Lou os vais a llevar una buena sorpresa.

—Pues esperemos que se confirmen tus sospechas.

Laurie se acercó a Kenji. Colocó los papeles que había bajado de su despacho sobre la superficie de escribir. Eran copias de esbozos del cuerpo humano desde las perspectivas dorsal y ventral, en los que podía anotar cualquier descubrimiento externo importante. Después se encaminó hacia el único material que creía necesitar: un escalpelo, una cámara digital, un microscopio de disección manual y una sonda de acero inoxidable, apenas una delgada aguja metálica con un extremo levemente nodular, utilizada para explorar heridas producidas por objetos puntiagudos, como la trayectoria de balas o perdigones.

Con el cuerpo tendido de espaldas, Laurie empezó por la cabeza y examinó el cuero cabelludo, las orejas, la cara, incluso la parte interior de la boca, los oídos y la nariz de Kenji. Tras reconocer que el día anterior había hecho un trabajo mediocre con el examen externo, hoy se proponía superarse a sí misma.

Pasó a las extremidades superiores y tomó nota de cada irregularidad, incluidos cortes, cardenales, lunares, hemangiomas y hasta callosidades. A continuación, exploró el pecho, el abdomen y las extremidades inferiores. Cuando terminó con la superficie ventral, fue en busca de alguien que la ayudara a dar la vuelta al cadáver. Jack había terminado su caso y Eddie estaba libre. Jack se alegró de echar una mano a su mujer.

Laurie repitió la rutina con la superficie dorsal. Mientras exploraba la espalda, su pulso se aceleró. Si algo sospechoso aparecía en la piel, suponía que lo encontraría en las nalgas o en la parte posterior o lateral de las piernas. Solo porque no había visto nada sospechoso en su examen superficial inicial, Laurie continuó su meticuloso y metódico escrutinio, hasta que su enfoque sistemático la recompensó. En el interior del pliegue de la nalga, donde los glúteos se articulaban con la pierna, Laurie creyó descubrir lo que andaba buscando: una diminuta herida provocada por un elemento puntiagudo. Era una zona enrojecida circular que exigió alisar la piel para distinguirla. Tomó una fotografía digital de la zona.

Con la aguja en la mano derecha, Laurie alisó la piel con la izquierda. Aplicó con suavidad el extremo más pequeño de la aguja a la zona de piel enrojecida, y con una leve presión el extremo nodular penetró en el interior. No cabía duda de que era una herida producida por un objeto puntiagudo.

Apretó un poco más, pero no tanto como para provocar daños, y deslizó hacia delante el extremo nodular de la aguja hasta llegar al final de la trayectoria. Laurie tomó otra fotografía de la aguja en la trayectoria. Después colocó los dedos alrededor de la aguja, en el punto donde desaparecía en el interior de la piel, la extrajo y midió. La trayectoria tenía una profundidad de dos centímetros y medio.

Laurie tiró los guantes y salió de la sala de autopsias. Utilizó el número de entrada del caso para encontrar las radiografías, volvió a la morgue y las colocó en el visor. Examinó con detenimiento la zona en cuestión, tanto la vista central como la frontal, con la esperanza de distinguir alguna especie de proyectil, pero no había nada. Eso significaba que, o bien habían utilizado un proyectil capaz de disolverse en el cuerpo, o le habían inyectado una toxina directamente. En cualquier caso, Laurie daba por supuesto que la mayor concentración del agente venenoso tenía que hallarse al final de la trayectoria.

Volvió con Kenji, provista de un par de guantes nuevos, levantó el escalpelo y se puso a trabajar. Lo que quería era la trayectoria en sí, contenida en un núcleo de tejido muscular del tamaño de un tapón de corcho. Parecía bastante sencillo, pero Laurie encontró dificultades. Como el tejido se comprimía, era difícil no cortar la trayectoria. Quería que la muestra saliera en un bloque. El microscopio de disección manual le resultó de ayuda, pero le impedía usar la mano izquierda, y al final no lo utilizó.

Mientras Laurie trabajaba con el escalpelo, tras obtener la prueba de que Kenji había sido asesinado, probablemente con una pistola de aire comprimido camuflada en un paraguas, sus pensamientos derivaron hacia el posible agente utilizado. Ya sabía que no podía ser ricino, el que habían utilizado en el caso del búlgaro. Aunque ignoraba cuál era el veneno concreto, sí sabía algunas cosas sobre él. Tenía que ser extraordinariamente tóxico, tal como indicaban las cintas de seguridad. Según lo que había visto en ellas, el veneno había actuado casi al instante. También sabía que debía ser neurotóxico, debido a la apoplejía, como los venenos de algunas serpientes y peces. Por fin, decidió acudir a la red y buscar neurotóxicos acuáticos y reptilianos que provocaran apoplejías.

Laurie se esforzó durante casi media hora, pero la muestra final, de unos cuatro centímetros de largo y dos y medio de grosor, parecía estar muy cerca de lo que imaginaba.

Se quitó los guantes una vez más y fue al cuarto de material en busca de un frasco de muestras y una etiqueta de identificación, que incluía el número de registro del caso, la fecha y el lugar de donde procedía la muestra del cuerpo, y después firmó. Su minuciosidad era exquisita: si había un juicio relacionado con el caso, lo cual consideraba ahora bastante probable, la muestra que sostenía sería una prueba fundamental.

Terminada su última tarea, Laurie fue a buscar a un técnico del depósito de cadáveres que estuviera libre para que le echara una mano. Gracias a la práctica, no les costó nada levantar a Kenji de la mesa de autopsias y depositarlo sobre una camilla. Sacaron el cuerpo de la sala de autopsias y lo devolvieron a la cámara frigorífica, donde el cadáver permanecería durante los siguientes meses, a menos que tuviera la suerte de ser identificado y enviado a sus parientes más próximos.

—Sé que estás intentando decirme cosas, Kenji —dijo Laurie en voz alta, en el ominoso silencio de la morgue—, y yo procuro escucharte. Ya sabemos quién te mató, pero por desgracia no sabemos quiénes sois ninguno de los dos. ¡Ten paciencia!

Salió de la cámara frigorífica y cerró la pesada puerta aislante, que emitió un chasquido.

Laurie había pensado llevar la muestra a toxicología, en la quinta planta, pero cuando consultó su reloj cambió de opinión. Sabía que John DeVries era una de las personas más obsesivas que conocía, y una forma de manifestar su compulsión era parar todo cuanto estaba haciendo a las doce del mediodía en punto, para luego llevarse su anticuada fiambrera, con un termo montado en la parte superior redondeada, al deprimente comedor del IML, situado en el segundo piso. La habitación carecía de ventanas, con paredes de bloques de cemento. Allí no había otra cosa que una hilera de máquinas llenas de comida basura, mesas de acero tubulares con sobre de plástico y sillas también de plástico. Aunque Laurie habría podido pasar a saludarle, no quiso interrumpir su almuerzo. Además era cierto que la habitación la deprimía. Subió a su despacho para no perder más tiempo. John era tan puntual en ir al comedor a las doce como en volver a su puesto a las doce y media, y Laurie pensaba entregarle la muestra entonces.

25

Louie estaba en el séptimo cielo. Hacía una década que no se divertía tanto. Desde el momento en que Brennan había sugerido secuestrar al hijo de Laurie Montgomery y hasta que estuvo acomodado en el reservado favorito de su restaurante, se había enfrascado por completo en planificar la operación. La idea del secuestro había sido genial, y concedía todo el mérito a Brennan. En primer lugar, era un buen método para devolver el golpe a la mujer por haber sido la causante de que Paulie llevara en el talego más de una década. Louie desconocía la historia y se había quedado sorprendido. Como también le había sorprendido que Paulie les hubiera prohibido asesinar a la mujer. Pero, en muchos aspectos, esto era mejor porque sufriría más. Para Louie, cuando mataban a una persona, esta no sufría nada.

En segundo lugar, y lo más importante, el rapto impediría que la mujer continuara investigando el caso de Satoshi, algo que tranquilizaría a todo el mundo.

Y, en tercer lugar, podría obtener como resultado un buen pellizco. El último secuestro de Louie, más de quince años antes, había proporcionado al grupo Vaccarro más de diez millones de dólares, lo cual provocaba que Louie se sintiera ansioso por probar de nuevo. Por desgracia, Paulie no era de la misma opinión y, pese al éxito, vetó más secuestros porque, después de escuchar algunas historias de terror, pensaba que eran demasiado peligrosos pese a la presunta recompensa.

Louie sacudió la cabeza y rió. Existía una cierta ironía en el hecho de que estuviera a punto de organizar su segundo secuestro, en parte para desquitarse de Paulie, que le había impedido repetir la jugada años antes. Esta vez sabía que no reportaría la misma cantidad de dinero. El primero había sido un tipo de Wall Street cuya riqueza estaba valorada en unos cien millones. En esta ocasión, los implicados eran un par de médicos asalariados, y sabía que no podía contar con más de un millón, pero preocuparse por eso era prematuro, incluso secundario. El motivo de raptar al niño era apartar del caso a Laurie Stapleton.

—¡Eh, Benito! —gritó Louie a pleno pulmón, de modo que sus oídos resonaron. No había salido nadie de la cocina, y Louie ignoraba cuánto tiempo le quedaba para comer, pues estaba esperando una llamada de Brennan en cualquier momento.

En aquel preciso instante, Brennan, Carlo y dos tipos más jóvenes que trabajaban para Louie desde hacía años, Duane Mackenzie y Tommaso Deluca, junto con dos lugartenientes de Hisayuki Ishii, estaban sentados en una furgoneta Dodge blanca robada delante de la casa de la doctora Laurie Montgomery-Stapleton, a la espera de que la víctima apareciera.

Durante la hora anterior, Brennan había más que cumplido su promesa de obtener información sobre Laurie en la red. Carlo había demostrado su utilidad robando el vehículo, que después pensaban abandonar. Todo estaba preparado para el rapto.

En respuesta al repentino bramido de Louie, que había causado vibraciones en algunas de las copas colgadas sobre la barra, Benito salió como una exhalación por las puertas batientes de la cocina. Se disculpó profusamente y explicó que no había oído llegar a Louie, como solía ocurrir.

—No tenía ni idea de que estaba aquí, jefe. ¡Créame!

Louie apoyó los dedos con suavidad sobre el antebrazo de Benito. Al fin y al cabo, estaba de buen humor porque todo estaba saliendo a pedir de boca.

—No pasa nada —dijo, con la intención de calmar al nervioso chef—. No pasa nada —repitió, y le preguntó qué había para comer.

—¡Su plato favorito! —dijo Benito entusiasmado, contento de poder enmendar su fallo—. *Penne* a la boloñesa con parmesano rallado.

Louie vio que Benito volvía a la cocina. Sin dejar de pensar en el inminente secuestro, había deducido otro de sus beneficios. Con la aquiescencia y participación de Hisayuki, se sentía más seguro de que el *oyabun* no tendría motivos para sospechar que Louie estaba mezclado en la desaparición y asesinato de Susumu y Yoshiaki.

De pronto sonó el teléfono que tenía al lado. Louie lo asió y el corazón le dio un vuelco. Era Brennan, tal como había supuesto.

26

Viernes, 26 de marzo de 2010, 12.18 h

—En este momento, una joven está saliendo por la puerta de la doctora —anunció frenético Brennan—. Lleva a un niño de la mano y un cochecito en la otra. ¿Cree que es el crío que buscamos o qué?

Louie sintió que su confianza desfallecía.

—¡Cálmate! —ordenó con brusquedad.

Todo lo que había hablado con Brennan durante la última hora, acerca de comportarse con calma y tranquilidad, se había ido al carajo, por lo visto. Louie había esperado más de Brennan. Al parecer, a este se le había hinchado tanto el ego que no pensaba con lucidez.

—¿Cómo coño vamos a estar seguros de que es el niño que buscamos? —gimió Brennan con un toque de desesperación.

—Nunca estarás seguro por completo —contestó Louie—, pero te acercarás lo máximo posible. Para empezar, ¿madre e hijo se parecen?

—No, el crío es blanco y la canguro es negra.

—Bien, yo diría que eso es definitivo.

—Está metiendo al niño en el cochecito. Parece algo impaciente. ¿Sabe a qué me refiero? Y el niño está berreando.

—Eso no debe preocuparnos. ¿Está lista para marchar?

—Yo diría que sí. ¡Sí, ya se van! En dirección al parque, como usted esperaba.

—Parece que será hasta demasiado sencillo —dijo Louie.

Antes de dejarles delante del edificio de Laurie, Louie había expresado la esperanza de que la canguro llevara a J. J. a Central Park West, pues esa parte del parque nunca estaba tan concurrida como la del sur, sino por lo general bastante desierta. Además había colinas boscosas, que proporcionarían un entorno casi perfecto para el rapto.

Brennan indicó con un ademán a Carlo que siguiera al cochecito hacia Central Park West, y continuó al teléfono con Louie, como si quisiera mantener el contacto para que este fuera tomando todas las decisiones.

—De acuerdo —dijo Louie, como si adivinara sus intenciones—, a vuestro aire y buena suerte. Recordad lo que dije antes. No hagáis tonterías. Utilizad la sesera. No corráis riesgos. No es necesario, y siempre nos quedará mañana, aunque perdamos ciertas ventajas de llevar a cabo el secuestro. ¿Me oyes?

—Le oigo —contestó Brennan.

—Dime algo cuando tengáis al niño —añadió Louie antes de colgar.

Brennan cerró el teléfono y lo guardó en el bolsillo de la chaqueta.

—¡No te acerques demasiado, que no dé la impresión de que les estamos siguiendo! —dijo a Carlo, que conducía.

—Sé lo que hago, joder —replicó Carlo. No le gustaba recibir órdenes de Brennan, sobre todo con más gente en la furgoneta. Se había producido una repentina inversión del orden establecido, dolorosa desde un punto de vista psicológico.

—¡Disminuye la velocidad y frena! —ordenó Brennan, indiferente al ego herido de Carlo. La canguro había parado en la esquina, a la espera de que cambiara el semáforo en Central Park West. Al otro lado de la calle, la entrada para peatones del parque estaba limitada por muros de bloques de piedra arenisca rojo oscuro. Había algunos brotes en los árboles, casi desprovistos de hojas. También habían florecido algunas forsitias amarillas.

La furgoneta aguardó a treinta metros de la esquina, a la espera de que cambiara el semáforo. Carlo tamborileaba con los dedos sobre el volante. En los asientos del medio iban Chong Yong y Riki Watanabe. Aunque sabían hablar un inglés pasable, guardaban silencio. En los asientos de atrás iban Duane Mackenzie y Tommaso Deluca. Ellos también estaban en silencio, intimidados por los dos hombres musculosos sentados delante de ellos.

—Muy bien —dijo Brennan—. Revisemos el plan ahora que estamos seguros de que la mujer y el niño van a entrar en el parque. Todos, excepto Carlo, bajaremos en la esquina y les seguiremos, pero no en grupo. Yo me adelantaré, y los demás me seguiréis como si fuerais en solitario. No olvidéis las máscaras.

Brennan se volvió en el asiento para mirar a los de atrás mientras hablaba.

—Yo decidiré si procedemos o no, ¿de acuerdo? Porque el secuestro podría tener lugar cuando entremos en el parque, o más tarde, o no producirse, en función de lo que haga la canguro. En el peor de los casos, podría encontrarse con alguien. Si eso sucede, retrasaremos la acción. Entretanto, Carlo estará cerca con la furgoneta, con el motor en marcha. En cuanto tengamos al crío, quiero que todos entréis en la furgoneta y salgamos pitando de aquí. ¿Alguna pregunta?

—¿Qué vamos a hacer nosotros? —preguntó Riki.

—Buena pregunta —dijo Brennan sin sarcasmo, tras una breve pausa. Louie había decidido quiénes iban a participar. Brennan se había planteado la misma pregunta, pero no se la formuló a Louie por temor de que no le considerara capaz de estar al mando si la respuesta era tan evidente—. Nos acompañaréis por si sucede algo inesperado y necesitamos más gente —improvisó Brennan.

—El semáforo va a cambiar —advirtió Carlo.

Brennan se volvió hacia delante.

—De acuerdo —dijo en tono autoritario—. ¡Adelante!

Saltó del coche, impaciente por empezar. Mientras veía a la atractiva mujer negra entrar en el parque, pensó que era la oportunidad de demostrar su valía a Louie.

27

Cuando Laurie volvió a su despacho con la muestra de tejido en un bloque del tamaño de un tapón de corcho, la dejó a la vista sobre el escritorio para que John la examinara enseguida. Entretanto, volvió a examinar las placas de toxicología. Aunque ahora estaba segura de que Kenji había sido asesinado con un agente tóxico, aún se sentía obligada a comprobar que no existieran patologías en el cerebro que explicaran la apoplejía. Al fin y al cabo, la toxina que le había matado también podía ser responsable de estimular una lesión patológica existente, en lugar de provocar el ataque. No era un problema grave, pero podía influir en su búsqueda de la toxina si descubría algo. Además, quería ser concienzuda y minuciosa en lo que ya imaginaba una presentación triunfal a Lou y Jack, y a cualquiera que quisiera escucharla.

Mientras examinaba metódicamente las muestras, pudo hacer varias cosas a la vez, al tiempo que intentaba dilucidar cuál era la toxina específica. Suponía que era una neurotoxina, tal como había decidido antes, de las cuales existían muchos tipos diferentes en serpientes, escorpiones, moluscos acuáticos e incluso ciertos peces. Con aquella idea en la cabeza, dejó un momento las muestras del cerebro para revisar las neurotoxinas en la red. Como debía asumir que sus dos casos eran personas de ascendencia japonesa, la primera toxina que acudió a su mente fue la tetrodotoxina, tal vez la más tristemente célebre de Japón, pues estaba relacionada con múltiples episodios de enfermedades y fallecimientos de amantes del sushi y el sashimi. La toxina procedía de una bacteria relacionada con cierto número de animales, incluido un tipo de pez globo que era considerado un manjar en Japón. El problema residía en que la carne podía contener tetrodotoxina en ciertos momentos del año, la cual solía acumularse en las vísceras del pez, como el hígado y la piel.

Laurie concentró su investigación en la tetrodotoxina, para averiguar si podía provocar convulsiones cuando se administraba por vía parenteral, o sea, mediante una inyección. Mientras leía por encima varios artículos, recordó que era un componente útil y se utilizaba bastante en investigaciones médicas, incluso en medicina clínica. En esta rama se empleaba para tratar la arritmia cardíaca, y también actuaba como analgésico en situaciones extremas, como casos de cáncer terminal y migrañas incapacitantes. Pensó que era un detalle importante, pues significaba que la droga se fabricaba para usos comerciales, y por lo tanto se hallaba disponible. Había otras muchas neurotoxinas, pero exóticas y difíciles de obtener.

—¡Sí! —exclamó Laurie de repente, y chasqueó los dedos cuando leyó que la tetrodotoxina, si se inyectaba, podía causar convulsiones, lo que no se producía con las demás clases de neurotoxinas. Continuó con el mismo artículo, el cual le recordó la impresionante toxicidad de esa sustancia: doscientas milésimas de onza podían matar a una persona de ochenta kilos. Laurie silbó al leer la cifra, cuando cayó en la cuenta de que la tetrodotoxina era cien veces más venenosa que el cianuro de potasio.

Mientras se asombraba de lo mortífera que era la tetrodotoxina, los ojos de Laurie se desviaron hacia el reloj de pared que colgaba sobre su archivador. Era casi la una. Como sabía que John DeVries ya habría vuelto a toxicología, recogió el frasco de la muestra y se encaminó al ascensor.

Cuando Laurie entró en el espacioso y soleado despacho de John, que ocupaba una esquina del edificio y contrastaba tanto con su anterior cubículo sin ventanas, comprendió por qué influía favorablemente en su estado de ánimo. Este se estaba poniendo una bata limpia cuando ella apareció en la puerta. Su secretaria acababa de volver de comer. Por un momento, Laurie se quedó hipnotizada por la transformación del hombre. Aún era alto y delgado, pero ya no estaba demacrado, y su antigua palidez académica había sido sustituida por un toque de color en las mejillas, lo cual le rejuvenecía diez años.

—Ah, señorita Laurie —dijo cuando la vio—. Temo que no se ha producido ningún cambio desde esta mañana: ni toxinas, ni venenos ni drogas.

—¿Ha analizado otra muestra?

—Bueno, no —admitió John—. Todavía no. Hemos estado ocupados con cierto número de sobredosis acaecidas esta noche.

—Bien, tengo algunas noticias que le contaré enseguida —dijo Laurie, al tiempo que bajaba la voz en tono de complicidad—, pero no ha de decir nada hasta mi minirrueda de prensa de esta tarde.

—Se lo prometo.

Laurie contó a John lo que le habían revelado las cintas de seguridad, el robo que aparecía en ellas, y que tenía motivos para creer que Kenji había sido asesinado mediante una toxina introducida con la ayuda de alguna especie de pistola de aire comprimido. Tal como esperaba, John se quedó intrigado al instante.

—¿Ha averiguado todo esto gracias a unas cintas de seguridad? —preguntó impresionado.

—Sí. Y a base de deducciones. Por cierto, ¿recuerda el asesinato en Londres de un diplomático búlgaro? Le mataron con una toxina disparada con una pistola de balines escondida en un paraguas.

—Por supuesto. Era ricino. ¿Sospecha que en su caso hay algo similar?

Laurie asintió. Estaba impresionada no solo porque John se acordara del caso, sino porque también recordaba el agente tóxico implicado.

—Creo que es una imitación, hasta cierto punto.

—¿Está sugiriendo que busquemos ricino?

—No, creo que no se trata de ricino, porque la víctima sufrió convulsiones, y el ricino no causa epilepsia. No obstante, mirando las cintas de seguridad, sé que uno de los culpables llevaba un paraguas. Como la estación de metro estaba tan abarrotada, no pude ver cómo lo utilizaba, pero después del ataque, cuando la víctima está tendida sobre el suelo, da la impresión de que uno de los atacantes ha abierto el paraguas y se dispone a cerrarlo. Yo diría que en su interior había una especie de pistola de aire comprimido como en el caso de Londres.

—¿Qué sabe del orificio de entrada?

—Buena pregunta. Encontré uno hoy cuando volví a practicar el examen externo. Me avergüenza confesar por qué no lo encontré ayer. Hay una pequeña herida de entrada en la parte posterior de la pierna de la víctima, en la articulación de la pierna y la masa glútea. —Laurie levantó su muestra—. Y esto es una escisión en bloque de la trayectoria, que parecía medir unos dos centímetros y medio de longitud.

—Perfecto. —John tomó el frasco, lo alzó y echó un vistazo a su contenido—. Si el agente no era ricino, ¿tiene alguna idea de cuál pudo ser?

—Pues sí. Creo que tal vez haya sido tetrodotoxina.

John dejó de mirar la muestra de tejido y devolvió su atención a Laurie.

—¿Tiene motivos concretos para sospechar de la tetrodotoxina?

—En primer lugar, lo que hayan utilizado ha de ser forzosamente una neurotoxina. Sea cual sea, provocó convulsiones.

Fue un ataque breve pero real, porque fue presenciado por la persona que llamó al 911 y porque yo lo vi en la cinta de seguridad. Se sabe que la tetrodotoxina causa espasmos cuando se inyecta. Esta tarde, cuando leí sobre neurotoxinas, no observé que las demás produjeran convulsiones. En segundo lugar, el material se fabrica con toda normalidad, de modo que se encuentra disponible. Y en tercer lugar, y esto es lo menos científico, creo que mi paciente es japonés, y los japoneses tienen una larga historia con la toxina gracias al pez globo.

—Suena prometedor —admitió John con una carcajada—. Todo excepto lo último.

—Y ahora la pregunta del millón: ¿cuándo podremos analizarla?

—No sé por qué no estoy sorprendido —dijo John, al tiempo que alzaba las manos en señal de burlona desesperación—. Supongo que querrá el resultado ipso facto, es decir, mañana, como si fuera la única forense de esta institución y estuviéramos sentados aquí sin hacer nada.

—Me encantaría recibir los resultados hoy —dijo Laurie con una sonrisa—. Sería el golpe de gracia de la revelación de esta tarde.

John echó hacia atrás la cabeza y lanzó una carcajada.

—Supongo que nunca podré complacerla lo suficiente. Siempre tiene prisa. Pero, dígame, antes ha hablado en plural. ¿Era un plural literal o figurativo?

—Literal —contestó Laurie sin vacilar—. Era una manitas en el laboratorio de la universidad, y en bioquímica en la facultad de medicina. Si uno de sus técnicos me fuera dando instrucciones, creo que podría superar el reto. En cuanto termine el resto de muestras de histología del caso, tendré la tarde libre.

John contempló a Laurie un momento, mientras se preguntaba si sería buena idea dejar suelta a una aficionada en su laboratorio o una forma de buscarse problemas. A favor de permitir que trabajara allí aquella tarde estaba que le caía bien, y respetaba su entusiasmo y dedicación, y el hecho de que ella siempre había tenido en cuenta su trabajo y así se lo había manifestado con frecuencia.

—¿Ha utilizado alguna vez un HPLC/MS/MS, también conocido como aparato de cromatografía líquida de alta eficiencia con espectrómetro de masas en tándem?

—Sí. Durante mi período de residente, pasé un tiempo en el laboratorio como materia optativa.

—Además, necesitaremos algo de tetrodotoxina, de la que no dispongo aquí, pero sí que la hay en el hospital de Nueva York.

—Será un placer ir corriendo a buscarla.

—De acuerdo, ¿por qué no? —dijo John, decidido de repente—. Le diré lo que vamos a hacer. Pediré a uno de mis técnicos que empiece utilizando un sonicador para convertir parte de esta muestra de tejido en una mezcla orgánica. Cuando vuelva, le dejaré efectuar la extracción con n-butanol o ácido acético. Aún no estoy seguro con cuál de los dos, pero ya habré tomado la decisión para entonces. ¿Le parece bien?

—Me parece perfecto —dijo Laurie. Levantó ambos pulgares y dio media vuelta para volver a su despacho. Ahora contaba con una verdadera motivación para terminar con las placas de histología.

28

Ben Corey cerró la última revista de la pila que había sobre su escritorio y después la tiró sobre la montaña que se había ido formando en el suelo, a su lado. Era la primera vez que gozaba de la oportunidad de terminar de echar un vistazo a todas las revistas desde que había fundado iPS USA, lo cual le proporcionaba una sensación reconfortante de controlar la situación, todo lo contrario del fracaso de comunicarse con Satoshi.

Sacó un post-it, escribió «RECICLAR» y pegó la nota encima de la revista que acababa de examinar. Después estiró los brazos sobre la cabeza y observó que faltaba poco para la una. Por un momento, acarició la idea de pedir a Jacqueline que comiera con él. Habían quedado para comer juntos bastantes veces durante el último mes, y se preguntaba si había llegado el momento de pasar al siguiente nivel. Desde su punto de vista, pensaba que ella había lanzado alguna insinuación en tal sentido, y creía que debía aprovecharlo, pues su relación con su relativamente reciente esposa, Stephanie, se había deteriorado desde el nacimiento de su hijo Jonathan. Como Ben había trabajado con ahínco para conseguir que iPS USA despegara, opinaba que merecía alguna diversión agradable, algo que no obtenía en casa.

—Voy a salir —dijo Jacqueline, parada en la puerta que comunicaba ambos despachos.

—Ah, ¿sí? —preguntó Ben. Su aparición le había pillado por sorpresa.

—Cuando pediste que cancelara tus reuniones de hoy, pensé que sería un buen día para acompañar a mi madre a su chequeo anual. ¿Necesitas algo antes de que me vaya?

Ben reprimió una carcajada.

—No, gracias. Acompaña a tu madre al médico. Yo me quedaré aquí y languideceré.

El comentario desconcertó a Jacqueline. Por un momento, se quedó callada sin saber qué decir.

—Un silencio sepulcral reinaba en la oficina —explicó Ben—. De hecho, me voy a marchar dentro de unos minutos.

—Vale, de acuerdo —se apresuró a contestar Jacqueline, decidida a aceptar la explicación aunque no fuera una explicación—. Hasta el lunes.

—Hasta el lunes —repitió Ben.

Después de que ella se marchara, Ben siguió sentado unos momentos, mientras se preguntaba hasta qué punto el atractivo de Jacqueline había influido en su decisión de contratarla, por encima y con independencia de su inteligencia y su soberbio currículo. Con Stephanie, la clave había sido su cuerpo y su predisposición a utilizarlo.

Camino de la salida paró en el despacho de Carl, donde este le comunicó que iPS RAPID le había enviado un torrente de correos electrónicos aquella mañana.

—Parecen muy interesados en vender cuanto antes —dijo el director financiero—. No sé si sentirme alentado o ser más circunspecto.

—Estoy seguro de que tú sabrás qué hacer —contestó Ben, confiado en las aptitudes profesionales de Carl—. Me voy a casa. Tal vez deberías hacer lo mismo. Jacqueline ya se ha ido.

—Tengo mucho que hacer. Hasta el lunes.

Ben salió a la bulliciosa Quinta Avenida y experimentó una leve oleada de euforia, pues ya había encajado la decepción de que Jacqueline no estuviera disponible. El tiempo era espléndido, con un potente aroma a primavera en el aire. Las cosas no podrían pintar mejor para iPS USA, salvo por el hecho de que Satoshi no llamaba, pero teniendo en cuenta el sol y el cielo azul, era optimista incluso en ese aspecto. Le gustaba que el fin de semana hubiera llegado. Y por último, intuía que, como mínimo, había roto el hielo con Jacqueline, gracias a su hábil comentario acerca de languidecer cuando ella se marchaba.

Con la ligereza de la primavera en el paso, se dirigió hacia el garaje, pero después se detuvo en la calle Cincuenta y siete. Por suerte, se percató a tiempo de que había olvidado la dirección de Satoshi. Recordaba el nombre de la calle, pero no así el número. Volvió a su despacho a buscarla.

Debido al fin de semana, más gente se estaba marchando temprano, y Ben tuvo que esperar en el garaje más de lo que hubiera deseado. Pero tampoco fue tanto, y como estaba de buen humor tuvo la oportunidad de flirtear con varias secretarias mientras esperaba a que su Range Rover surgiera de las profundidades del garaje. Como alquilaba por meses, tenía más ventajas que quienes alquilaban por días.

Una vez dentro del coche y con las puertas cerradas, Ben entró Pleasant Lane, 417, en el GPS y después encendió el CD. Aislado del ruido de la ciudad, seleccionó una pista de Mozart y se zambulló en una oleada de puro placer auditivo.

El tráfico avanzaba sin detenerse hacia la zona alta. Como de costumbre, prefirió tomar la calzada superior del puente George Washington para disfrutar de una vista sin obstáculos de los Palisades, que corrían a lo largo de la orilla de New Jersey, acompañado por el *Concierto para piano número 21 en Do mayor* de Mozart.

En cuanto llegó al lado de New Jersey, Ben tomó la segunda salida cuando el GPS le avisó. Las instrucciones le condujeron a una pequeña zona venida a menos, con cierto número de edificios comerciales de dos plantas de ladrillo abandonados, lo cual le recordó algo que poca gente sabía: Fort Lee había sido el Hollywood del país antes de que el Hollywood de California monopolizara el negocio del cine. Pleasant Lane era una calle de tres manzanas relativamente corta. Entre los edificios comerciales abandonados había pequeñas casas, más o menos del mismo diseño. La mayoría también parecían abandonadas, con ventanas rotas y puertas entreabiertas. Había basura por todas partes, incluidos algunos viejos vehículos oxidados apoyados sobre sus ejes y algunos colchones, cuyos muelles sobresalían a través del cutí.

«Ha llegado», dijo el GPS con agradable voz de barítono, mientras Ben paraba junto al bordillo.

—Ya lo creo que he llegado —se burló Ben.

Examinó la casa. Parecía algo mejor que sus vecinas, en el sentido de que las ventanas estaban intactas y la puerta principal se veía cerrada. Lo que preocupó a Ben fue no ver el menor indicio de que la casa estuviera ocupada. Entonces reparó en algo todavía más inquietante. Aunque la puerta principal estaba cerrada, un cristal del centro estaba roto, con algunos fragmentos aferrados con desesperación al marco de la ventana.

Convencido de que nadie podía vivir en aquella casa, y mientras empezaba a preguntarse si le habían enviado a una dirección errónea, a modo de broma de mal gusto, abrió la puerta del conductor y se dispuso a bajar del coche. Pero no llegó muy lejos. El hedor de la putrefacción impregnaba la zona, lo bastante intenso para que Ben padeciera náuseas antes de que consiguiera volver al coche y cerrar la puerta. Una vez dentro, sufrió unas cuantas arcadas más, como si fuera a vomitar.

Se recuperó hasta cierto punto y miró la casa horrorizado, intentando dilucidar qué había sucedido y qué debía hacer. La casa y la zona circundante olían a muerto, un hedor que Ben había percibido en muy raras ocasiones, y solo cuando era niño y se topaba con un animal descompuesto en el bosque, como un conejo o una ardilla.

Ben cogió un trapo del coche y lo apretó contra la nariz. Salió del 4×4 y subió por el camino de entrada.

Aunque tuvo náuseas varias veces más, llegó a la escalinata del frente. Sabía que debía llamar al 911, pero quería asegurarse de que no estaba percibiendo el hedor de un perro u otro animal grande. Ben subió al porche y vio que había fragmentos de cristal sembrados por el suelo. Para no dejar huellas dactilares, utilizó el trapo que apretaba contra la nariz para abrir la puerta. No estaba cerrada con llave.

Pasó de la luz del sol a una relativa oscuridad. No tuvo que ir muy lejos. En la sala de estar vio los restos destrozados de seis personas, todas tendidas boca abajo con las manos en la nuca y la cabeza descansando sobre charcos secos de sangre negra coagulada.

Casi se desmayó al ver y percibir el intenso olor de la muerte. Fue mirando de uno en uno los cadáveres para localizar el de Satoshi, pero se llevó una sorpresa al descubrir que el científico no se hallaba entre ellos. Sabía que debía salir de la casa, y que el olor era sobrecogedor, pero las circunstancias le tenían petrificado. Quería moverse, pero su cuerpo se negaba, estaba paralizado en el tiempo y el espacio, y en completo silencio. Por un momento, contuvo la respiración, y entonces lo oyó. Era un lamento agudo y suave. Sin saber muy bien si se trataba de un sonido real o de algo que escapaba de su propio cerebro, Ben prestó oídos de nuevo. Lo oyó..., y después enmudeció.

—¿Qué coño...? —se preguntó en voz alta.

Aún no sabía si el sonido era real o imaginario. Reprimió el deseo de salir huyendo y avanzó hacia la escalera. Se detuvo en la base y atisbó las tinieblas del segundo piso. Estaba a punto de decidir que el sonido era un producto de su imaginación, cuando lo oyó de nuevo. Esta vez tuvo la impresión de que procedía del segundo piso.

Ben subió la escalera con el vello de la nuca erizado, el trapo apretado contra la nariz y respirando por la boca. Cuando llegó arriba, el sonido enmudeció de nuevo. Se detuvo. Había dos dormitorios comunicados por un corto pasillo, con un pequeño cuarto de baño al fondo. Vio que habían registrado las cómodas de cada dormitorio, pues los cajones estaban abiertos y el contenido, desparramado por el suelo.

Registró ambos dormitorios. Cada uno tenía un armario, cuyo contenido también habían arrojado al suelo. El primer dormitorio tenía un pequeño secreter. Los cajones y su contenido también estaban diseminados por doquier. Ben comprendió que alguien había puesto la casa patas arriba, probablemente en busca de algo. En aquel momento, volvió a oír el sonido, más intenso que desde abajo. Al principio creyó que procedía del cuarto de baño, pero mientras lo registraba se percató de que había una librería empotrada justo enfrente de la puerta del cuarto de baño. Era en el pasillo donde el sonido se oía con más fuerza. Ben aplicó el oído a la pared por encima de la librería. Ante su sorpresa, el sonido se oyó con mayor intensidad que antes, como si hubiera una habitación o un armario oculto que ocupara el espacio equivalente al del cuarto de baño.

Ben pasó a toda prisa de dormitorio en dormitorio. Cada armario se internaba en el presunto espacio, pero no había forma de acceder. Volvió al pasillo, agarró la librería empotrada y tiró. Ante su sorpresa, se desprendió y los gemidos enmudecieron. Ahora, un nuevo olor se sumó al hedor de la putrefacción. Era el olor a excrementos humanos. De repente se acordó de Shigeru, que no se encontraba entre los cadáveres de la sala de estar.

Se agachó y entró en una diminuta habitación completamente a oscuras. Casi al instante retrocedió: algo suave había rozado su cara. Extendió el brazo, aferró un cordel y encendió una bombilla desnuda.

Bajó la vista y contempló el rostro pálido y suplicante de

Shigeru, cuyas pupilas tenían el tamaño de monedas de veinticinco centavos.

—¡Dios mío! —exclamó Ben—. Pobre crío.

Se inclinó para levantar al niño en brazos, pero después cambió de idea. Salió de la habitación secreta para coger una manta. Oyó que Shigeru empezaba a lloriquear de nuevo.

—¡Ya voy! —gritó.

Agarró una manta y volvió a la habitación. Al instante, Shigeru dejó de llorar. La soledad aterrorizaba al niño.

—Tranquilo, chavalote —dijo Ben, al tiempo que le envolvía en la manta.

Mientras lo hacía, reparó en un biberón que tenía al lado. Después de levantar a Shigeru, paseó la vista alrededor de la pequeña habitación sin ventanas, que probablemente había salvado la vida al niño. Si la casa era un piso franco, la habitación debía utilizarse para esconder drogas, armas o ambas cosas. Imaginó a Yunie-chan, la esposa de Satoshi, esperando lo peor y escondiendo con desesperación al pequeño.

Ben volvió a salir de la habitación y no se molestó en apagar la luz ni en devolver la librería a su sitio, pues sostenía a Shigeru con un brazo y el trapo contra la nariz con la otra mano. Bajó con el niño a la cocina para darle agua, consciente de que debía de estar deshidratado. También quería ver si había más cadáveres, incluido el de Satoshi.

Sujetando a Shigeru con una mano y el agua con la otra, salió corriendo por la puerta en dirección a su coche, y depositó al niño en el asiento del pasajero. A continuación, subió con el agua. Consciente de que el pequeño necesitaba con desesperación terapia intravenosa, Ben dejó que bebiera un poco de agua. Después reclinó a Shigeru en el asiento y llamó al 911. Cubrió por completo al niño, excepto la cabeza, porque olía a mil demonios.

29

Brennan había adivinado al menos un motivo por el que Louie había enviado a seis personas en lugar de dos, que era lo que él consideraba adecuado. En el momento en que él y su banda de cuatro hombres entraron en Central Park, la canguro y el niño desaparecieron como por ensalmo. Lo que Brennan no había observado debido a su nerviosismo era que la canguro llevaba zapatillas de deporte cuando salió de la casa.

Al suponer que la canguro y el niño habían tomado el sendero peatonal serpenteante, Brennan había insistido en que todo el mundo corriera, con la esperanza de alcanzarlos. Pero tanto él como los otros estaban en muy baja forma, y el sendero era sorprendentemente empinado. Después de poco más de cien metros, Brennan y los demás habían dejado de correr.

—Esto no va a funcionar —logró articular, mientras su pecho subía y bajaba, con las manos apoyadas sobre las rodillas—. Tendremos que separarnos para encontrarlos, y nos comunicaremos mediante nuestros móviles.

—Mucha gente va a correr a los alrededores del embalse —dijo Duane Mackenzie—. ¿Qué te parece si Tommaso y yo vamos hacia allí? Está hacia el este y un poco al sur, si no recuerdo mal.

—Parece un buen plan —reconoció Brennan. Intercambiaron a toda prisa los números de sus móviles—. Vosotros, quedaos conmigo —dijo a los dos japoneses—. No queremos que os perdáis. Iremos hacia el sur.

El grupo se puso en marcha al unísono, mientras Duane y Tommaso buscaban un sendero que se desviara hacia el oeste.

Mientras andaba, Brennan no se sentía contento. Nunca le habían gustado ni el tamaño del parque ni la topografía plagada de lomas, y tampoco había imaginado que perderían al objetivo tan pronto. Se preguntó qué demonios diría a Louie, sobre todo porque era la primera vez que tomaba el mando de una operación. A medida que el grupo avanzaba, empezó a creer que deberían regresar al punto por donde la canguro y el niño habían entrado en el parque y esperar a que volvieran. El único problema residía en si lo harían solos.

Entonces la casualidad les sonrió. A la derecha se toparon con un parque infantil con columpios, un par de cabañas en árboles, barras de mono, una pirámide de ladrillo y una amplia zona arenosa, donde habían depositado al niño. La canguro estaba utilizando las barras de mono para estirar los ligamentos de las corvas.

—¡Bingo! —se dijo Brennan. Sacó el móvil y llamó a Carlo—. Los hemos encontrado —anunció en voz baja—. Están en el parque infantil de la calle Cien Oeste. Ven hacia aquí, pero quiero que te sitúes en el lado norte de la calle. ¡Frena junto al bordillo y espera! ¿Comprendido?

—Pues claro que lo he comprendido —respondió Carlo sin entusiasmo. Colgó con brusquedad.

Brennan cerró su teléfono. Por nervioso que estuviera, Carlo tendría que contenerse. Brennan miró a los demás con una sonrisa diabólica.

—Esto es casi demasiado bueno para ser verdad. El parque está vacío. ¿Qué os parece?

—¿Cómo sabremos con seguridad que es el crío que buscamos? —preguntó Duane con inocencia, lo cual reavivó la principal preocupación de Brennan.

—Les vimos salir de la casa, ¿no?

—Sí, pero ¿y si hay apartamentos en el edificio? ¿O si esa chica había ido a ver a la persona que cuida del hijo de la doctora? Quiero decir, a ver si tanto esfuerzo no va a servir de nada. ¿No deberíamos asegurarnos de alguna manera?

Brennan respiró hondo y miró a la mujer.

—¿Por qué no se lo preguntamos? —dijo Duane.

—¿Preguntarle qué?

—Si el crío es el hijo de sus padres, como se llamen.

—No va a facilitarme esa información —dijo desdeñoso Brennan.

—Apuesto a que sí cuando vea esto —contestó Duane, al tiempo que sacaba una billetera de piel envejecida y la abría. Sujeta a un lado había una reluciente placa dorada de policía. Decía «Montclair, New Jersey».

Brennan cogió la placa y la examinó.

—¿De dónde has sacado esto?

—De eBay. Diez pavos.

—¿Es auténtica?

Duane se encogió de hombros.

—Dijeron que era auténtica, pero quién sabe. La cuestión es que parece real y funciona. Bastará que la exhibas un momento como hacen en la tele. Me he divertido con ella. Todo el mundo piensa que soy un policía de paisano.

—¿Por qué no? —repuso Brennan. Desde su punto de vista, era la única preocupación que le había atormentado desde que la canguro y el niño habían salido de la calle Ciento seis, 494.

—Ahí está nuestro coche —dijo Tommaso, y señaló hacia Central Park West. Carlo estaba aparcando delante del bordillo.

Brennan, sosteniendo la dudosa placa de policía en la mano izquierda, llamó a Carlo mientras veía que el vehículo se detenía. Contestó a su llamada de inmediato.

—¿Todo despejado? —preguntó antes de que Carlo pudiera hablar.

—No hay pasma.

—Vamos.

Brennan colgó. Se humedeció los labios resecos, reacomodó la funda de la pistola y se cambió la placa de policía a la mano derecha. Se alzó en toda su estatura y empezó a caminar hacia el parque infantil.

—Será mejor que te des prisa —dijo alguien desde atrás—. Se acerca una mujer con un niño pequeño.

Brennan desvió la vista al instante. Había sido Duane quien le había avisado. Miró en la dirección a la que este señalaba, hacia el sur, y vio que una mujer acababa de doblar la curva del sendero a unos cien metros de distancia, empujando un cochecito vacío. El niño avanzaba vacilante a unos tres metros delante de ella.

Brennan miró a la canguro, que en ese momento se encontraba a menos de seis metros de distancia. Tomó la decisión de seguir adelante con el secuestro. J. J. se hallaba ahora a la izquierda de Brennan, tendido boca abajo sobre la arena y fabricando una especie de ángel de arena, aunque en realidad no hacía otra cosa que levantar nubes de polvo.

—Perdone, señora —dijo Brennan, al tiempo que abría y cerraba la placa de policía y caminaba hacia Leticia, quien continuaba con sus estiramientos—. ¿Es este el hijo de los señores Montgomery-Stapleton?

—Sí —contestó Leticia, pero en cuanto las palabras surgieron de su boca se le ensombreció el rostro de miedo. Supo intuitivamente que no habría tenido que contestar a la pregunta del desconocido, sobre todo cuando la placa desapareció y en su lugar se materializó una pistola. Brennan se había dado cuenta en el último momento que no llevaba puesta la máscara.

30

Laurie se lo estaba pasando en grande, absorta por completo en su caso. Había terminado con las placas de histología de Kenji y, al igual que con la autopsia, no había encontrado nada patológico. El hombre gozaba de una buena salud, y de no haber sido por la tetrodotoxina o alguna otra toxina por el estilo, habría vivido probablemente hasta los cien años.

Después de terminar con las placas de histología, había llamado a Jack y a Lou para hablar de su rueda de prensa. Jack la apoyó y dijo que estaría en su despacho a las cinco en punto. Lou, en cambio, tenía problemas. Dijo que quería estar presente, pero que tal vez no pudiera porque se había producido un doble homicidio en Wall Street, un par de corredores de bolsa que no habían estado a la altura de las expectativas de su cliente. Lo último que dijo fue que haría lo imposible por llegar a tiempo.

Una vez eliminados los obstáculos de sus dos casos, Laurie volvió a la quinta planta, donde John la estaba esperando. La sorprendió cuando dijo que había aprovechado el tiempo para llevar a cabo otra inspección minuciosa de los resultados de las pruebas de toxicología en la sangre y la orina del caso de Laurie.

—En nuestra biblioteca encontré ciertas coincidencias con

diversas neurotoxinas, incluida la tetrodotoxina, y las comparé con su caso.

—¿Y?

—Fue interesante —admitió John—. Hay unos pequeños valles que serían picos si la tetrodotoxina estuviera presente.

—¿Está insinuando que existe tetrodotoxina, pero no en concentración suficiente?

—No, no estoy diciendo eso. Lo que estoy diciendo es que no puedo garantizarlo, ni tampoco descartarlo. Se trata de una sutil diferencia. Siento tanta curiosidad como usted por saber qué encontraremos en la presunta trayectoria del proyectil. ¿Descubrió algo parecido a un proyectil, aunque fuera un fragmento?

—Nada. Sondeé con detenimiento en las profundidades de la trayectoria. También examiné las radiografías. Yo diría que el proyectil pudo ser algo fácil de asimilar, de modo que en cuanto se expuso al líquido intersticial se diluyó poco a poco. Bueno, no pudo ser tan poco a poco, pues ya había desaparecido cuando fui a buscar un orificio de entrada, unas cuarenta horas o así después de la muerte del hombre.

—Una forma sutil pero eficaz de matar a alguien, sin duda. Debo reconocer el mérito a los asesinos. Si la herida de entrada hubiera pasado inadvertida, parecería una muerte natural.

—Es justo lo que ocurrió en este caso.

—Muy bien, vamos a acomodarla en el laboratorio —dijo John, al tiempo que se levantaba—. Le he reservado espacio arriba, en el sexto piso. Está en la misma sala de las máquinas de cromatografía líquida de alta eficiencia con espectómetro de masas en tándem.

—Suena delicioso —dijo Laurie, mientras seguía a John hasta el sexto piso por la escalera.

—También he pedido a una de mis técnicos, Teresa Chen, que conteste a sus preguntas. Es mi experta en HPLC/MS/MS —dijo el hombre cuando entraron en el laboratorio.

Era el típico laboratorio de biología moderno, ocupado por varias máquinas grandes que manipulaban automáticamente múltiples muestras y necesitaban muy poca atención en cuanto se ponían en marcha. Se oía en la sala un zumbido generalizado, entremezclado con chasquidos mecánicos, a medida que los frascos con las muestras avanzaban por medio de correas transportadoras.

Solo había una persona en el laboratorio a cargo de las máquinas. El lustroso pelo oscuro de Teresa Chen estaba partido por la mitad. Sonrió con cordialidad a Laurie y le ofreció la mano después de ser presentadas.

—Esta es su zona —dijo John, indicando una sección de banco—. Le recomiendo utilizar n-butanol para la extracción. Lo he investigado, y parece que el butanol es lo más eficaz. ¿Está preparada?

—Estoy preparada. Sobre todo si Teresa está preparada.

—Estoy muy preparada —dijo Teresa con otra sonrisa.

—Las dejo —dijo John—. Vendré de vez en cuando para ver cómo va todo.

Después de que John se fuera, Teresa se acercó al refrigerador y sacó un pequeño vaso de precipitados.

—Aquí tienes tu mezcla —dijo, al tiempo que se la entregaba.

Laurie cogió el preparado. Era de un color rosado, con la consistencia de una sopa espesa. Mientras recordaba con cariño agradables tardes pasadas en el laboratorio de química de la universidad, Laurie se sintió muy a gusto en el laboratorio de toxicología del IML. Había algo particularmente satisfactorio en gozar del tiempo y la oportunidad de participar en la búsqueda de la toxina de su caso. Por suerte para su tranquilidad de ánimo, no sabía nada de la tragedia relacionada con su hijo que estaba teniendo lugar en aquel mismo momento, en otra parte de la ciudad.

31

Viernes, 26 de marzo de 2010, 16.05 h

Para Ben el día había pasado de un extremo a otro. Había empezado como uno de los mejores de su vida. Salvo por la constante preocupación acerca del paradero de Satoshi y la pregunta de por qué no había llamado, pocas veces se había sentido Ben tan feliz y optimista. Se había arriesgado al abandonar su lucrativo puesto de ejecutivo en su antigua empresa de biotecnología. Había vivido días de duda, lucha y decisiones difíciles. Pero aquella mañana pensó que todo había valido la pena. Su empresa recién nacida se encontraba en la envidiable posición de haber firmado un acuerdo de licencia en exclusiva para controlar lo que consideraba la patente clave para la comercialización de células madre pluripotentes inducidas. Ahora estaban iniciando las diligencias para adquirir otra nueva empresa, cuya propiedad intelectual incluía la mejor patente para la producción de células madre. Y tenían acceso a capital ilimitado, al parecer.

A las cuatro y pocos minutos, todo aquel optimismo se había evaporado como una bola de nieve en una tarde de agosto. Ben ya no se sentía pletórico, sino que estaba confuso y angustiado, casi aterrorizado. En lugar de estar en casa como había pensado, relajado y a la espera de su carrera del día siguiente, se encontraba en su coche, volviendo por el puente George Washington, camino del Instituto de Medicina Legal. Su misión era examinar un cadáver no identificado, y sospechaba que sería el de Satoshi Machita. La empleada con la que había hablado, Rebecca Marshall, dijo que el cadáver había llegado a las seis y media de la tarde del miércoles, después de que la víctima se desmayara en un andén del metro. También había descrito a la víctima como de edad comprendida entre los treinta y cinco y los cuarenta y cinco años, de unos sesenta kilos y metro setenta, de facciones asiáticas y pelo muy corto, todo lo cual encajaba con la descripción de Satoshi.

Mientras conducía por FDR Drive, rodeado por el lujoso interior tapizado de piel del Range Rover, Ben se esforzaba por pensar. Por lo general, consideraba que conducir favorecía la meditación, gracias al zumbido del motor y el hipnótico desfilar de la carretera, lo cual bloqueaba otros pensamientos. Necesitaba pensar mientras todavía mantuviera el control de los acontecimientos. Muchas cosas habían sucedido durante las últimas horas.

El día se truncó en cuanto percibió el olor a putrefacción y descubrió los cadáveres en la casa de Fort Lee. Había sido un hallazgo terrorífico e impresionante. Salvo por el rescate del pequeño Shigeru, se arrepentía de haber ido a casa de Satoshi. Tal vez habrían tardado meses en descubrir los cuerpos y ahora no estaría metido en un lío, un lío que empezó en cuanto llegó la policía.

Solo por entrar en la casa y contaminar la escena del crimen, Ben había pensado que quizá sospecharían de él, pero estaba seguro de que tales sospechas se disiparían de inmediato. Lo que Ben jamás había imaginado era que le considerarían sospechoso y una amenaza desde el primer momento.

Después de llamar al 911, Ben se quedó sentado en el coche, a la espera de que llegaran las autoridades, mientras daba de beber a Shigeru pequeños sorbos de agua. Estaba concentrado pensando en lo que le iba a caer encima por haber descubierto el asesinato de la familia de Satoshi. No le cabía la menor duda de que se convertiría en un acontecimiento mediático y desencadenaría una investigación masiva. Si bien no había encontrado el cadáver de Satoshi entre los demás, pensó que quizá estaría en otra parte de la casa. Para Ben, el asesinato múltiple apestaba a crimen organizado, tal vez relacionado con las drogas, y creía que las autoridades lo enfocarían desde ese punto de vista.

La idea de estar implicado en una investigación importante era anatema, y más en esta en concreto. La relación de Ben con Satoshi le salpicaría a él y a iPS USA. No tenía ni idea de lo que podía o debía hacer.

Cualquier investigación seria sobre iPS USA sería terrible. La realidad económica de los tiempos actuales había obligado a Ben a aceptar dinero sucio. Al principio fueron cantidades relativamente pequeñas, que procuró devolver lo antes posible. Pero a medida que transcurría el tiempo y la economía no se recuperaba, la tentación de pedir cantidades más elevadas aumentó. Era cuestión de oportunismo. Como otras víctimas de la recesión, tuvo dificultades para encontrar capital justo cuando más lo necesitaba. Fue entonces cuando sucumbió a la presión constante de Michael, en el sentido de que había capital a su disposición y que no había el menor problema en intercambiar dinero por acciones en lugar de pedirlo prestado. Hasta Vinnie Dominick y Saboru Fukuda le habían tranquilizado al respecto, explicando que era imposible seguir el rastro de su dinero, gracias a cinco o más empresas fantasma localizadas en los habituales países con peor reputación financiera del mundo, donde reinaban el secretismo y la corrupción, y cuyos gobiernos no habían firmado el Tratado de Asistencia Legal Mutua.

Mientras Ben permaneció sentado en el coche con Shigeru, preocupado por la investigación inminente, el sonido de las sirenas que se acercaban había ido abriéndose paso en su cerebro poco a poco. En un primer momento apenas se fijó, pero sus frecuencias aumentaron enseguida de potencia, hasta que la flotilla de coches patrulla con las sirenas a todo volumen apareció en el retrovisor de Ben. Primero sintió la tentación de bajar para esperar su llegada, pero luego vaciló. Daba la impresión de que se acercaban a tal velocidad que Ben temió por su seguridad. Y estaba en lo cierto. Asombrado, vio que los coches salvaban la distancia entre ellos y él sin aminorar la velocidad, y después frenaban con un chirriar de ruedas, al tiempo que uno de ellos giraba sobre sí. Incluso antes de detenerse por completo, se abrieron las puertas y agentes de policía de Fort Lee bajaron con las pistolas desenfundadas. Fue como si pensaran que la masacre aún estaba teniendo lugar, aunque Ben había dejado muy claro por teléfono que había sucedido días antes.

Los ojos de Ben se dilataron de terror. Jamás había vivido algo semejante. Todas las pistolas le apuntaban, lo cual le llevó a temer que un movimiento o un ruido repentino le convirtiera en un colador. Intentó acurrucarse en su asiento, pero sin éxito. Los Range Rover estaban diseñados para facilitar la máxima visibilidad.

—¡Baje del coche! —gritó uno de los agentes—. Las manos abiertas y en alto.

—¡Poco a poco! —gritó otro agente—. Nada de movimientos bruscos.

—¡Hay un niño conmigo! —gritó Ben—. ¡Necesita atención médica!

—¡Baje del coche! ¡Ya!

—Ya salgo. Soy yo el que ha llamado al 911, por el amor de Dios.

—¡Al suelo! ¡Abra los brazos y las piernas!

Ben había obedecido, tras apartar latas de cerveza vacías y otros restos.

Al momento siguiente, varios policías corrieron hacia él y le cachearon. Tras comprobar que no iba armado, le esposaron y pusieron en pie. Ben vio que varios policías de Fort Lee subían corriendo hacia la casa con las armas desenfundadas, y desaparecían en el interior.

—¡Hostia, cómo huele! —dijo un agente, parado al lado de Ben, mientras arrugaba la nariz—. ¿Ha entrado?

—Sí. No quería, pero oí un ruido, que resultó ser este crío. —Ben utilizó la cabeza para señalar a través de la puerta abierta del conductor del Range Rover a Shigeru, cuyo rostro apenas podía verse dentro de la manta que lo envolvía—. ¿Por qué coño me han esposado? ¿Soy sospechoso? A juzgar por el olor, eso sucedió hace días.

El agente no contestó. Había llegado la ambulancia, con la sirena lo bastante potente para taladrar los oídos de Ben. Varios paramédicos bajaron; uno se dirigió a la parte posterior de la ambulancia para abrir la puerta y otro corrió hacia donde estaba Ben con sus dos guardianes.

—¿Dónde está el niño? —preguntó el conductor. Ben había pedido una ambulancia cuando llamó al 911.

—En el coche —respondió Ben antes de que la policía pudiera reaccionar—. Se encuentra bien —se apresuró a añadir—. Está deshidratado, pero sobre todo está aterrorizado. Ha estado escondido en una habitación secreta, a oscuras, desde que ocurrió la tragedia. Soy médico. Necesita una intravenosa. Necesita un análisis de sangre. Hay que examinar su función renal. —Ben se volvió hacia uno de sus captores, un agente uniformado que su placa identificaba como sargento Higgins—. Me gustaría acompañar al niño. Como ya he dicho, soy médico. Puedo volver aquí para que me interroguen después de que el niño se haya estabilizado.

—¿Es pariente del crío?

—No, pero...

Ben recordó en aquel momento los documentos que guardaba en la caja fuerte: los dos testamentos, uno firmado y otro no, y el documento del fondo fiduciario firmado, lo cual le convertía en fideicomisario de las patentes fundamentales de las células iPS. Para Ben, recordar la existencia de los documentos legales fue como un rayo de sol en mitad de una terrible tormenta. Aunque no era abogado, la idea de que tal vez podría decir algo acerca del futuro de las patentes no podía ser mala para las perspectivas de iPS USA y la necesaria perpetuación del acuerdo de licencia.

—Pero ¿qué? —preguntó el sargento Higgins.

—Pero seré el tutor del niño cuando se valide el testamento del padre.

—¿El padre es una de las víctimas de la casa?

—No que yo sepa. Solo vi a la madre.

—¿El padre está muerto?

—Tampoco lo sé —admitió Ben, lo cual le llevó a darse cuenta de que su intención de abandonar el lugar de los hechos con el niño era pura fantasía, aunque exhibiera el testamento firmado que obraba en su poder. Aceptó la realidad y se volvió hacia el paramédico—. Llévese al niño, cuyo nombre, por cierto, es Shigeru Machita, póngale una intravenosa, pero diga a las autoridades del hospital que pronto seré su tutor y que doy permiso para el tratamiento que le he descrito. Dígales también que iré en cuanto pueda.

—De acuerdo —dijo el paramédico, y rodeó el coche de Ben para acceder al asiento delantero del pasajero.

Ben vio que el paramédico levantaba al niño y volvía la cabeza al instante cuando el olor invadió su espacio vital. El paramédico transportó a toda prisa a Shigeru a la parte posterior de la ambulancia y lo entregó a su compañero, quien había vuelto al vehículo para acomodar al niño.

Por un momento, Ben se descubrió pensando en los problemas legales que se suscitarían. Shigeru, como el resto de su familia, era un inmigrante ilegal, sin constancia alguna de que hubiera entrado en el país. Su nacionalidad japonesa influiría en la decisión de un tribunal norteamericano sobre su futuro. Pero ¿dónde se encontraba Satoshi? ¿Estaba vivo o muerto? Si estaba vivo, los problemas legales serían menos. ¿Era posible que hubiera vuelto a casa, presenciado la masacre y huido para esconderse? Se le antojó improbable. Ben tenía la lúgubre sensación de que Satoshi, al igual que su familia, estaba muerto.

Cuando la ambulancia dio media vuelta en mitad de Pleasant Lane, llegaron más coches de policía, aunque sin la misma urgencia. Ben observó que estos coches patrulla eran del condado de Bergen.

Un momento después, un vehículo camuflado y varias furgonetas blancas pararon detrás de la policía del condado de Bergen. En un lado de las furgonetas se leía: DEPARTAMENTO DE PROTECCIÓN CIVIL DE NEW JERSEY, OFICINA DEL FORENSE. De un coche de policía salió un detective de paisano. Era de mediana edad y corpulento, con una mata de pelo castaño que empezaba a encanecer en las sienes. Estaba claro que era una fuerza vital. Era una de esas personas que irradiaba autoridad, determinación e inteligencia, de una forma serena y sin estridencias.

Caminó directamente hacia Ben, quien al instante se puso en guardia.

—Soy el teniente Tom Janow, de la policía del condado de Bergen —dijo. Sin esperar respuesta, se volvió hacia el sargento Higgins—. ¿Es la persona que llamó al 911?

—¡Sí, señor!

—¿Por qué está esposado?

El sargento Higgins hizo una pausa, desorientado por la pregunta.

—El teniente Brigs dijo que le cacheara y esposara.

—¿Por qué motivo?

—Bien... Porque el caso era un asesinato múltiple.

—Un asesinato múltiple acaecido al parecer hace uno o dos días, si no me equivoco —dijo Tom. Su voz era calmada y práctica, sin sombra de emoción o culpa.

—Bien, eso es cierto —admitió el sargento.

—¡Quítele las esposas! —ordenó con calma Tom.

Mientras liberaban a Ben, este observó la eficacia demostrada por la policía del condado de Bergen a la hora de realizar su trabajo. Mientras la policía de Fort Lee continuaba acordonando la zona, el contingente del condado de Bergen se preparaba para analizar el escenario del crimen. Además del detective de paisano, había un puñado de agentes uniformados, algunos investigadores del lugar del crimen y varios investigadores médico-legales de la oficina del forense del condado de Bergen. Los investigadores médico-legales estaban ocupados poniéndose trajes bioprotectores, algunos incluso con aparatos de respiración de circuito cerrado como Aqua-Lungs, con el fin de entrar en el edificio en cuanto la policía local lo declarara seguro. Había incluso un representante de la oficina del fiscal del distrito del condado de Bergen, quien había bajado de su coche camuflado para acercarse al teniente Janow, presentarse y pedir permiso para escuchar el interrogatorio de Ben, a lo cual el detective accedió en el acto.

—Siento lo de las esposas —dijo Tom en cuanto se las quitaron. Se había producido un pequeño problema con la llave.

Ben agradeció las disculpas de Tom. Aunque estaba preocupado por la situación cuando descubrió los cadáveres, la idea de que podían considerarle sospechoso nunca había madurado en su interior.

—No me consideran sospechoso, ¿verdad? —preguntó, al tiempo que se masajeaba las muñecas. Quería estar seguro por completo. Ya estaba bastante nervioso.

—Todavía no —dijo Tom—. ¿Qué le parece si hablamos en su vehículo? Será más agradable.

Como no estaba tranquilo del todo sobre si las sospechas recaerían en él, Ben accedió a utilizar su coche. El teniente se acomodó en el asiento del pasajero, mientras Ben lo hacía al volante. Por su parte, el investigador de la oficina del fiscal del distrito se sentó detrás.

Con la libreta y el bolígrafo preparados, Tom empezó con

la habitual letanía de preguntas relacionadas con la identidad e historia de Ben, y escribió con rapidez mientras este hablaba. A medida que avanzaban, Ben admiró todavía más la profesionalidad del detective. El estilo de interrogar de Tom, sistemático, experimentado y relajado, dejaba claro que sabía lo que estaba haciendo, al tiempo que daba la impresión de no realizar el menor esfuerzo. Al cabo de pocos minutos, habían pasado de la identidad e historia personal de Ben a los hechos que condujeron a que hubiera ido a casa de los Machita aquel día en particular.

Cuando Tom hizo una pausa, Ben notó que estaba temblando, y confió en que no se notara. La sensación de que Tom era demasiado bueno en lo suyo le ponía cada vez más nervioso; temía que averiguase algunas cosas que prefería ocultar. Ben tenía muchas ganas de terminar el interrogatorio, pero decidió no manifestarlo por si el detective interpretaba su ansiedad por acabar como una señal de que tenía algo que esconder.

Había otro motivo para el nerviosismo de Ben: no había sido del todo sincero. De hecho, había mentido dos veces. La primera mentira deliberada se produjo cuando dijo que Satoshi Machita le había dado la dirección de su casa, y la segunda cuando afirmó que no tenía ni idea de cómo había encontrado Satoshi la vivienda.

En aquel momento, un policía del condado de Bergen había salido de la casa y llamó con los nudillos a la ventanilla del lado de Tom. Este bajó del coche, lo cual permitió que Ben se volviera y mirara al hombre delgado y con gafas sentado en el asiento de atrás. Por un momento, sus ojos se encontraron, pero ninguno dijo nada. La situación no animaba a intercambiar trivialidades. Cinco minutos después, Tom volvió a subir al coche. En cuanto cerró la puerta, reanudó el interrogatorio.

—Me han dicho que usted entró en la casa.

—Sí —admitió Ben—. Le aseguro que habría preferido abstenerme, pero me sentí obligado debido al niño. Había oído un sonido agudo desde la puerta. En aquel momento ignoraba que se trataba de un niño.

Otra mentira, y Ben ni siquiera sabía por qué la había dicho.

—¿Rompió el cristal de la puerta?

—No. Ya estaba rota cuando llegué. La puerta no estaba cerrada con llave.

—¿Reconoció a alguna de las víctimas?

—Solo a la esposa.

—¿Y Satoshi?

—No está, al menos eso creo, pero no bajé al sótano.

—No está —explicó Tom—. Me han dicho que todos los cadáveres están juntos en la misma habitación, alineados en el suelo: seis.

—Eso es lo que vi.

—¿Dónde está él? —preguntó Tom sin inmutarse, como si se interesara por un conocido.

—Ojalá lo supiera. Hace días que intento ponerme en contacto con él. Estaba ansioso por conseguir un espacio de laboratorio. Quería informarle de que lo habíamos arreglado. Como ya le he dicho, pasé por aquí para verle.

—¿Cuándo y dónde fue la última vez que le vio?

—El miércoles por la tarde. Tuvimos una pequeña celebración en la oficina después de firmar el acuerdo de licencia. Se fue pronto, porque quería volver a casa para celebrar la buena noticia con su mujer.

—¿Ese acuerdo de licencia era lucrativo para él?

—¡Inmensamente!

Tom hizo una pausa para pensar, y después anotó algo.

—¿Cree que Satoshi pudo ser el culpable, que mató a toda su familia, salvo al niño? —preguntó Ben.

—Si fuera un caso de violencia doméstica, podría pensarlo, pero lo dudo —repuso Tom—. Es demasiado limpio, demasiado profesional. Esto apesta a crimen organizado; me han dicho que los cadáveres están alineados como en una cadena de montaje, y eso no ocurriría en una escena de violencia doméstica. Parece un golpe relacionado con las drogas, pero eso no significa que no nos interese localizar al señor Satoshi.

—Hummm —dijo Ben. Aunque había llegado a la misma conclusión en lo tocante a que la matanza no era un caso de violencia doméstica, había decidido no ofrecer más opiniones o información a menos que se lo pidieran expresamente.

—¿Sabía que el asesino o asesinos se tomaron la molestia de llevarse cualquier cosa que pudiera identificar a las víctimas? De no haber sido por usted, no tendríamos ni idea de quiénes eran esas personas.

—No lo sabía —contestó Ben, cada vez más arrepentido de haber ido—. Sí vi que la casa había sido registrada de arriba abajo.

Ben sabía que el asesino o asesinos estaban buscando algo. Suponía que eran los cuadernos de laboratorio de Satoshi, pero no deseaba transmitir esa idea.

—¿Se ha esforzado mucho en buscar a Satoshi?

—Le he llamado repetidas veces a su móvil. Aparte de eso y de venir hoy aquí, no he hecho nada especial.

—Teniendo en cuenta el cuidado que pusieron los asesinos en llevarse toda posible identificación, si hubieran matado a Satoshi antes de venir aquí también se habrían deshecho de su identificación. ¿Se puso en contacto con Personas Desaparecidas, por si en el depósito de cadáveres tenían el cuerpo de un japonés que nadie había reclamado ?

—Por supuesto que no.

Tom abrió la puerta, bajó y gritó a uno de los agentes uniformados que tuviera la bondad de acercarse. Cuando llegó el agente, Ben oyó que Tom le ordenaba volver al coche y llamar a la Brigada de Personas Desaparecidas de Nueva York, para preguntar sobre cualquier cadáver de un japonés sin identificar que hubiera aparecido durante los últimos días.

Tom regresó y subió al coche. Vio que Ben estaba consultando su reloj.

—¿Acaso le estamos distrayendo de algo importante?

—Pues sí. Estoy preocupado por el niño. ¿Sabe adónde le han conducido?

—El hospital más próximo es el de Englewood. Usted debe de conocerlo, puesto que vive en Englewood Cliffs. ¿Considera que el niño estaba grave?

—Aunque parezca sorprendente, no. Estaba deshidratado, pero no lo bastante como para causar daños en los órganos internos.

—Yo diría que debieron de llevarle al Centro Médico de la Universidad de Hackensack. Lo confirmaré. Entretanto, permita que le haga una pregunta. Por lo que usted sabe, ¿su empresa, iPS USA, mantiene alguna relación con el crimen organizado?

Ben se quedó estupefacto y, antes de poder reprimirse, aspiró una leve pero audible bocanada de aire. La naturaleza inesperada de la pregunta le había pillado desprevenido. Se recuperó al instante.

—¿Por qué nuestra empresa de biotecnología, que está intentando curar las enfermedades degenerativas por el bien de la humanidad, tendría algo que ver con el crimen organizado? —preguntó con la mayor calma posible—. Perdone, pero incluso formular esa pregunta es ridículo.

Tom enarcó las cejas.

—Es interesante que su respuesta a la pregunta sea otra pregunta, en lugar de un simple «no».

—No es raro que me sorprenda una pregunta que vincula mi empresa con el crimen organizado, cuando estamos hablando de que el crimen organizado está relacionado con este asesinato múltiple —dijo en defensa de sí mismo y de su respuesta—. Me he quedado de piedra. Creo que está claro que he llegado aquí en la inopia. Ni sabía nada de esta tragedia ni tengo nada que ver con ella.

Tom se tomó con calma la réplica de Ben, y en lugar de responder se limitó a repasar sus notas. Ben notó que su angustia aumentaba. Experimentó la sensación de que estaban jugando con él. Necesitaba marcharse. Necesitaba tiempo para pensar.

El agente encargado de llamar a Personas Desaparecidas golpeó con los nudillos la ventanilla de Tom. Este la bajó y le miró expectante.

—Tienen un cuerpo que se ajusta a esa descripción —dijo el agente—. Está en el IML de Nueva York.

—Gracias, Brian —contestó Tom. Miró a Ben y enarcó una ceja—. Creo que estamos haciendo progresos. —Se volvió hacia el agente—. Vuelva y pregunte adónde han llevado al niño de esta carnicería.

El agente hizo una especie de saludo antes de volver al coche patrulla.

—Tal vez, solo tal vez —comentó Tom—, hemos solucionado el misterio de Satoshi, que podría proporcionarnos información fundamental sobre la muerte de las seis personas de esta casa.

—Es posible —repuso sin entusiasmo Ben. Un momento antes había pensado que no podía estar más nervioso. Pero se había equivocado. No consideraba un paso adelante encontrar a Satoshi; muerto no, al menos.

—Le diré una cosa —continuó Tom, como si intuyera el estado mental de Ben—. Aún quiero hacerle más preguntas, pero dejaré que vaya a ver al niño. He de entrar y contemplar una escena que no me apetece en absoluto. Pero debe prometerme dos cosas: después de que haya visto al niño, quiero que llame y luego vaya en persona al IML de Nueva York para identificar el cadáver. Después, quiero que vuelva aquí o, si me he ido, se desplace hasta la comisaría de policía del condado de Bergen, que está también en Hackensack. ¿Trato hecho?

—Trato hecho —contestó Ben, ansioso por marcharse.

—Espere un momento. Voy a confirmar adónde han llevado al niño.

Tom bajó del coche. Al mismo tiempo, lo hizo el investigador de la oficina del fiscal del distrito, quien había estado escuchando en el asiento de atrás.

«Cielo santo», se dijo Ben, una vez a solas. No le había gustado nada la conversación con Tom. Ben se estremeció al pensar en las cosas que había dicho y en cómo se había portado. Desde su punto de vista, había sido un interrogatorio puro y duro, en el cual no había brillado. En un repentino estallido de paranoia, Ben pensó que lo único positivo era que no le habían leído sus derechos constitucionales.

Ben se estiró y trató de calmarse. Al menos, la conversación, o lo que hubiera sido, había terminado de momento, y cuando se reanudara ya habría tenido tiempo de pensar.

Ben puso en marcha el coche cuando Tom volvió y se detuvo ante la su ventanilla.

—Tal como sospechaba, han llevado al niño al centro médico de la Universidad de Hackensack. Espero que todo haya ido bien. Tome mi tarjeta. Tiene mi número de móvil. Quiero que me informe de inmediato sobre la identificación del cadáver, tanto si es positiva como negativa.

—Espere un momento —dijo Ben, antes de que Tom se marchara—. Quiero sugerirle algo. Me preocupa que el niño pueda correr peligro. Quien asesinó a toda la familia también puede estar interesado en acabar con el niño, y si se entera de su existencia, tal vez quiera completar el trabajo.

—Bien pensado —admitió Tom—. Gracias por la sugerencia. Ordenaré ahora mismo que envíen una unidad para que se encargue de su protección.

El trayecto hasta el centro médico de la Universidad de Hackensack era bastante corto, y si bien tuvo que atravesar varias poblaciones pequeñas, Ben llegó al poco rato. Con su matrícula de médico, utilizó el aparcamiento reservado, cerca de la entrada de urgencias, aunque sabía que no debería hacerlo.

Aunque la visita de Ben a la vivienda de Machita había sido mucho más horrible y angustiosa, la visita al hospital no fue mucho mejor, teniendo en cuenta su estado anímico. Pero por preocupantes que fueran las muertes acaecidas en la vivienda (y si Satoshi había muerto), existía escaso peligro de que se produjera un cambio de situación en el acuerdo de licencia relativo a las patentes de iPS, algo que habría sido desastroso para la empresa. Gracias a la insistencia de Satoshi en hacer testamento, Ben guardaba un as en la manga, incluso sin la firma de la esposa. Tenía el testamento y el documento del fondo fiduciario de Satoshi, ambos firmados y cumplimentados, y el testamento creaba un fondo fiduciario para las patentes principales; además, el documento del fondo fiduciario nombraba fideicomisario a Ben. Todo ello ratificaba que él controlaría las patentes en nombre de Shigeru, lo cual significaba que el acuerdo de licencia no corría peligro.

Por desgracia, después de la visita al hospital la idea optimista de Ben sobre los asuntos legales sufrió un serio revés, y lo que antes le aportaba cierta tranquilidad, el testamento y el fondo fiduciario, ahora temía que fuera nada más que humo en vez de un respaldo a sus pretensiones.

Ben había entrado por la sala de urgencias y se presentó como el doctor Benjamin Corey para infundir más respeto, pues la sala estaba abarrotada. Por desgracia, la treta no funcionó con el agobiado administrativo de urgencias, y Ben se vio obligado a hacerse a un lado y esperar.

—Busco a un niño pequeño que ingresó hace poco —dijo Ben en tono autoritario una vez atrajo la atención del empleado—. Llegó en ambulancia. Se llama Shigeru Machita. Tendrá un año y medio de edad. ¿Sigue en urgencias o ya lo han ingresado?

El administrativo, vestido con pijama, estaba siendo acosado sin piedad por varios de sus compañeros de trabajo, pero se propuso atender a Ben hasta el final.

—No ha entrado ningún Shigeru Machita desde mediodía —dijo, cuando levantó la vista de la pantalla.

—Tiene que estar. La policía me dijo que lo habían traído aquí. ¿Podría haber entrado bajo otro nombre?

—En ese caso, dígame cuál.

—Por supuesto. —Ben se dio una palmada en la frente—. ¿Podría ser un nombre genérico, como Baby Jack?

—¡Sí, aquí hay uno! —dijo el empleado, y llamó a un compañero de trabajo parado al otro lado de la zona de ingresos, que se acercó al instante—. Es un Juan Nadie infantil. ¿Podría ser él?

—Tal vez. ¿A qué hora llegó?

—A las dos y veintidós minutos de esta tarde.

—Coincide. ¿Dónde está?

—Lo han subido a pediatría, habitación 4207.

—De acuerdo. ¿Cómo puedo ir?

El empleado le dio rápidas y complicadas instrucciones que concluyeron con la sugerencia de que siguiera una línea azul pintada en el suelo. Ben olvidó las instrucciones y siguió la ruta laberíntica de la línea azul hasta una hilera de ascensores.

Cuando salió del ascensor en la cuarta planta, y pese al caos que reinaba, una de las enfermeras de recepción le vio y lo llamó.

—Perdone, ¿en qué puedo ayudarle?

Ben se acercó al mostrador. En la tarjeta que llevaba la mujer se leía SHEILA, RN.

—Soy el doctor Ben Corey. He venido a ver al Juan Nadie de la habitación 4207.

—Qué detalle —dijo Sheila con sinceridad. Era una mujer corpulenta, de piel oscura y cabello castaño con mechas rubias—. Soy la enfermera a cargo de esta planta. Esperábamos que viniera alguien. El pequeño no ha dicho ni pío. Se rumorea que sus padres resultaron muertos en un asesinato múltiple.

—Hasta el momento, da la impresión de que solo su madre resultó muerta —dijo Ben, con la esperanza de que fuera verdad—. El padre ha desaparecido. ¿Cómo está?

—Bien, teniendo en cuenta lo que ha pasado. Estaba deshidratado cuando llegó a urgencias, pero ya se ha repuesto. Sus electrólitos son ahora normales, y come y bebe. Pero guarda un silencio absoluto y apenas se mueve. Se limita a mirarte con esos ojos oscuros enormes. Me gustaría que dijera algo, incluso que llorara.

—Quiero echarle un vistazo.

—Temo que no podamos permitirlo, pero puede hablar con el agente de policía que le vigila.

Ben lo hizo así. Después de que el guardia examinara su identificación y consultara la lista de médicos que tenían autorizado el acceso, se resistió a dejarle entrar, hasta que Ben sugirió que llamara al detective Janow. Eso fue suficiente, y Sheila le acompañó hasta la habitación.

Tal como la enfermera había descrito, Shigeru yacía inmóvil en la cuna con los ojos abiertos de par en par. Sus ojos siguieron a Ben cuando se acercó a él.

—¡Hola, chavalote! —saludó Ben, al tiempo que apretaba con suavidad el antebrazo de Shigeru. Después de soltarlo, Ben vio que la piel volvía de inmediato a su color original, algo que no había ocurrido cuando le había llevado en volandas hasta el Range Rover. Era una prueba tosca pero eficaz de comprobar la deshidratación—. ¿Te están tratando bien?

Ben giró la botella de la intravenosa para ver qué le estaban dando.

—*Okasan* —dijo de repente Shigeru.

Ben y Sheila se miraron sorprendidos.

—¿Qué ha dicho? —preguntó Ben.

—No tengo ni idea.

—Debe de ser japonés.

—No lo sé —reconoció Sheila—. Pero aleluya, ha dicho algo. Le habrá reconocido.

—Será por lo de esta mañana. Antes solo le había visto un par de veces, y apenas un momento. Pero es una buena señal.

Si el padre no aparece pronto, por lo visto me convertiré en su tutor.

—¿De veras? No teníamos ni idea.

—Se lo dije al técnico de urgencias. Hasta le dije su nombre: Shigeru Machita.

—Creo que será mejor que hable con la asistente social encargada del caso.

—Por supuesto.

Ben consultó su reloj. No tenía mucho tiempo, puesto que se había comprometido a regresar a la ciudad, pero creía importante aclarar lo de la identidad y las cuestiones del seguro.

Mientras Sheila iba a buscar a la asistente social, Ben se quedó en la habitación de Shigeru y trató de arrancar al niño otra palabra, o que reaccionara a las cosquillas que le hacía. Aunque no dijo ni una palabra, reaccionó físicamente al estímulo.

Cinco minutos después, Sheila regresó con una alta y atractiva hispana. Llevaba un vestido de seda azul bajo la larga bata blanca. Se llamaba María, por supuesto, y su apellido era Sánchez.

Sheila se encargó de las presentaciones, y en cuanto terminaron, María sugirió que fueran a hablar a la sala de descanso de las enfermeras, que estaba detrás de recepción. Se comportaba como una ejecutiva resabiada que se tomaba su trabajo muy en serio.

—Sheila me habló de que usted había proporcionado a los paramédicos el nombre del niño y que era su tutor —dijo María en cuanto se sentaron y se aislaron del ajetreo de la planta.

—Le dije el nombre del niño, y que después de la validación del testamento yo sería posiblemente el tutor. Siempre que el padre haya muerto, tal como tememos. Me sorprende esa ausencia de comunicación.

—La sala de urgencias es un sitio muy ajetreado.

«No necesito una charla sobre la vida en el pabellón de urgencias», pensó Ben, pero calló. Había pasado demasiado tiempo en urgencias como interno. A su análisis del comportamiento de María añadió una animosidad inadecuada. Ben estaba empezando a sentir que le trataban como a un personaje de dudosa moralidad, que intentaba agenciarse a un pobre huérfano.

—Lamentamos que nuestra comunicación con urgencias no se transmitiera de la forma correcta. En cualquier caso, ¿cuál es su relación con el niño?

—Era, o todavía soy —replicó con cierta acritud Ben—, el jefe de su padre, una vez más dependiendo de la situación del mismo.

—¿Existe alguna duda sobre la situación del padre? Nos han dicho que ambos progenitores fueron asesinados.

—La madre sí, pero el padre no. Este se encuentra en paradero desconocido, aunque algunos creemos que él también está muerto.

—¿Por qué cree que será usted el tutor?

Ben calló un momento, mientras se preguntaba por qué se tomaba la molestia de contestar a aquellas preguntas. Tal vez debería ir a su oficina y volver con el testamento de Satoshi. Pero después recordó que tenía que ser validado.

—¿Ha oído mi pregunta?

—Sí, pero estoy empezando a creer que esto es una especie de interrogatorio, lo cual considero inadecuado.

—¿Por qué no vino con el niño cuando ingresó?

—No pude elegir. Estaba retenido por la policía después de haberme topado sin querer con las víctimas del asesinato. Encontré al niño escondido en la casa.

—Bien, permítame informarle de lo que ha sucedido en el hospital durante su ausencia. Sin nombre ni información, me puse en contacto con una asistente social de la DYFS, la División de Juventud y Servicios Familiares de New Jersey, que se halla bajo la jurisdicción del Departamento de Niños y Familias. Consultó de inmediato con un abogado de la DYFS, el cual, a su vez, consultó con el juzgado de familia y consiguió que la DYFS fuera nombrada tutor provisional, para que pudiéramos ocuparnos del niño cuando saliera de urgencias. De momento, eso no ha sido necesario. Pero la DYFS tiene ahora la tutela. Es un hecho que deberá aceptar.

—Podría enseñar el testamento a los abogados de la DYFS.

—Daría igual. El abogado de la DYFS no puede cambiar las leyes, solo el juzgado de familia, y usted no podría presentar el testamento al juzgado de familia porque no ha sido validado. Y como desconoce el paradero del padre o su estado de salud, no puede acudir al tribunal de testamentarias. De momento, la DYFS es el tutor provisional.

Ben estaba algo agobiado.

—Permítame que le haga otra pregunta —dijo María, cuando Ben no contestó—. No cabe duda de que este niño es japonés, o al menos de ascendencia asiática, y Sheila me ha dicho que habló cuando usted llegó, pero no en inglés. ¿Es ciudadano norteamericano?

—No, es japonés.

—Vaya, eso dificulta todavía más las cosas, lo sé por experiencia. En un caso como este, no puede darse nada por hecho. Un juez de testamentarias decidirá lo que deba hacerse, sin necesidad de basarse en documento alguno, sino solo pensando en los intereses del niño.

—Ah.

Una nueva oleada de preocupación se abatió sobre Ben. Hasta aquel mismo momento pensaba que el acuerdo de licencia estaba a salvo de cualquier cambio. Pero ahora, de repente, una mujer con experiencia en el campo del derecho familiar le estaba informando de que la circunstancia del acuerdo de licencia no era inamovible, sino que podía interpretarse en función de los intereses del niño. Incluso Ben tuvo que aceptar que sería difícil justificar su papel de fideicomisario de la entidad propietaria de las patentes de iPS, siendo también director general de iPS USA. Se trataba de un enorme conflicto de intereses. Y ahora Ben tenía que afrontar la posibilidad de que iPS USA perdiera el control de las patentes de Satoshi. Antes de ir al hospital había confiado en que estaba destinado a ser el tutor y fideicomisario de Shigeru. Ahora existía la posibilidad de que no fuera ni una cosa ni otra.

Ben salió de FDR Drive en la calle Treinta y cuatro y continuó hacia el sur por la Segunda Avenida. Cuanto más se acercaba al IML, más nervioso se sentía por todo: tener que volver con el detective de la policía del condado de Bergen para que le hiciera más preguntas, la posibilidad de que se produjeran cambios en el acuerdo de licencia en exclusiva de iPS, y el hecho de tener que identificar el cadáver de Satoshi. Durante unas cuantas manzanas sopesó la posibilidad de no identificar a Satoshi, aunque fuera él, pero desechó la idea, pues solo serviría para aplazar lo inevitable, además de focalizar la atención en su persona. Ben cayó en la cuenta de que su única esperanza residía en evitar toda sospecha de estar implicado, y para ello tenía que mostrarse colaborador.

Aparcó en una calle lateral a escasa distancia del IML. Se detuvo un momento antes de entrar, pero no por miedo a lo que pudiera ver en el depósito de cadáveres. Al contrario que los legos, había visto suficientes muertos para aceptar que era parte de la vida. Hasta había presenciado varias autopsias cuando era estudiante. Se detuvo porque su intuición le decía a gritos que la muerte de Satoshi, aunque él no estuviera relacionado con ella, iba a tener graves consecuencias.

Para armarse de valor antes de entrar, Ben se recordó que existía la posibilidad de que el cuerpo que estaba a punto de ver no fuera el de Satoshi. También se recordó que, aunque fuera él, no existían motivos para que no pudiera lidiar con los problemas y riesgos resultantes. Siempre era preferible el conocimiento. Era la ignorancia la que engendraba las equivocaciones, siempre. Si Satoshi estaba muerto, era mejor saberlo antes que cualquiera, y si se trataba de una muerte natural, tal vez no tuviera consecuencias.

Algo más seguro que unos momentos antes, Ben abrió un lado de una puerta doble y entró en el IML. Consultó su reloj. Eran casi las cinco menos cuarto de la tarde. Pasara lo que pasara, no quería que se prolongara demasiado puesto que debía pasarse por la escena del crimen, o bien por la comisaría de policía del condado de Bergen, y presentarse ante Tom Janow para responder a más preguntas, antes de que le dejaran volver a casa.

La zona de recepción estaba abarrotada, al parecer del personal de la institución, preparado para marcharse después de un largo día de trabajo. Se abrió paso entre la gente, se acercó al mostrador y preguntó por Rebecca Marshall, la funcionaria con la que había hablado antes por teléfono. Le dijeron que Rebecca bajaría enseguida.

Ben esperó en un viejo sofá de vinilo, mientras veía conversar a la gente en pequeños grupos dinámicos que se formaban, deshacían y volvían a formarse, a medida que la gente se iba y nuevas personas se sumaban. Se preguntó si eran conscientes de lo especial que era su trabajo, y si alguna vez hablaban de él entre sí. Supuso que no, un buen ejemplo de la adaptabilidad del organismo humano.

—Señor Corey —le llamó una voz.

Ben miró a su derecha. Una mujer negra de rostro agradable y bondadoso, y pelo plateado muy rizado, había logrado abrirse paso hasta él. Apretaba una carpeta de papel manila y otros papeles contra su pecho.

—Soy Rebecca Marshall. Creo que hablamos antes.

Rebecca condujo a Ben a través de una puerta y la cerró a sus espaldas.

—Esto se llama la sala de identificación de los familiares —explicó.

Era un espacio de escaso tamaño, con un sofá azul y una mesa de madera redonda con ocho sillas de madera. Había varios carteles enmarcados con imágenes relativas al 11-S. Cada una llevaba la leyenda NO OLVIDÉIS en la parte inferior.

—Por favor —dijo Rebecca, y señaló una de las sillas de la mesa. Ben se sentó, y Rebecca le imitó—. Como ya dije por teléfono, soy funcionaria de identificación. Como podrá imaginar, la identificación de cualquier cuerpo que nos llega es de extrema importancia para nuestro trabajo. Por lo general, son miembros de la familia los que se encargan de este trámite. Si no tenemos familiares, confiamos en que acudan amigos o compañeros de trabajo. En otras palabras, cualquiera que conozca a la víctima. Supongo que me ha entendido, ¿verdad?

Ben asintió y pensó para sí: «No necesito más charlas. ¡Enseñadme el maldito cuerpo para que me pueda largar de aquí!».

—Bien —dijo Rebecca en respuesta al cabeceo de Tom—. Para empezar, necesito ver su identificación. Cualquier documento oficial con una foto. Un permiso de conducir bastará.

Rebecca sacó un formulario de identificación en blanco de entre los papeles que traía.

Ben sacó el permiso de conducir y se lo dio. Después de compararle con la foto, la mujer anotó la información en el formulario. Su tono y gestos eran prácticos y respetuosos, lo cual dio a entender a Ben que sería igualmente competente a la hora de manejar la situación, tanto si sufría un acceso de rabia o, como era el caso, aparentaba absoluta indiferencia.

Una vez anotados los datos, Rebecca abrió el expediente, que consistía en una carpeta grande sujeta con una goma elástica. Extrajo más de media docena de fotos digitales. Las dejó alineadas con suma pulcritud delante de Ben, quien mantuvo los ojos clavados en los de Rebecca. Cuando la mujer terminó, sostuvieron la mirada un momento, antes de que Ben bajara la vista.

Eran fotos de frente y de perfil. Las habían tomado para propósitos de identificación, y por eso tan solo se veía la cara. El cuerpo estaba cubierto con una toalla.

Aunque Ben reconoció a Satoshi al instante, compuso a propósito una expresión neutra. No sabía por qué, pero lo hizo. Ninguno de los dos dijo nada, pues Rebecca prefería que Ben no se precipitara. En el silencio se oía un murmullo ininteligible de voces procedente de la zona de recepción.

—Se llama Satoshi Machita —dijo Ben por fin, pasando la vista de una foto a otra. No se percató de su tono de decepción, y supuso que Rebecca lo tomaría por pesar. «Ahora sí que va en serio», añadió en silencio Ben para sí. De pronto decidió que no era bueno para él o, desde un punto de vista más realista, totalmente inapropiado demostrar la menor emoción. Miró a la empleada—. Pensé que tendría que echar un vistazo al cadáver, como en las películas.

—No. Hace años que utilizamos fotos. Antes de las cámaras digitales usábamos polaroids. Es mucho mejor para casi todo el mundo, sobre todo para familiares, o cuando los rostros de las víctimas han sufrido traumatismos. No obstante, si insisten les dejamos ver el cuerpo. ¿Prefiere ver el cadáver? ¿Le ayudaría a decidirse?

—No. Es Satoshi Machita, estoy seguro. No necesito ver el cuerpo.

Ben hizo ademán de levantarse, pero Rebecca apoyó una mano sobre su antebrazo, con el toque más leve que jamás había experimentado de alguien investido de autoridad.

—Hay más, me temo —dijo la mujer—. Pero antes permita que le haga una pregunta. La doctora que se ocupa del caso se encuentra todavía en el edificio. Le dije que venía usted para una posible identificación. Me preguntó si podría reunirse con usted y hacerle unas preguntas, en el caso de que el resultado fuese positivo.

La primera reacción de Ben fue negarse. Lo último que deseaba era entretenerse en el IML, puesto que ya se había comprometido a continuar el interrogatorio con el detective Janow. Quería encontrarse con Janow, acabar de una vez y volver a casa más o menos a la hora que había calculado cuando llamó a su mujer después de salir del hospital. Pero entonces pensó en otra cosa. Tal vez sería mejor demorarse en el IML. Puede que si la reunión con la mujer se prolongaba mucho podría utilizarlo como excusa para no encontrarse de nuevo con el detective aquella noche. Le gustaría estar más descansado la próxima vez que le viera. Además, sentía curiosidad por la muerte de Satoshi, y una reunión con la forense que se encargaba del caso tal vez le permitiría averiguar más detalles.

—Puedo llamarla y preguntar si está libre en este momento. Nos ocuparemos del resto de nuestro asunto mientras ella baja. Si quiere, puedo llamarla ahora y ver si la localizo antes de que se vaya.

—De acuerdo. Siempre que sea ahora y no tenga que retrasarme más. Tengo otra reunión esta noche en New Jersey.

Preocupada por si Ben cambiaba de opinión, Rebecca llamó de inmediato al despacho de Laurie. Cuando Laurie oyó quién era, intentó sacarse de encima a Rebecca.

—Estoy en una reunión que está a punto de terminar —dijo—. ¿Puedo llamarte dentro de unos minutos?

—Mejor que no. El caballero del que te he hablado ha de marcharse a una reunión en New Jersey, y ya le he robado demasiado tiempo. Vino aquí para ayudarnos a identificar a la víctima, cosa que ha hecho. Ahora ya conocemos la identidad del caso.

—¡Estupendo! —exclamó Laurie—. ¡Espera!

Rebecca oyó que Laurie hablaba, pero no qué decía.

Laurie volvió a ponerse.

—¡Bajamos ahora mismo!

Colgó con brusquedad.

Rebecca contempló el teléfono un momento, como si fuera a revelarle a quién se refería Laurie cuando habló en plural. Colgó y se volvió hacia Ben.

—Ya viene.

—Eso he oído.

—Acabemos cuanto antes. Quiero que escriba en varias de estas fotos «Este es Satoshi Machita», y después firme.

—De acuerdo.

—¿Sabe la última dirección de Satoshi?

—Sí, pero su teléfono no. Lo tengo en el despacho.

—¿Sabe si el señor Machita tenía problemas de salud, antiguas heridas o señales por las que reconocerle?

—No tengo ni idea. A mí me parecía sano.

Rebecca estaba rellenando el formulario de identificación mientras hacía las preguntas.

—¿Cuál era su relación con el fallecido? Es la última pregunta.

—Era su jefe —dijo Ben.

32

Laurie fue la primera en entrar en el ascensor. Accionó el botón del primer piso, pero después apretó el botón que mantenía abierta la puerta para evitar que se cerrara antes de que entraran el detective Lou Soldano y Jack. Solo entonces lo soltó, y la puerta se cerró de inmediato.

Laurie se encontraba de muy buen humor. Justo antes de recibir la llamada de Rebecca acababa de terminar su minirrueda de prensa, mini porque solo asistieron Jack y Lou, relativa a los dos casos en los que estaba ocupada: los dos japoneses no identificados, aunque según la información de Rebecca ahora solo quedaba uno.

En menos de cinco minutos, Laurie había sido capaz de demostrar, para entera satisfacción de Jack y Lou, que el segundo hombre, lo más probable un secuaz de la yakuza, tal como sugerían sus numerosos tatuajes, las perlas incrustadas en el pene y el hecho de que le faltara la última articulación del dedo meñique, había asesinado al primer hombre durante la comisión de un robo en el andén del metro, con un cómplice que también era de ascendencia nipona. También había podido demostrar que el crimen había sido cometido mediante una pistola de aire comprimido oculta en un paraguas, con una dosis fatal de una toxina llamada tetrodotoxina.

Lo de la tetrodotoxina no era todavía oficial, aunque Laurie estaba convencida. Había admitido que el hallazgo aún no había sido certificado por John DeVries. Si bien Laurie había encontrado los picos correctos en el espectómetro de masas, John aún quería certificar los resultados analizando una muestra de tetrodotoxina que Laurie había conseguido en el hospital de al lado.

—No puedo creer que hayas conseguido esto en dos días —dijo Lou—. Eres como un grupo de trabajo unipersonal. Se supone que colaboras con nosotros, los detectives. En cambio, has hecho tu trabajo y el nuestro. Es increíble.

—Gracias.

Laurie se dio cuenta de que se había ruborizado. Recibir tal cumplido de Lou significaba mucho para ella.

—En las cintas de seguridad se veían a dos personas implicadas en el asesinato —dijo Laurie para desviar la atención de sí misma—. Espero que lo hayáis tomado en consideración.

—No te preocupes, me acuerdo. Por lo que has dicho, es posible que haya otro cadáver en el puerto, cosa que comprobaré de inmediato. Es estupendo que hayamos conseguido identificar al primer tipo. Nos proporcionará un punto de apoyo desde el que iniciar nuestra investigación. Como ya dije esta mañana, mi mayor temor es que todo esto sea un presagio de una guerra entre bandas.

—No creo que el número uno fuera miembro de la yakuza —dijo Laurie.

—Ya veremos.

—Y pensar que intenté desalentarte... —dijo Jack, que hablaba por primera vez.

—¿Intentaste desalentarla? —preguntó Lou, y miró a Jack con expresión inquisitiva.

—Sí —confesó Jack—. Pensaba que su caso era una muerte natural, sobre todo después de una autopsia negativa por completo. No quería que llevara a cabo un enorme esfuerzo por nada. Sobre todo siendo su primer caso.

—Es verdad —dijo Laurie—. Intentó convencerme de que no viera las cintas de seguridad, lo cual me llevó un buen rato. Además del anónimo amenazador, por supuesto. Debo decir, Jack, que fue un golpe bajo. Supongo que te cabreaste cuando no reaccioné a tu broma pesada.

—¿De qué anónimo hablas? —soltó Lou, preocupado.

—De vez en cuando recibimos cartas o correos electrónicos de paranoicos que confunden nuestro papel —explicó Laurie—. Por lo general, los entregamos a la oficina de atención al público, que alerta a seguridad, y ahí termina todo. En la gran mayoría de los casos, la gente está dolida y furiosa, le cuesta aceptar la pérdida de un familiar y quiere culpar a alguien. Antes me preocupaban, pero al final te acabas acostumbrando. No pasa nada.

La puerta del ascensor se abrió y todos salieron. Jack apoyó una mano sobre el hombro de Laurie y habló en tono muy pausado.

—¡Yo no te escribí un anónimo amenazándote! ¡Nunca haría algo semejante!

Laurie ladeó la cabeza.

—¿No me escribiste una carta amenazándome si no abandonaba la investigación del primer caso?

—Que me caiga muerto aquí mismo si lo hice.

—¿Estás seguro? Quiero decir, ¿no sería típico de tu humor negro? Al fin y al cabo, intentaste convencerme en serio de que dejara lo que estaba haciendo.

—Tal vez en algunos aspectos pueda parecer típico de mí, pero te aseguro que jamás haría eso.

—¿Qué decía la carta? —preguntó Lou.

—No lo recuerdo con exactitud, pero era breve e iba al grano. Algo así como que si no dejaba de trabajar en el caso habría consecuencias, y si acudía a la policía, se producirían las mismas consecuencias. O sea, todo era de lo más melodramático. Todas las demás cartas que he recibido consistían en una sarta de protestas y afirmaciones demenciales. Esta parecía una broma por su brevedad. Marlene la encontró después de que la pasaran por debajo de la puerta principal. La dejó sobre el teclado de mi ordenador.

—Me gustaría ver esa carta —dijo Lou muy serio.

—Bien —repuso Laurie con falsa indiferencia. Se sentía juzgada en su momento de gloria, aunque también con un toque de culpabilidad—. Primero vayamos a ver al buen samaritano que ha identificado mi caso. Después volveremos a mi despacho para examinar la carta.

33

—Pensándolo mejor, creo que debería marcharme —dijo Ben, al tiempo que echaba hacia atrás su silla y se levantaba. Aunque solo llevaba esperando unos minutos a la forense, había empezado a rechazar la idea de responder a más preguntas. Se le había ocurrido que, aunque quisiera parecer colaborador, aportar más información sin antes recibir asesoría legal no era lo que más le interesaba. No tenía ni idea de si la muerte de Satoshi estaba relacionada con las seis muertes de New Jersey, pero todo parecía indicar que sí. Tras haber descubierto el asesinato múltiple e identificado el cuerpo de Satoshi, ya estaba metido en el ajo, le gustara o no. Era mejor no exponerse más y callar. Ben estaba seguro de que cualquier abogado defensor que contratara le aconsejaría eso.

Rebecca saltó de la silla.

—Me pregunto dónde estará la doctora Montgomery-Stapleton. Dijo que bajaba enseguida. Déjeme ver.

Rebecca abrió la puerta y vio que Laurie se acercaba a la zona de registro del vestíbulo. Detrás de ella iba el doctor Jack Stapleton y otro hombre al que no reconoció.

—Aquí viene la doctora —dijo Rebecca, y abrió la puerta de par en par.

Laurie entró algo mohína después de la conversación sobre la carta amenazadora, pero se recuperó enseguida cuando le presentaron a Ben.

Este se quedó cautivado enseguida por el atractivo y la sonrisa de Laurie. Durante un instante fugaz, sus recientes preocupaciones sobre hablar con las autoridades se replegaron a los recovecos de su mente. Un momento después, cuando le presentaron al capitán Lou Soldano, volvieron en tropel. Conocer al doctor Jack Stapleton no obró el menor efecto, ni siquiera el hecho de que compartiera el mismo apellido con Laurie. Ben estaba muy preocupado por reunirse con otro detective. Su paranoia se centuplicó.

—Antes de nada, quiero darle las gracias sinceramente por dedicar parte de su tiempo a la identificación de nuestro caso —dijo Laurie—. No sabe lo importante que es para nosotros.

—Me alegro de haberles sido de ayuda —dijo Ben, con la esperanza de que no se notara su nerviosismo. Observó que el detective levantaba el formulario que contenía la información sobre él y lo estudiaba—. Pero tengo una reunión importante en New Jersey y ya voy con retraso.

—Será rápido —dijo Laurie—. Tenemos un segundo cuerpo, otro asiático, que llegó anoche. Le agradeceríamos mucho que le echara un vistazo, por si le reconoce también. Sabemos que existe alguna relación entre él y la persona que usted ha identificado. ¿Le importa?

—Supongo que no —contestó Ben, sin demasiado entusiasmo.

—Es el caso en el que he trabajado esta mañana —explicó Laurie a Rebecca—. El caso de los tatuajes.

—Entendido —dijo Rebecca, y salió de la habitación.

—¿Quiere sentarse? —preguntó Laurie, al tiempo que señalaba la silla de la que Ben acababa de levantarse.

Laurie tomó el formulario de identificación de manos de Lou y lo examinó.

—¿Cómo murió Satoshi? —preguntó Ben, intentando afectar indiferencia.

—Lo siento —respondió Laurie, mientras dejaba el formulario sobre la mesa—. El caso sigue abierto, y no podemos revelar nada al público en general hasta que esté cerrado, y entonces solo a través de nuestro departamento de relaciones públicas. Si fuera un familiar, sería diferente. Lo siento.

—Tranquila —dijo Ben—. Era simple curiosidad.

Era mucho más que eso, pero no quería revelarlo.

—Así que usted era el jefe de Machita —prosiguió Laurie—. ¿Puede decirnos algo más al respecto?

Ben repitió lo que ya había contado a Rebecca, y subrayó que Satoshi era un empleado muy reciente, al que no conocía muy bien. Ben añadió que su empresa se dedicaba al campo de la biotecnología, y que Satoshi era un investigador poco conocido, pero de mucho talento.

—Tengo entendido que llamó a la Brigada de Personas Desaparecidas esta tarde.

—Yo no hice la llamada en persona, pero sí estaba preocupado. El señor Machita no vino a la oficina estos dos últimos días, y tampoco contestaba a su móvil.

—Cuando el señor Machita se desplomó en el andén del metro, tenemos razones para creer que le robaron algo —dijo Laurie, con cuidado de no mencionar el hecho de que le habían asesinado—. ¿Tiene idea de qué pudo ser? ¿Es posible que se tratara de algo concreto, o incluso valioso?

—No tengo ni idea —mintió Ben. Si alguien había seguido a Satoshi para robarle, suponía que iba en busca de los cuadernos de laboratorio, que se encontraban a buen recaudo en su caja fuerte.

Teniendo en cuenta la naturaleza de las preguntas de Laurie, Ben comprendió que la causa de la muerte de Satoshi no había sido natural, y que le habían asesinado. Tenía ganas de marcharse. No le importaba mentir sobre algo que jamás podría demostrarse, pero no pensaba mentir sobre algo fácilmente verificable. No quería hablar de lo ocurrido en New Jersey aquella misma tarde, y estaba aterrorizado de que la siguiente pregunta girara en torno a algo relacionado con la familia de Satoshi, que a su vez conduciría a lo sucedido aquella tarde.

Una vacilante sensación de alivio le inundó cuando Rebecca regresó con el expediente del secuaz de la yakuza no identificado. Entregó la carpeta a Laurie, quien procedió a extraer las fotos del cadáver. No eran fotos pensadas para aplacar la sensibilidad de los legos. Eran fotos de un cuerpo desnudo tomadas bajo el resplandor despiadado de luces fluorescentes, diseñadas para subrayar todos los defectos y deformaciones. Aunque los tatuajes reducían el horror de lo plasmado hasta cierto punto, el austero color alabastro de las extremidades y el rostro, debido a las horas que había estado flotando en las aguas salobres del río, no podían pasarse por alto.

Ben se encogió, y su reacción se vio agudizada por la inquietud que le producía tener a un detective sentado delante de él. Una vez más, su preparación y experiencia médicas acudieron en su ayuda, y pudo recuperar la serenidad sentándose más tieso.

—Nunca le había visto —dijo con voz aguda, que incluso a él le sorprendió. Carraspeó—. Lo siento, pero no tengo ni idea de quién es.

—¿Está seguro? —preguntó Laurie—. Sé que los tatuajes desconciertan. ¿Puede mirar su rostro e imaginarlo pletórico de vida?

—Nunca le había visto y tengo buena memoria para las caras. —Ben empujó hacia atrás la silla y consultó la hora—. Lamento no poder ayudarles con este caso, pero espero haberlo hecho con el primero.

Se levantó, y los demás le imitaron.

—Nos ha ayudado mucho —dijo Laurie—. Quiero darle las gracias de nuevo.

Ben estrechó la mano de Laurie, y después la de Jack, quien

estaba sentado al lado de Laurie, y luego la de Lou. Ben observó que este último retenía su mano aposta más de lo esperado, mientras taladraba a Ben con sus ojos oscuros.

—Ha sido interesante conocerle, doctor Corey —dijo Lou, sin soltar la mano de Ben. Cuando la liberó por fin, no lo hizo sin antes darle un apretón final. A Ben le preocupó que fuera el mensaje de que volverían a verse.

El apretón de manos del detective había aumentado su inquietud, una sensación que se llevó consigo al 4×4. «¿Me estaba transmitiendo el detective un mensaje?», se preguntó en silencio. Titubeó antes de poner en marcha el coche.

—Dios mío —dijo en voz alta—. Me siento como si deambulara por un maldito campo de minas.

Sacó el móvil y la tarjeta del teniente Tom Janow, y llamó a regañadientes, con la vana esperanza, como eran más de las seis, de que le citara para el día siguiente. Pero no fue el caso, sobre todo cuando el detective se enteró de que la identificación había sido positiva: el cadáver era el de Satoshi Machita. Para empeorar las cosas, Janow aún seguía en el lugar de los hechos, lo cual significaba que Ben debía volver a sufrir el peor hedor que jamás había soportado, algo que, en aquel momento, y en su actual estado de angustia, se le antojó inquietantemente simbólico.

34

En la sala de familiares, Laurie, Jack y Lou se habían quedado en sus asientos. Lou fue el único que habló. Había dicho que quería una copia de la dirección y los números de teléfono de Ben. Laurie no había contestado, sino que había dado golpecitos con el dedo sobre el formulario de identificación terminado de Satoshi, como indicando que la información de contacto estaba allí.

Durante varios minutos nadie habló. Se miraban entre sí como perplejos. En el vestíbulo se oyó un repentino estallido de voces que se filtraron a través de la puerta cerrada. Nadie se movió, pese al aparente alboroto. Laurie fue la primera en romper el silencio.

—¿Qué pensáis, chicos?

—Un bicho raro —sugirió Jack—. Un bicho raro muy incómodo. Por una parte, parecía muy seguro de sí mismo, y por otra, la típica cuerda de violín a punto de partirse. En un momento dado se puso a temblar.

—¿Pudo ser porque identificó a Satoshi? ¿Fue una reacción de dolor? Yo también vi los temblores. Asimismo, recibí el mensaje de que estar aquí, hablando con nosotros, era lo último que deseaba en este mundo.

—Debería descalificarme a mí mismo —dijo Lou—. Ya le había visto antes.

—¿De veras? —preguntó Laurie, sorprendida—. ¿Dónde le habías visto?

—No me refiero a que le haya visto a él en concreto. He visto a esa clase de persona. Es uno de esos tipos estirados de la asociación de universidades privadas Ivy League. Actúan como si las normas no fueran con ellos.

—Ve con cuidado —advirtió Jack—. Yo también soy de esa cuerda.

—No me refiero a que sea igual que tú —explicó Lou—. Tú cuestionas algunas normas desde el ángulo de la filosofía progresista, en el sentido de si son lógicas y si sirven a todo el mundo por igual. Este tipo de individuo cuestiona las normas de una manera egoísta. Se pregunta si a él le convienen. Mientras gane dinero, todo va bien. Es un egoísta de tomo y lomo.

—Creo que sabe más de lo que dice —añadió Laurie.

—Sin duda —convino Lou—. Yo le habría hecho preguntas mucho más directas.

—No me faltaron ganas —dijo Laurie—, pero creo que no me habría salido con la mía. Vino aquí por decisión propia, y podía irse cuando le diera la gana. Tal vez algún día, cuando estés al mando, se te presente la oportunidad.

—Supongo que tienes razón. Te diré algo: aquí hay dos homicidios, y ordenaré que investiguen la empresa del doctor Corey con lupa. Tiene que existir una interesante explicación de por qué uno de sus empleados fue asesinado por varios profesionales del crimen organizado, sobre todo siendo todos ellos, víctima y asesinos, japoneses.

—Me parece una buena idea —dijo Laurie. Apoyó una mano sobre el antebrazo de Jack y le miró a los ojos—. Ya tengo bastante por hoy. ¿Qué dices tú? ¿Quieres dejar tu bicicleta aquí y volver a casa conmigo en un bonito, seguro y confortable taxi?

—No, gracias. Quiero tener la bicicleta en casa el fin de semana.

Jack se levantó.

—Eh, ¿qué hay de la carta amenazadora? —preguntó Lou.

—¡Claro! —dijo Laurie a la ligera. Pero no pensaba defender lo que, al pensarlo ahora, se le antojó una mala decisión. Comprendió que no tendría que haberla desechado sin más, aunque en aquel momento hubiera estado convencida de que era una de las típicas bromas de mal gusto de su marido. La elección de las palabras no era divertida de ningún modo, pero era tan diferente de las otras amenazas recibidas por correo que había puesto en duda su autenticidad al momento, y consideraba que era muy propia de la falta de madurez de Jack.

Laurie atravesó la puerta que conducía a la zona de recepción, seguida de Lou y Jack. Este estaba diciendo que ya tenía todas sus cosas en la bicicleta.

—Nos veremos en casa —dijo a Laurie—. Hasta la próxima —se despidió de Lou.

El capitán movió la mano sobre la cabeza para indicar que le había oído, y entonces tropezó con Laurie, que había parado en seco. Había un montón de gente en el vestíbulo, la mayoría de pie. Los empleados del IML ya habían empezado a salir después de despedirse de los demás y un nuevo grupo de gente había entrado. Como algunos de los recién llegados lloraban, era evidente que habían venido a identificar a un familiar fallecido. Otra empleada de identificación estaba parada junto a la puerta para ocupar la sala, mientras Laurie, Lou y Jack salían. El IML solo contaba con una sala de ese tipo. Laurie se disculpó por haber retrasado el procedimiento.

Jack, que todavía estaba hablando de bajar directamente a la planta del depósito de cadáveres en lugar de volver a su despacho, se había parado para no tropezar con Lou. Observó que Laurie se estaba desviando a la izquierda como paralizada. Siguió su mirada y vio a una mujer negra en el sofá. Tendría unos cuarenta y cinco años, facciones bien definidas y un rostro estrecho abrumado por el dolor. A su alrededor se amontonaban media docena de personas. Todas la estaban tocando en un intento de consolarla. Jack descubrió enseguida que la mujer le resultaba familiar, pero no recordó dónde la había visto.

Para Laurie, era muy diferente. La reconoció al instante, aunque solo la había visto dos o tres veces. Era Marilyn Wilson, la madre de Leticia Wilson.

Una sensación de pánico y miedo recorrió el cuerpo de Laurie como si la hubiera alcanzado un rayo. Laurie avanzó hacia Marilyn sin ver nada más. Nadie iba a detenerla. Con cierto esfuerzo, y provocando la irritación de varias personas, Laurie se detuvo delante de Marilyn. Se acuclilló, con la cara a la altura de la de ella, y preguntó a la mujer qué había pasado.

Al principio Marilyn miró a Laurie con una expresión de dolor en estado puro. Sus ojos estaban anegados en lágrimas.

—Soy Laurie —dijo, mientras intentaba penetrar el velo de angustia que rodeaba a la mujer—. ¿Qué ha pasado? ¿Es algo relacionado con Leticia o con alguna otra persona?

Mencionar el nombre de su hija obró un profundo efecto. En cuanto escapó de los labios de Laurie, dio la impresión de que la mujer despertaba de un sueño. Los ojos, que tenía clavados en la lejanía, convergieron y las pupilas se contrajeron. Cuando por fin reconoció a Laurie, su intenso dolor se convirtió en intensa ira.

—¡Usted! —chilló, lo cual asombró a todo el mundo, pero en particular a Laurie—. Usted es la culpable. ¡De no ser por usted, mi Leticia aún estaría viva!

Marilyn se levantó de repente del sofá, lo cual provocó que Laurie la imitara y retrocediera un paso.

La gente que había estado intentando consolar a Marilyn también se quedó estupefacta y retrocedió. Al instante siguiente, intentaron sujetarla, pero sin éxito. Marilyn, deshecha en llanto, consiguió plantar las manos a ambos lados del cuello de Laurie, y cuando separaron a ambas mujeres, los dedos de Marilyn se hundieron en la piel de debajo de la barbilla de Laurie, dejándole varias marcas rojizas, con algunas gotas de sangre.

Jack y Lou acudieron de inmediato en ayuda de Laurie, con el fin de comprobar la magnitud de las heridas. También acudió en su ayuda Warren Wilson, el compañero de baloncesto de Jack. Este, Laurie, Warren y la novia de Warren, Natalie Adams, eran amigos íntimos desde hacía más de una década.

Jack no tenía ni idea de que Warren estaba en la sala, hasta que apareció al lado de Laurie segundos después de la refriega. Empezó a explicar a Jack y Lou lo que estaba pasando, cuando Laurie se alejó como un rayo sin aviso ni explicaciones.

Con expresión firme y decidida, se abrió paso entre la multitud en dirección a la recepcionista.

—¡Déjeme entrar! —pidió Laurie al hombre de seguridad que estaba en el mostrador, antes de encaminarse hacia la entrada principal del IML. Agitó el pomo impaciente hasta que el guardia oprimió el botón adecuado.

—¡Laurie! —chilló Jack sobre el tumulto de voces. Se había despedido de Warren y Lou con un rápido «Ya vuelvo», en el momento en que Laurie se había alejado hacia la recepcionista sin más explicaciones. Jack consiguió llegar a la puerta antes de que se cerrara a espaldas de Laurie. La abrió y vio que ella casi había llegado al final del pasillo—. ¡Laurie! —gritó de nuevo, algo irritado porque no le estaba haciendo caso. Aumentó la velocidad y la persiguió. Cuando llegó al final vio que la puerta de la escalera se estaba cerrando. La abrió y oyó sus pasos que bajaban. Llegó al nivel del depósitio de cadáveres cuando la puerta ya se estaba cerrando.

Laurie entró corriendo en la oficina. Uno de los técnicos estaba introduciendo en el sistema informático los datos de un cadáver recién llegado.

—¿Dónde habéis puesto los últimos cadáveres? —preguntó sin aliento.

—En el refrigerador principal —dijo el técnico. Intentó preguntar a Laurie a quién estaba buscando, pero Laurie ya se había ido y corría por el pasillo de baldosas de vinilo compuestas, mientras sus tacones repiqueteaban sobre la superficie similar a una roca. Jack la alcanzó cuando salía de la oficina.

—¿Qué demonios estás haciendo? —preguntó sin aliento—. ¿Por qué corres?

Laurie se limitó a negar con la cabeza para indicar que no deseaba hablar. Se concentró en girar a la izquierda en el pasillo con sus resbaladizos zapatos de suela de piel. Cuando llegó al refrigerador principal tuvo que detenerse. Aferró el grueso cerrojo, similar al de una cámara de frío, y abrió la pesada puerta aislante. Entró en el gélido y neblinoso interior, y encendió las luces, que consistían en bombillas desnudas dentro de cajas metálicas, las cuales arrojaban sombras que se entrecruzaban sobre las sucias y arañadas paredes blancas.

Jack entró también y dejó que la puerta se cerrara a su espalda con un chasquido. Se estremeció un momento a causa del frío. Laurie estaba bajando las sábanas de los cuerpos próximos a la puerta, con el fin de dejar al descubierto la cara y el pecho. Había casi veinte camillas colocadas en todos los ángulos, cada una con un cadáver amortajado.

—¿Puedo ayudar? —preguntó Jack. Aún ignoraba lo que estaba haciendo Laurie, aunque tras haber visto a Warren arriba, en su cerebro estaba germinando una idea muy inquietante.

Laurie no contestó. Estaba concentrada en dejar al descubierto el rostro de cada cadáver. Tenía que mover las camillas a un lado mientras se desplazaba.

Por fin encontró lo que buscaba. Cuando bajó una sábana, contuvo el aliento. No cabía duda de que era Leticia Wilson, con la vista clavada en el techo. Su rostro pálido y cetrino parecía acurrucado sobre un cúmulo de pelo oscuro rizado. El único defecto, aparte de la palidez, era una pequeña herida ovalada en el centro de la frente, que el ojo experimentado de Laurie calculó dirigido hacia la base del cerebro.

Laurie se cubrió la boca con las manos y se estremeció. Jack la rodeó con el brazo.

—¡Oh, Dios mío! —exclamó.

—¿Dónde está mi hijo? —preguntó quejumbrosa Laurie.

—¿La de arriba era la madre de Leticia?

Laurie asintió como aturdida. No sabía qué pensar. ¿Era verdad lo que estaba sucediendo o una especie de broma macabra que su mente le estaba gastando?

—¡Vamos! —dijo Jack—. Hablaremos con Lou. Tenemos suerte de que esté aquí.

Jack sacó a Laurie de allí y la condujo hacia el ascensor.

—Te acompañaré a tu despacho, y luego iremos a buscar a Lou, ¿de acuerdo?

Laurie asintió sin hablar. Intentaba no pensar dónde estaría J. J. en aquel momento, qué estaba haciendo o cómo se encontraba. No era muy religiosa, pero se descubrió negociando con Dios su regreso sano y salvo.

—Intenta no pensar demasiado hasta que nos aconsejen algo —dijo Jack cuando llegaron a su despacho, como si hubiera leído sus pensamientos. Después de quitar la foto de J. J. del escritorio y guardarla en un cajón, la obligó a sentarse.

Jack volvió a la zona de ingresos, donde había bastante menos gente. Los familiares habían pasado a la sala de identificación, y otros visitantes se habían marchado. Jack encontró a Lou y Warren sentados en el sofá. Ambos se pusieron en pie cuando le vieron.

—Lo siento —dijo Lou en cuanto Jack se acercó—. ¿Cómo lo lleva Laurie?

Jack agradeció la atención de Lou y dijo que Laurie estaba muy preocupada, pero que aún aguantaba el tipo.

—Acabo de saber qué es lo que ha pasado —dijo Lou—. Han secuestrado a J. J. Si te sirve de consuelo, la policía se lo ha tomado muy en serio y ha dado prioridad al caso, con todo lo que eso implica. Hasta el jefe de policía ha sido informado. Todo el cuerpo va a participar, y ya han declarado la Alerta Ámbar. Toda la ciudad estará sobre aviso. Acabo de hablar con el agente encargado del caso. Se llama Bennett, Mark Bennett. La Brigada de Casos Graves ha solicitado ayuda a los detectives del Manhattan North Borough. Es un buen hombre, y deberías alegrarte de que esté al mando. Hay más gente en el equipo, pero Mark es quien manda y quien lo organizará todo.

—¿Y el FBI?

—También ha sido avisado. Todo el mundo se lo ha tomado muy en serio.

—¿No cabe duda de que es un secuestro?

—Ninguna. Un homicidio y un secuestro. Aunque parezca sorprendente, solo hubo un testigo: una madre con su hijo pequeño. Se dirigía al parque infantil de la calle Cien cuando vio a un pistolero dirigirse hacia vuestra niñera, dispararle y, junto a cuatro cómplices más, marcharse tranquilamente con J.J. y el cochecito en dirección a una furgoneta blanca que estaba esperando. Ya han encontrado la furgoneta, gracias a la Alerta Ámbar. Estaba abandonada en Garden City, y la remolcaron hasta un laboratorio de la policía científica para que la registraran de arriba abajo.

—¿Obtuvieron algo interesante en la escena del crimen?

—La unidad de la policía científica sigue trabajando en el lugar de los hechos. Si hay algo que encontrar, lo encontrarán. No he visto este tipo de movilización en años. El interés del público será enorme.

—¿Alguna demanda de los secuestradores?

—Ni una palabra, lo cual considero inquietante. Las demandas son esperanzadoras, ya me entiendes.

—Me lo imagino.

—Hemos de negociar con esos hijos de puta.

—¿Por qué no nos avisaron antes? —preguntó Jack. No estaba acusando, solo preguntando.

—Al principio, las primeras personas en llegar ignoraban la

identidad de J.J., como también la de la canguro. No llevaba identificación alguna. Averiguaron quién era gracias a su móvil, y hasta eso fue más difícil de lo habitual.

—Volvamos con Laurie. No quiero que esté sola demasiado rato. Si la conozco bien, se estará culpando de la desaparición de J.J.

Jack se volvió para despedirse de Warren, pero este habló en aquel momento.

—Sé que es un momento difícil, pero me gustaría acompañarte. Quiero explicar a Laurie que la familia no la considera responsable de la muerte de Leticia, pese a lo que dijo mi tía Marilyn. Es evidente que está desquiciada.

Aunque Jack estaba frenético y no pensaba con gran lucidez, intentó considerar la petición de Warren en función de los intereses de Laurie. Casi al instante pensó que sería beneficioso para ella escuchar lo que Warren quería decir. Cualquier cosa que impidiera a Laurie hundirse en el abatimiento sería positiva.

—¿Tienes que hablar con alguien antes de salir de aquí?

—No.

—¡Pues ven con nosotros!

Mientras subían en el ascensor, Warren contó a Jack lo que sabía, mientras Lou llamaba de nuevo a Mark Bennett para comunicarle que los Stapleton ya estaban enterados de la desaparición de su hijo. Lou intentó hablar en voz lo más baja posible.

—¿Dónde están en este momento? —preguntó el detective Bennett.

—Aquí, en el IML.

—Diles que vayan a casa de inmediato. Los secuestradores no se han puesto en contacto con nosotros, lo cual me preocupa. Espero que inicien el contacto llamando a casa de los Stapleton, y quiero que pinchen la línea para poder escuchar lo que digan y localizar la llamada. Como ya sabrás, en casos de secuestros de niños sin que pidan algo a cambio, el setenta por ciento mueren durante las tres primeras horas.

—Gracias por la información —dijo Lou, procurando que Jack no escuchara la conversación, convencido de que no podía comunicar aquella estadística a Laurie y Jack.

—Solo quería que lo supieras, pues has dicho que vas a estar con ellos —añadió Mark.

—Les llevaré a casa ahora mismo —prometió Lou—. Si quieres hablar antes conmigo, ya tienes mi móvil.

—Sí, pero iré en persona a casa de los Stapleton para asegurarme de que todo salga bien.

—¿Quieres hablar con ellos para explicarles todo cuanto se está haciendo para recuperar a su hijo?

—Por supuesto. Puede que llame a Henry Fulsome y le diga que se deje caer también por allí. ¿Conoces a Henry?

—Me parece que no.

—En mi opinión, es el mejor negociador de crisis del NYPD. Ostenta un récord del cien por cien de casos resueltos con rehenes sin la pérdida de una sola vida.

—Les encantará oír eso. Por otra parte, significa dejar bien claro que debemos negociar una situación con rehén.

—En eso tienes razón. Pongámonos manos a la obra. No hay tiempo que perder.

Al entrar en el despacho de Laurie, los tres hombres la encontraron sentada al escritorio, pálida y demacrada, pues ya había comprendido la magnitud de la situación. Sostenía la carta amenazadora, que pasó sin palabras a Lou. Después de releerla, se sentía todavía más avergonzada por no haberla tomado en serio. Lou la leyó a toda prisa y sacudió la cabeza.

Warren se acercó a Laurie cuando ella se levantó. Se abrazaron un momento, y Warren se disculpó por el comportamiento de su tía. Laurie logró darle las gracias y dijo que lo comprendía.

—Voy a quedarme esta carta —dijo Lou—. Y ahora, vamos a vuestra casa. Por el camino os explicaré lo que está pasando.

35

Viernes, 26 de marzo de 2010, 19.20 h

Cuando Laurie, Jack, Warren y Lou se detuvieron delante de la casa de los primeros, se quedaron sorprendidos por el gentío que los esperaba. Había policías por todas partes, parados en la entrada y en la acera, o esperando en sus vehículos. Furgonetas, coches patrulla y vehículos del FBI colapsaban la calle.

Laurie se preparó para lo que se avecinaba. Desde que había salido del IML, sus emociones habían pasado de un extremo a otro. En un momento dado se sentía abatida y sin norte, y al siguiente era presa de un ataque de ira. No iba a permitir que los secuestradores se salieran con la suya.

Mientras Laurie y los demás bajaban del coche de Lou, ella tomó la resolución de concentrarse en su actitud combativa. Aunque antes se había sentido abrumada e impotente, ahora estaba ansiosa por reunirse con el agente encargado del caso, a quien Lou había descrito mientras la informaba sobre el estado de la situación durante el trayecto en coche.

Las presentaciones iniciales se llevaron a cabo en la entrada. Mark Bennett había llegado antes, un hombre grande como un oso que se había adelantado con la mano extendida cuando Laurie subió la escalinata.

—Soy el detective Mark Bennett —dijo, y estrechó vigorosamente la mano de Laurie—. Soy detective de la Brigada de Casos Graves, y he venido para rescatar a su hijo lo antes posible.

A continuación, presentó a otras personas, incluido el negociador de crisis Henry Fulsome, especialistas de la escena del crimen, técnicos e incluso un agente especial del FBI. Laurie se quedó impresionada por el detective, quien parecía una fuerza disuasoria de delincuentes andante y calificaba de cobardes a los perpetradores, quienes debían ser detenidos y arrojados a una cárcel hasta el fin de sus días.

—Lamento tener que invadir su casa durante unos cuantos días, señora —continuó Mark mientras entraban—, pero hemos de ponernos a trabajar para conseguir que su hijo vuelva, y el tiempo es fundamental. Me interesa sobremanera que nuestros técnicos pinchen su línea telefónica, con el fin de localizar la procedencia de las llamadas entrantes y escucharlas con facilidad. También vamos a instalar una nueva línea telefónica adicional para nosotros.

—Por favor —dijo Laurie, indicando con un gesto que la casa estaba a su disposición—. Agradecemos que hayan venido. Hagan lo que sea necesario.

Jack y ella empezaron a coger chaquetas y las colgaron en el armario, cuando el teléfono sonó de repente. Al instante, todas las conversaciones enmudecieron. Todo el mundo se volvió para mirar el teléfono, que descansaba sobre su mesita de caoba.

—Señora Stapleton —dijo Mark—, ¡conteste!

Laurie se acercó al teléfono, vacilante. Lo aferró y miró al detective para recibir su apoyo. Mark asintió e indicó con un ademán que lo descolgara. Cuando lo hizo, musitó un «hola» entrecortado.

—¿Es usted Laurie Montgomery-Stapleton? —preguntó Brennan. Intentó adoptar un tono airado e impaciente, tal como Louie había ordenado. Por desgracia, su voz tembló. Estaba nervioso.

—Sí —contestó Laurie, y tuvo que carraspear. De pronto se sintió aterrorizada y tuvo que apoyarse contra la pared para conservar el equilibrio. Sabía instintivamente que era el secuestrador de J. J.

—Tenemos a su hijo.

—¿Quién es usted? —preguntó Laurie, con un esfuerzo por sonar autoritaria, pero fracasó miserablemente.

—Eso da igual. —Brennan consiguió modular su tono—. Lo importante es que tenemos a su hijo. ¿Le gustaría hablar con él?

Laurie intentó responder, pero no pudo, pues las lágrimas amenazaban con desbordarse.

—¿Sigue ahí, señora Stapleton? Necesito hablar con usted. No puedo continuar hablando mucho tiempo más.

—Sigo aquí. Quiero recuperar a mi hijo. ¿Por qué han secuestrado al niño?

—Quiero que empiece a reunir dinero, y quiero que lo haga deprisa. ¿Entendido?

—Entendido.

—¿Quiere hablar con su hijo? Intento ser paciente.

—Sí.

Laurie se secó las lágrimas de los ojos.

—Vale, mocoso —dijo Brennan—. Di hola a tu mamá.

Se hizo el silencio.

—Tal vez será mejor que le salude usted. Le pondré con él.

—Hola, cariño —dijo Laurie, suponiendo que habían acercado el teléfono a su oído. Necesitaba con desesperación reprimir los sollozos—. Soy mamá. ¿Estás bien?

—Bueno, está sonriendo —informó Brennan—. No sé qué ha dicho usted, pero sonríe. ¿Le sacudo un poco para que llore?

—Quiero recuperar a mi hijo de inmediato —dijo Laurie—. ¡No le toque!

—Recuperar a su hijo no va a suceder de inmediato, señora Stapleton, pero podría ocurrir pronto. Depende de usted. Empiece a reunir dinero. ¿Me he expresado con claridad? No vamos a exigir dinero, pero usted lo necesitará para conseguir lo que le pediremos. Necesitará un montón de dinero.

—Sí —logró articular Laurie con un estremecimiento.

—Y otra cosa. Queremos que la policía quede al margen de este asunto. Sabemos que están en su casa en este preciso momento. Deshágase de ellos. Si no nos hace caso, nos enteraremos y será su hijo quien sufra las consecuencias. Se lo iremos enviando pedazo a pedazo.

Siguió una pausa.

—Espero que esté asimilando esta información —dijo Brennan, sin esperar a que Laurie respondiera—, porque voy a colgar. Pero antes voy a pedirle otra cosa. La volveré a llamar mañana, de modo que quiero que esté disponible en cualquier momento, de día o de noche. Hasta entonces, buenas noches.

Se oyó un clic final. Por un momento, Laurie continuó apretando el teléfono contra el oído, mientras intentaba recuperar el control. Tenía miedo que de que si hacía algo, incluso moverse, se desharía en lágrimas.

Mark tomó el teléfono de su mano y lo colgó.

—Estoy seguro de que en este momento no se da cuenta, pero que los secuestradores se hayan puesto en contacto con usted es un acontecimiento muy positivo. Nos sentimos muy tranquilizados. Confirma lo que esperábamos: es un caso de secuestro en busca de rescate, y no otra cosa. Cuando el secuestro es para obtener un rescate, lo que más interesa a los secuestradores es que la víctima siga viva y goce de buena salud.

36

Viernes, 26 de marzo de 2010, 22.41 h

Cerca de las once, Laurie y Jack acompañaron al detective Mark Bennett hasta la escalera para despedirse, cuando el detective anunció que ya habían hecho todo lo necesario. Lo más importante era el teléfono. Ahora estaba controlado las veinticuatro horas del día y podían localizar las llamadas entrantes desde una hilera de máquinas situadas en una pequeña oficina improvisada que habían instalado en el cuarto de invitados del primer piso.

—Mañana por la mañana les llamaré —dijo Mark, cuando se detuvo en la puerta principal. Salvo por el agente responsable del equipo de comunicaciones, que iba a quedarse toda la noche, Mark fue la última persona del NYPD en marcharse.

—Gracias por todo lo que ha hecho —dijo Laurie.

No solo había supervisado el trabajo de todo el mundo, sino que había dedicado parte de su tiempo a explicar a Laurie y Jack todo lo que se había hecho hasta aquel momento. Empezó con el envío, tras la llamada al 911, de los primeros agentes de la Comisaría Veintidós de Central Park, y del Manhattan North Patrol Borough, quienes habían aislado la escena del crimen, interrogado a la única testigo, iniciado el proceso de declarar la

Alerta Ámbar, preparado la búsqueda de una furgoneta blanca con seis adultos y un niño pequeño, y establecido un equipo de seguimiento en el Centro de Delitos en Tiempo Real del NYPD.

Mark había continuado explicando que, después de que los primeros agentes efectuaran su trabajo, un agente de supervisión inicial había enviado una unidad de recogida de pruebas, así como una unidad de la escena del crimen, mientras revisaban el listado de delincuentes sexuales en la zona del secuestro y registraban el caso en el Archivo de Personas Desaparecidas del Centro de Información Nacional del Crimen.

—Fue entonces cuando me llamaron —había explicado Mark—. Después de que el jefe superior de policía y la oficina del alcalde fueran informados, el caso fue derivado por el jefe de detectives a la Brigada de Casos Graves, así como al FBI y el Team Adam, el equipo de especialistas en casos de niños desaparecidos. Como estoy adscrito a la Brigada de Casos Graves y estaba disponible, me asignaron el caso. Lo que he conseguido hacer con mi gente hasta el momento es interrogar a los primeros agentes que llegaron y a la única testigo, así como revisar toda la información contenida en el sistema de gestión de pistas del Centro de Delitos en Tiempo Real, ubicado en One Police Plaza.

Jack abrió la puerta principal. Una fría brisa nocturna barría la calle. El viento transportaba gritos apasionados desde la cancha de baloncesto donde se estaba disputando un partido.

—Parece que hay vida en el barrio —comentó Mark—. Son casi las once y los chicos aún están dale que dale. Me alegro, y no solo porque les aleje de meterse en líos. Me gusta porque significa que aquí existe una comunidad.

—Es un barrio estupendo. Warren, a quien conoció arriba, es uno de los líderes locales. Él y yo siempre estamos jugando, sobre todo los viernes por la noche. Ahora estaríamos ahí, de no ser por esta tragedia.

—Antes ya le dije lo que habíamos logrado hasta el momento en relación con el caso. Todo ello palidece en comparación con su colaboración, y por haber aportado el nombre y la descripción de la víctima. Siento que tengan que pasar por esto, pero usted y su esposa son claves en este asunto. Necesitamos su ayuda. A cambio, le doy mi palabra de que yo, y todas las personas a mis órdenes, haremos cuanto esté en nuestro poder por recuperar a su hijo sano y salvo.

—Gracias —dijeron Laurie y Jack al unísono.

Mark se despidió a toda prisa, bajó la escalinata y entró en un coche camuflado oficial. Tanto Jack como Laurie vieron en silencio que el coche se dirigía hacia Central Park West y giraba a la derecha en West Side Drive.

—Tengo mucha confianza en él —dijo Laurie, en un intento de darse ánimos—. Estoy agotada, pero sé que no voy a poder dormir.

Volvió a entrar en la casa.

Antes de seguirla, Jack echó una mirada al partido de baloncesto. Aunque se había esforzado en no pensar en las consecuencias, de repente se descubrió esperando contra toda esperanza que rescataran pronto a J. J. sano y salvo, para que pudiera crecer y experimentar las múltiples alegrías de la vida.

Una vez arriba, Jack buscó a Laurie. Ahora que reinaba la calma en casa, estaba preocupado por su reacción ante la situación, y también por él. Le sorprendió no encontrarla en la cocina. Ninguno de los dos había tenido tiempo para comer algo, pues el detective Bennett les había mantenido ocupados respondiendo a preguntas sobre J. J. y su complicado historial médico. Bennett también les había preguntado por el tipo de gente del sector servicios que iba a su casa, y si alguna persona tenía llaves. A continuación, les había animado a reunir objetos que pudieran contener ADN de J. J., fotos actuales del niño, e incluso intentar recordar qué prendas vestía cuando fue secuestrado.

Jack hizo una pausa cuando oyó voces procedentes del salón. Casi había olvidado que Lou y Warren continuaban allí. Se quedó doblemente sorprendido al descubrir a dos hombres más en la sala. Ambos estaban hablando con Laurie, quien les escuchaba con suma atención.

—Ah, Jack —dijo Lou—. ¡Entra, por favor! Quiero presentarte a unas personas.

—Sí, querido —dijo Laurie—. ¡Entra!

Todo el mundo se levantó cuando Jack entró en la sala, lo cual le llevó a preguntarse por aquella aparente formalidad. Miró a los desconocidos, a ninguno de los cuales había visto hasta aquel momento. Ambos se mantenían erguidos con la espalda muy recta, los hombros echados hacia atrás, el pelo cortado al rape, y vestidos con trajes azul marino hechos a medida, pulcras camisas blancas y corbatas de regimiento. Los dos sobrepasaban unos centímetros el metro ochenta de Jack y aparentaban unos cuarenta años. Debido a su figura esbelta y el rostro duro y tirante, Jack pensó que eran militares, tal vez de las Fuerzas Especiales, vestidos de paisano.

—Este es Grover Collins —dijo Lou, y señaló al más corpulento de los dos.

Jack le estrechó la mano y lanzó una mirada inquisitiva a los ojos azules glaciales del hombre. El apretón fue fuerte pero no demasiado, como indicando la confianza en sí mismo del hombre.

—Es un gran placer conocerle —dijo Grover, con un leve acento inglés.

—Y este es Colt Thomas —dijo Lou, al tiempo que señalaba al compañero negro de Grover.

—Un placer —dijo Colt con un apretón de manos igual al de Grover. Jack no se consideraba un experto en acentos, pero si le hubieran obligado a adivinar, habría dicho que Colt era texano.

—En primer lugar, debo pedirte disculpas —dijo Lou a Jack—. Me he tomado la libertad de invitar a Grover y Colt esta noche porque creo que Laurie y tú deberíais contratarlos.

Los ojos de Jack se desviaron hacia Laurie, y después hacia sus invitados.

—¿Contratarlos para qué? —preguntó.

—Creo que el tiempo es esencial —continuó Lou, sin hacer caso de la pregunta de Jack—, y resulta que estos caballeros están de acuerdo conmigo. ¿No es así, caballeros?

—En efecto —confirmó sin vacilar Grover. Colt se limitó a asentir.

—Siéntense, por favor —dijo Jack, al caer en la cuenta de que era el anfitrión de facto de aquella reunión improvisada.

Todo el mundo volvió a su asiento. Jack acercó una silla de respaldo alto y se sentó.

—Tuve la ocasión de trabajar con estos caballeros hace unos años —continuó Lou—, y me quedé muy impresionado, motivo por el cual les he llamado esta noche. Se trata de una variedad profesional relativamente nueva. Son asesores de secuestros.

—¿Asesores de secuestros? —preguntó Jack—. No sabía que existía eso.

—De hecho, somos muy pocos —dijo Grover—. Nos autodenominamos gerentes de riesgo, pues preferimos mantenernos más o menos en la sombra.

—Tampoco yo lo sabía —admitió Lou—. Hasta que coincidí con ellos en un caso de secuestro..., con un resultado óptimo, debería añadir.

—Hemos nacido debido a la demanda —explicó Grover—. El secuestro florece en circunstancias de desorden y confusión, cosa bastante frecuente en los últimos tiempos, pues se ha producido un aumento de este tipo de delitos, sobre todo en las Américas y en Rusia.

—Lo ignoraba —dijo Jack—, pero parece lógico.

—Hay miles de casos cada año en lugares conflictivos como Colombia, Venezuela, México y Brasil. Tenemos unos cuarenta agentes de campo en nuestra empresa, CRT Risk Management. Actuamos en todo el mundo, y solo nos ocupamos de secuestros. Acabo de volver de Río, y Colt regresó ayer de Ciudad de México.

—¿Son ustedes ex militares? —preguntó Jack.

—¿Cómo lo ha adivinado? —Grover sonrió—. Soy ex SAS, y Colt es ex Navy Seal. Volver a la vida civil después de servir en el ejército ha sido difícil para la gente de las Fuerzas Especiales, y esa clase de trabajo nos viene que ni pintada. Quedarnos sentados en un sofá fumando una pipa y viendo reposiciones de partidos no es una posibilidad para ninguno de nosotros. Nos encanta nuestro trabajo.

—Diles lo que me dijisteis a mí —intervino Lou—. Por qué les podéis ser de ayuda en su actual situación.

—Tras informarnos sobre su caso, varias cosas saltaron a la vista. En primer lugar, el NYPD, como todos los departamentos de policía de Estados Unidos, tiene experiencia limitada en el tema de los secuestros. Para nosotros es justo lo contrario. Es lo único que hacemos, pues se han extendido por todo el mundo y se han sofisticado más, tanto en el modus operandi de los secuestradores como en el de la respuesta de los profesionales como nosotros.

»En segundo lugar, nuestra motivación es diferente de la de las autoridades. Las autoridades tienen objetivos contrapuestos. Quieren rescatar a su hijo, por supuesto, pero solo es uno de sus objetivos. También quieren capturar a los perpetradores, y digo "perpetradores" a propósito, porque el secuestro moderno es un deporte de equipo, y con frecuencia desean capturar a los perpetradores tanto como liberar al secuestrado. En otras palabras, existen ramificaciones políticas para la policía y el FBI. Además, otra cosa especialmente preocupante es que, a menudo, las autoridades compiten entre sí, una situación que no suele conducir al éxito.

»Nada de eso es aplicable a nosotros. Devolverles sano y salvo a su hijo es nuestro único objetivo y preocupación. Nos son indiferentes los perpetradores. Nos da igual que los detengan. Nos da igual que los condenen. Si lo hacen, tanto mejor, pero no es nuestro objetivo, mientras que sí lo es de la policía y del FBI. En lo tocante a su hijo, vamos un paso por delante de ellos. Pasamos de órdenes de registro o de aparatos de escucha. Nos importan un pimiento los derechos constitucionales, y con frecuencia somos rudos con los sospechosos. Cuando necesitamos información, la obtenemos. Digámoslo así.

—¿Acaso se consideran una especie de vigilantes? —preguntó Laurie.

—En absoluto —replicó Collins—. Nuestro único objetivo es rescatar sano y salvo a su hijo lo antes posible. Esa es la misión. Si un secuestrador resulta herido, es su problema, no el nuestro, pero no nos proponemos castigar a nadie.

—Solo estás diciendo generalidades, Grover —se lamentó Lou—. Diles lo que me contaste en concreto. Diles por qué seríais adecuados para este caso en particular.

—El detective Soldano ha sido muy franco con nosotros —continuó Grover—, y nos ha enseñado el expediente del Centro de Delitos en Tiempo Real. También nos dejó leer el anónimo que usted recibió, y del que hizo caso omiso.

—Había motivos —dijo Laurie, avergonzada de nuevo.

—Puedo comprender por qué no le hizo caso —dijo Grover—, de modo que no se fustigue. Solo hablaba de usted, no de su hijo. Pero la combinación del rapto de su hijo con la carta nos dice que este caso ha de avanzar a toda prisa para minimizar la amenaza dirigida a su hijo, y de esa forma lo abordaremos si deciden contratarnos. Conociendo a la policía y su forma de trabajar, yo diría que serán conservadores y esperarán a que los secuestradores se pongan en contacto con ustedes y empiecen a negociar, como ya han hecho. El enfoque pasivo, un método probado, no es apropiado en esta situación. Creemos que el enfoque debería ser más dinámico, anticipándonos a las consecuencias. Aunque en general es difícil descubrir dónde retienen a la víctima, lo contrario es cierto en este caso por variados motivos. Pensamos que estos secuestradores carecen de experiencia. El rapto fue planeado y ejecutado de una forma muy chapucera.

Los secuestradores experimentados no empiezan la partida con un homicidio, como Lou les corroborará.

—Es verdad —dijo Lou—. En el último y único caso de secuestro en el que participé, el rapto fue la parte que estaba mejor planificada.

—En segundo lugar —continuó Grover—, no hubo investigación de la riqueza personal de ustedes. Si no me equivoco, sus sueldos no son muy altos, y no existe una enorme fortuna familiar con la que pagar.

—No creo —dijo Jack—. Todos nuestros ahorros están invertidos en esta casa reformada.

—Se lo explicaré. En estos tiempos, en un caso de secuestro para pedir rescate, es muy raro que los perpetradores no hayan llevado a cabo exhaustivas pesquisas sobre las finanzas de la víctima. Sugiere que el rapto no se llevó a cabo por motivos económicos, sino por algo muy diferente. Hablar de dinero es una distracción, en el mejor de los casos.

»Si la carta amenazadora está relacionada con el secuestro, tal como nosotros creemos, el meollo del asunto es que usted deje de investigar el caso mencionado en ella, al menos a corto plazo. ¿Qué nos puede decir al respecto?

—Es un caso del que yo me voy a ocupar —dijo Lou, anticipándose a Laurie—. Al principio se pensó que era una muerte natural, pero Laurie ha demostrado lo contrario. También tenemos un nombre: Satoshi Machita. Justo esta tarde, Laurie ha establecido de una forma muy verosímil que era un asesinato cometido por una organización criminal. No puedo añadir más.

—Interesante —dijo Grover, mientras reflexionaba sobre esta nueva información—. La posible implicación del crimen organizado nos aporta un nuevo enfoque.

—Va a influir en mi investigación del homicidio, desde luego —añadió Lou.

—También me intriga el tono de la carta —dijo Grover—. Es como si estuviera implicada una tercera parte, lo cual me conduce a pensar que tal vez desempeñe cierto papel un elemento de extorsión. Porque si no, ¿a qué viene el anonimato?

—Yo he pensado lo mismo —confirmó Lou—. Además, hará unos quince años se produjo una situación de extorsión en el IML. ¿Te acuerdas, Laurie?

—Por supuesto. Vinnie Amendola estaba en deuda con la banda de Cerino porque este había salvado la vida a su padre en el pasado. Y hoy Vinnie ha actuado de una forma muy rara. De hecho, se ha ido de permiso, en teoría por una emergencia familiar.

—¿Dijo adónde? —preguntó Lou.

—No.

—Bien, ya sé lo que voy a hacer a primera hora de la mañana —dijo Lou.

—Eso podría ser de ayuda —repuso Grover—, pero creo que no debemos esperar hasta que este tal Vinnie sea localizado e interrogado. Estoy preocupado por la seguridad del niño. Sean quienes sean los secuestradores, no les importa matar, como demuestra su modus operandi, y me preocupa lo que puedan hacer con el niño una vez que crean que han conseguido su objetivo de sacar a Laurie del depósito de cadáveres, y evitar así que descubra lo que ya ha descubierto, cosa que aún no saben, supongo.

—¿Qué haría usted? —preguntó Jack. Pensaba que lo único que podían hacer era esperar a que los secuestradores llamaran, y entonces rastrear la señal—. Solo se me ocurre lo que está haciendo la policía, intentar negociar. J. J. podría estar en cualquier parte del estado o de estados vecinos.

—Creo que su hijo está cerca —dijo Grover—. Teniendo en cuenta que el caso ha discurrido, hasta el momento, sin apenas planificación, su hijo debe de estar en casa de alguno de los secuestradores. En muchos aspectos, es mucho más fácil manejar y alojar a un niño pequeño que a un adulto, desde un punto de vista logístico. Con un adulto hay que tomar todo tipo de precauciones, para que no sepa dónde se encuentra retenido, y hay que alojarlo de forma que nunca vea a sus captores, a menos que, por supuesto, los secuestradores no piensen soltarlo. Pero matar a la víctima imposibilita recibir algo a cambio, debido a los complicados mecanismos de la prueba de vida desarrollados para el procedimiento de intercambio.

—Vale —dijo Jack—. Lo comprendo, pero ¿cómo se propone averiguar dónde retienen a nuestro hijo? A mí me parece imposible.

—Suele ser difícil, pero no imposible —admitió Grover—. Pero hay situaciones especiales que pueden ser de ayuda, como creo que ocurre en esta circunstancia. En primer lugar, existen muchas probabilidades de que Vinnie Amendola pueda ayudarnos aportando información sobre quiénes son los secuestradores. Pero no deberíamos esperar a esa posibilidad, aunque la alentaremos. No, la circunstancia especial es el hecho de que viven en una ciudad con barrios de verdad. La gente que no es de Nueva York quizá no lo comprendería, pues considera Nueva York una ciudad enorme e impersonal. Mientras esperábamos a hablar con usted y su esposa, he tenido el placer de conversar con su amigo Warren Wilson, que está muy preocupado por su hijo y ansioso por colaborar.

Grover señaló a Warren, quien asintió para confirmar sus palabras.

—Me ha dicho que usted y su esposa son miembros aceptados y queridos de este barrio, que está muy unido, y ha sido así desde hace casi veinte años. También ha hablado de su generosidad, con relación a la cancha de juego del otro lado de la calle, y de los jóvenes que han terminado el instituto e ido a la universidad gracias a ustedes. Es una historia maravillosa, que ahora va a recompensarles.

—¿Cómo? —preguntó Jack.

—Una cosa que CRT ha aprendido con los años, trabajando en centenares de casos de este tipo, es que los secuestradores suelen espiar a la familia de la víctima, sobre todo para asegurarse de que van a plegarse a sus exigencias. Una exigencia que siempre se repite es la de no alertar a las autoridades. La única forma de conseguirlo es vigilar que no entren ni salgan de la residencia familiar policías o agentes del FBI. Si ven que eso sucede, lo comentan en la siguiente llamada y vuelven a lanzar la amenaza de que harán esto y aquello a la víctima.

»Y si estamos en lo cierto al afirmar que este secuestro en particular no se ha producido para obtener un rescate, sino para apartar a su esposa de su trabajo, existen más razones todavía para sospechar que alguien estará vigilando, al menos de día.

—¿Intenta capturar a ese espía? ¿Es esa la idea?

—Exacto. La razón de que funcione, como hemos comprobado ya media docena de veces, dos en São Paulo, es que se trata de barrios estables y unidos, cuyos residentes saben enseguida quién es de fuera. Warren se ha ofrecido a hacerlo por ustedes, y empezará mañana por la mañana. Nos ha asegurado que esta es una comunidad muy cerrada, con experiencia en reconocer a forasteros y así mantener al mínimo la violencia de bandas.

Jack miró a Warren, quien volvió a asentir.

—Una vez hayan cazado al «espía», ¿qué harán? —preguntó Jack.

—Mejor no preguntar —replicó Grover—. En primer lugar, confirmamos que el individuo es un espía relacionado con el caso en cuestión. Después, le preguntamos dónde retienen a la víctima. Como ya he dicho antes, en contraste con la policía o el FBI, nuestras manos no están atadas por sutilezas legales. Nuestro único interés y preocupación es encontrar y rescatar a la víctima. Hay ocasiones en que es necesaria más persuasión que en otras.

—Y cuando ya saben dónde la retienen, ¿qué hacen?

—Depende de hasta qué punto estemos preocupados por la suerte de la víctima. Si el peligro es escaso, intentamos averiguar, antes de asaltar el lugar, dónde y en qué condiciones se encuenta. En ocasiones, como en el caso de su hijo, procedemos al rescate de inmediato. Y aquí es donde entra Colt. Es el rescatador principal del CRT. Su talento es legendario. Es capaz de entrar en una casa y sacar piercings de las orejas de la gente sin despertarlos.

—Si les contratamos, ¿cómo reaccionará la policía? ¿Se lo hemos de decir o lo mantenemos en secreto?

—Nosotros se lo diremos. De hecho, intentamos trabajar con ellos, incluso hasta el punto de aportar sugerencias cuando nos parece adecuado. Nunca les decimos lo que han de hacer, solo lo que nosotros hemos hecho en el pasado y salió bien. Además, dejamos que la policía se lleve todo el mérito cuando rescatamos o intercambiamos a una víctima. No queremos aparecer en los medios, porque trabajamos mejor en el anonimato.

—¿Puedo preguntar el coste?

—Por supuesto. Colt y yo, como equipo, cobramos dos mil dólares al día más gastos. Como no habrá desplazamientos, los gastos serán mínimos.

—Perdonen un momento —dijo Jack, al tiempo que se ponía en pie e indicaba a Laurie que saliera al pasillo.

—Bueno, ¿qué opinas? —preguntó en voz baja.

—El detective Bennett y la reacción de la policía me dejaron impresionada, pero estos dos hombres también. Poseen una experiencia enorme. Estoy tan preocupada, que no sé si soy capaz de tomar una decisión racional, aunque la idea de pasar a la acción me atrae.

—Bien dicho. Yo tampoco puedo decir que piense con lucidez. Vamos a ver qué opinan Lou y Warren.

—Buena idea.

Jack asomó la cabeza en la sala. Indicó a Lou y Warren que querían hablar con ellos, y ambos salieron al instante. Cuando todos estuvieron en la cocina, para que los hombres de CRT no pudieran oírles, Jack habló.

—Laurie y yo somos conscientes de que no estamos en las

mejores condiciones de pensar racionalmente, y la verdad es que estamos un poco agobiados. ¿Qué creéis que deberíamos hacer?

—Creo que deberíais contratar a esos tipos —dijo Lou—. Por eso les llamé. Y el hecho de que estén disponibles es un golpe de suerte.

—¿Y tú, Warren?

—Yo los contrataría. ¿Qué podéis perder? Estoy muy contento de poder ser útil, por J.J. y por Leticia. Además, todos los chicos querrán arrimar el hombro. Ningún problema.

—¡Estupendo! —dijo Jack, con la intención de levantar los ánimos, mientras la pesadilla continuaba desarrollándose a su alrededor.

37

No había sido una buena noche para Laurie ni Jack. En cuanto la casa quedó vacía, salvo por el único detective encargado del teléfono, sus temores regresaron multiplicados. El saber que su hijo se hallaba en poder de gente peligrosa, que tal vez le maltrataría, y sin poder hacer nada al respecto, era una tortura que jamás habían vivido. También hablaron de Leticia y de la tragedia que representaba, y de que su muerte sería una fuente de culpa para ellos durante el resto de sus vidas.

Laurie se durmió por fin a eso de las siete, después de un ataque de llanto particularmente largo, pero Jack no durmió en absoluto. A las siete y media tiró la toalla, se preparó una tetera y fue a sentarse al salón. Respiraba, pero eso era todo, pues su mente era como una hoja en blanco agotada.

Se hallaba en ese estado cuando el teléfono sonó. Jack contestó presa del pánico, no debido a quien pensaba que era, sino para que no despertara a Laurie.

—Hola —soltó.

—Quiero hablar con Laurie Montgomery-Stapleton —ordenó Brennan, que una vez más intentó adoptar un tono colérico y autoritario, como si tuviera motivos para sentirse desairado.

—Está durmiendo —contestó Jack. Aunque no había oído la voz del hombre la noche anterior, supo al instante con quién hablaba, lo cual le llenó de furia y resentimiento. Tuvo que reprimirse para no insultar al tipo.

—Hablará conmigo si sabe lo que le conviene a su hijo.

—Puede hablar conmigo. Soy el padre y el marido.

—He de hablar con ella, no con usted, sino con ella —insistió Brennan—. No me discuta. De lo contrario, iré al coche, traeré al pequeño hijo de puta aquí y se arrepentirá de haberme cabreado.

—De acuerdo —dijo Jack, muy poco complacido, pero sin querer exponer a J.J. a más peligros. Jack dejó el teléfono sobre la mesita auxiliar y volvió corriendo al dormitorio. Cuando abrió la puerta, Laurie estaba sentada en su lado de la cama. Se encontraba inclinada hacia delante, con la cabeza apoyada en las manos y los codos sobre las rodillas.

—Lo siento. Es él, e insiste en hablar contigo.

Laurie asintió y apoyó la mano sobre el teléfono, pero no contestó enseguida. Respiró hondo para intentar prepararse. Sufría un tremendo dolor de cabeza, como si hubiera bebido hasta emborracharse la noche anterior.

—Hola —dijo Laurie, con una voz tan cansada como se sentía.

—Diga a su marido que, cuando vuelva a llamar, quiero hablar con usted y con nadie más. ¿Está claro? Insistió en que hablara con él. Dígale que si eso vuelve a ocurrir, le pasará algo al mocoso. Su hijo perderá algo, como ya dije anoche, como una oreja o un dedo, que me encantará enviarle para que se dé cuenta de que hablamos en serio.

—¿Mi hijo está con usted ahora?

—No, esta vez no. Está en el coche, pero esta tarde, cuando vuelva a llamar, le pondré al teléfono. Ahora voy a decirle lo que queremos. Recuerde, no acuda a la policía o el niño saldrá malparado. Queremos un millón de dólares, pero no en metálico. En metálico abultaría demasiado, y los billetes pueden estar marcados. Queremos un millón de dólares en diamantes de clase D. Nos da igual el tamaño, pero los diamantes han de reunir un valor combinado de un millón de dólares. En Nueva York son fáciles de conseguir. ¿Alguna pregunta?

—¿Qué hacemos si no tenemos un millón de dólares? —preguntó Laurie sin inmutarse.

—Usted y su marido son médicos. Pueden conseguir un millón de dólares.

—Todo nuestro dinero está invertido en nuestra casa.

—Me da igual —dijo Brennan, y colgó.

Laurie colgó poco a poco y miró a Jack.

—¿Has oído esta última parte de la conversación? —le preguntó.

—Lo suficiente.

—Parece que ese tipo me haya metido a la fuerza en un juego de rol.

—Creo que Grover tenía razón en lo de que estos tipos son novatos, y en que el rescate solo tiene una importancia secundaria. Por otro lado, ¿por qué ha insistido tanto en hablar contigo? Porque quiere asegurarse de que estás aquí y no en el IML.

—Es posible.

El hecho de que aquellos necios, fueran quienes fueran, retuvieran a su hijo y amenazaran con hacerle daño era lo único que preocupaba a Laurie, y deseaba con desesperación que volviera a casa.

—¿Te traigo algo? —preguntó Jack.

—No —contestó Laurie, mientras una ola de abatimiento la golpeaba.

—¿Por qué no vas a ducharte? Tal vez después te apetezca desayunar. Recuerda que no comimos nada anoche.

—No tengo hambre.

—Esa es la cuestión. ¿Por qué no te duchas? A lo mejor una ducha te despierta el hambre.

—Déjame en paz —replicó Laurie—. No quiero ducharme ni comer. Solo quiero seguir tumbada aquí.

—De acuerdo. Entretanto, yo bajaré a ver qué ha hecho el de la policía con esa llamada. ¿Te acuerdas de cómo se llama?

—No me lo dijeron, para empezar —comentó Laurie en tono abatido, y se dejó caer sobre la almohada. Le habría encantado dormir un poco, pero eso estaba descartado. Se sentía agotada, deprimida y exaltada, todo al mismo tiempo.

Jack bajó por la escalera al primer piso y llamó con los nudillos a la puerta del cuarto de invitados. Se abrió al instante. El agente de paisano se presentó enseguida. Era el sargento Edwin D. Gunner.

—Acabo de caer en la cuenta —dijo Jack en tono culpable—. No ha comido nada. ¿Le apetece desayunar?

—Un café bastará. No desayuno demasiado.

—¿Ha intervenido la llamada de hace un momento? Era el secuestrador.

—La intervine —dijo Edwin, y siguió a Jack escaleras arriba.

—¿La localizó?

—Por supuesto.

—¿Desde dónde llamó?

—Desde uno de los mil teléfonos públicos que quedan en la ciudad. Está en un Laundromat del Lower East Side abierto las veinticuatro horas. Enviamos un coche patrulla en cuanto terminamos de rastrearla, pero no sea optimista. El secuestrador debió de marcharse enseguida.

—Sin duda —contestó Jack. Fantaseó con la idea de estar sujetando algo similar a una llave inglesa en el momento en que el hampón colgaba el teléfono.

38

Warren Wilson vivía en la misma manzana que Laurie y Jack, pero al final de Columbus Avenue. Se había encargado del primer turno, que empezaba a las seis de la mañana, con el fin de buscar a desconocidos que vigilaran la casa de Jack y Laurie. Este se encontraba a varios cientos de metros en dirección a Central Park, y era uno de los edificios más clásicos del barrio, con jardineras bien cuidadas y una reluciente aldaba de bronce. En aquel momento, las jardineras estaban todavía invadidas por follaje invernal.

Para disimular un poco, Warren había pedido prestado al vecino su perro. Era un simpático animalito blanco que ladraba a todo lo que se moviera, incluidos los coches. Se llamaba Killer. Como había muy poca gente a las seis de la mañana de un sábado, Warren había buscado una excusa para pasear arriba y abajo de la manzana, y Killer se ofreció de buen grado, siempre que le permitiera olisquear cada árbol y boca de incendios que Warren y él encontraban a su paso.

Después de que Warren se despidiera de Laurie y Jack la noche anterior, había vuelto a casa y llamado a cinco de sus mejores amigos, todos los cuales habían nacido en el barrio. Todos jugaban a baloncesto con regularidad y habían ido juntos al instituto. Todos eran negros, como Warren. Todos trabajaban y vivían en el barrio, y conocían a la mayoría de residentes por su nombre.

Como era sábado, estaban ansiosos por ayudar. Habían pronosticado buen tiempo y ya habían pensado pasar la tarde en la cancha de baloncesto, casi enfrente de la casa de Jack y Laurie.

Media hora después de que empezara su turno, Flash apareció.

—Hola, tío —dijo Warren cuando Flash se acercó contoneándose, con gafas oscuras y ropa de rapero—. Tienes un aspecto horrendo.

—No me jodas. No sé por qué accedí a esta tortura. Dime otra vez a quién he de buscar y por qué.

Warren explicó la situación, tal como había hecho la noche anterior.

—No te duermas —advirtió Warren—. Si lo haces, te daré una patada en el culo.

—¿Tú y quién más?

Durante las cuatro horas y media que Warren había deambulado por el barrio, no había visto nada sospechoso. Los peatones eran escasos, y los que vio no manifestaron el menor interés por la casa de Jack y Laurie. Tampoco ningún vehículo había recorrido la manzana. En todos los aspectos, parecía una mañana primaveral de sábado de lo más normal, en la calle Ciento seis, con pájaros cantores, algunos vecinos que paseaban al perro, y poca cosa más.

En cuanto le relevaron y devolvió a Killer a su dueño, Warren volvió a Columbus Avenue, compró el *Daily News* en el bazar coreano y entró en una de las numerosas cafeterías del barrio para tomar un café y un bagel. Apenas había podido leer los titulares, cuando su móvil sonó. Examinó la pantalla y vio que era Flash.

Irritado por el hecho de que Flash ya le estuviera molestando, Warren contestó al teléfono sin disimular lo que sentía.

—¡Sí! —se limitó a decir.

—¡Bingo! —contestó Flash.

—¿Qué quiere decir «bingo»? —preguntó Warren, cada vez más irritado—. Solo llevas ahí un cuarto de hora.

—No sé cuánto tiempo llevo, pero aquí tengo a un capullo muy sospechoso.

—¿De veras? —preguntó Warren, incrédulo—. No puedes distinguir a un espía en un cuarto de hora.

—El tipo actúa de una forma muy sospechosa, y nunca le había visto.

—Sí, vale, vigílale. Si dentro de un rato sigue comportándose de una manera sospechosa, vuelve a llamarme. —Warren puso los ojos en blanco y cortó la comunicación—. Dios Santo —masculló, y tiró el teléfono a un lado como si fuera el aparato quien le hubiera molestado.

Un cuarto de hora después, Warren había comido la mitad del bagel, bebido la mitad del café y examinado una sección de deportes nada interesante, cuando su teléfono volvió a sonar. Era Flash de nuevo.

—Vale —dijo Warren, todavía en plan suspicaz—. ¿Qué está pasando?

—Sigue actuando de una forma rara. Es un tío de Jersey, o al menos lleva matrícula de Jersey en el Caddy Escalade negro que conduce. Es como anunciar que es un espía. En un momento dado, bajó de repente y se puso a hacer ejercicios de calentamiento.

—No te acerques demasiado. La gente que actúa en plan espía es hipersensible a que la espíen. De hecho, ¿a qué distancia te encuentras de él?

—A unos quince metros, más o menos. Estoy al otro lado de la calle.

—Demasiado cerca. Aléjate y no le mires. Ve a la cancha de baloncesto. Me reuniré contigo allí con una pelota. Fingiremos que vamos a entrenarnos.

—¿Y si mueve el coche? ¿Le sigo?

—No, si se mueve intenta apuntar la matrícula sin que se note demasiado.

—Entendido.

Warren acabó de un trago su café. Agarró el periódico y salió corriendo de la cafetería. Cuando llegó a la calle Ciento seis, disminuyó el paso a propósito. Mientras se dirigía a su casa, vio que Flash entraba en la cancha de juego. También vio un 4×4 negro aparcado en el lado de la calle del parque.

—¿Dónde estabas? —preguntó Natalie, su novia, cuando Warren entró por la puerta del apartamento.

—¡Fuera! —contestó Warren, al tiempo que abría el armario del vestíbulo para sacar una de sus diversas pelotas de baloncesto.

—¿Tan pronto? —Solían aprovechar la mañana del sábado para gandulear—. ¿A qué hora te has ido?

—A eso de las seis —dijo Warren, mientras entraba en la sala de estar y daba un beso en la mejilla a Natalie.

—¿A las seis? ¿Qué demonios estabas haciendo fuera a las seis?

—Paseando a Killer. Escucha, ya te lo explicaré más tarde. Flash está esperándome en la cancha. Vamos a entrenar un poco.

—Vale —dijo Natalie con indiferencia. Si Warren quería mostrarse enigmático sobre sus actividades de un sábado por la mañana, no habría podido importarle menos—. ¡Que te diviertas!

Warren bajó a la calle y se encaminó hacia la cancha. Ahora había más gente en el parque, incluidos varios niños pequeños en el cercado de arena y preadolescentes en los columpios. Cuando se acercó más al 4×4 negro, vio que tenía las ventanillas tintadas, lo cual impedía atisbar en el interior. Se quedó en el lado derecho de la calle hasta llegar a la altura del coche en cuestión, y después cruzó por delante del Escalade. Si bien intuyó que había alguien al volante, no distinguió sus facciones, en parte porque no quiso mirar directamente.

Llegó a la acera, saludó y llamó a Flash. Este respondió del mismo modo. Warren no se volvió cuando entró en el parque.

—¿Se ha movido? —preguntó a Flash.

—¿Preguntas por el coche o por el tío? No puedo ver al tío, y el coche no se ha movido.

Warren tiró la pelota a Flash.

—Juguemos un partido rápido de uno contra uno. No mires al coche, pero tampoco lo pierdas de vista.

Warren era de lejos el mejor jugador y ganó con facilidad, pero Flash le ganó en número y calidad de insultos. Ambos estaban sin aliento. Aunque acababan de decirse mutuamente que se lo iban a tomar con calma, en cuanto empezó el partido su competitividad innata se impuso.

—Descansemos un poco —dijo Warren. Se acercó al banquillo, tomó asiento y sacó el móvil.

—¡Oh, claro! —bromeó Flash—. Gana un partido por chiripa y quiere retirarse.

—Concédeme un momento y te daré otra oportunidad de perder —replicó Warren—. Quiero llamar a los jefes. Por más que detesto admitirlo, creo que has descubierto al espía.

Mientras Flash aprovechaba la oportunidad para practicar lanzamientos en suspensión, Warren llamó a Grover Collins. Contó a Grover que creía haber identificado al espía que controlaba la casa de Jack y Laurie.

—¿Desde cuándo tienes localizado al individuo? —preguntó Grover, como si no le sorprendiera en absoluto el rápido éxito de Warren.

—No hace mucho, entre quince y veinte minutos. Está aparcado justo enfrente de la casa de Jack y Laurie, y no es nada sutil. Me han dicho que ha salido a realizar ejercicios de calentamiento.

Grover rió.

—Muy confiado, diría yo.

—Muy estúpido, diría yo —replicó Warren de buen humor, intentando imitar el acento inglés.

—Intenta no perderle de vista, pero con discreción.

—Así lo haremos. De hecho, es muy fácil. Estamos utilizando la cancha de baloncesto como cada sábado.

—Si se va, no intentes seguirle. Volverá, o alguien le sustituirá. Yo recogeré a mi socio. ¿Vas armado?

—¡Por supuesto que no! —dijo Warren, en un tono indicador de que consideraba la pregunta una locura.

—Bien, tal vez sería mejor que consiguieras un arma. Si Colt y yo la cagamos, cosa que nunca hacemos, podrías ser vulnerable. Supongo que tienes acceso a algún tipo de arma.

—Tengo algo —admitió vagamente Warren.

—Llegaremos lo antes posible. ¡Sé discreto, no lo olvides!

—¿Cuál es el plan, si puedo preguntarlo?

—El plan es que nos dejamos caer por ahí e invitamos a ese caballero a acompañarnos a una breve fiesta, y le preguntamos lo que necesitamos saber. Por suerte, hemos alquilado un lugar muy conveniente para la fiesta. Cuando sepamos lo que necesitamos saber, o sea, la dirección donde retienen al hijo de los Stapleton, devolveremos a nuestro amigo a su coche, y nos gustaría que alguien nos echara una mano para meterle dentro, a fin de que pueda dormir después de recibir su medicina.

—¿Necesitaréis que le traslademos desde su coche al vuestro?

—¡Cielos, no! Pero gracias por la oferta. El motivo principal de que no deseemos vuestra ayuda es porque se trata de un delito trasladar a alguien a otro sitio en contra de su voluntad, cosa que justificamos con el ojo por ojo, diente por diente. En cuanto a los detalles prácticos legales, contamos con nuestro propio abogado defensor. En cualquier caso, la respuesta es no. Nosotros nos encargamos del secuestro.

39

—Creo que podemos felicitarnos —dijo Colt a Grover. Colt conducía, y Grover estaba examinando las indicaciones de Map-Quest—. La primera fase del plan se ha resuelto a pedir de boca.

La primera fase a la que se refería era haber sorprendido al espía, para luego trasladarlo desde su coche a la parte posterior de una furgoneta Ford negra alquilada. Justo cuando irrumpieron en su todoterreno, que no había cerrado con el seguro, el hombre, de quien más tarde averiguaron que se llamaba Duane Mackenzie, no vigilaba gran cosa, salvo el partido de baloncesto del barrio. Como consecuencia, Grover y Colt habían podido aferrar los picaportes de ambas puertas delanteras del todoterreno y abrirlas antes de que Duane pudiera reaccionar. Para entonces, ya tenían apretadas dos pistolas automáticas Smith & Wesson con silenciador contra su cuello, al tiempo que le despojaban de su arma.

—Bien, vamos a hacer lo siguiente —había dicho Colt al estupefacto y aterrorizado Duane—. Vas a bajar del coche, cruzaremos la calle y subiremos a la parte posterior de esa furgoneta Ford negra sin armar ningún lío. Si haces algo, te volaremos la tapa de los sesos. ¿Me he expresado con claridad?

—¿Quiénes sois? —intentó preguntar Duane, pero la voz se le quebró a causa del terror.

—¡Cierra el pico! —había gritado Colt—. ¿Está despejado el barrio? —preguntó a Grover. No pensaba apartar los ojos de Duane.

—Bastante —había dicho Grover, sin utilizar el nombre de Colt—. No hay peatones, salvo dos que se alejan, ni vienen coches.

Colt, que estaba en el lado del conductor, había sacado a Duane del todoterreno y cruzado la calle con él. Colt llevaba pegado al costado su arma. Grover había alcanzado a los dos en la parte posterior de la furgoneta y abierto las puertas.

Cuando estuvieron abiertas de par en par, Colt había obligado a entrar a Duane de una forma suave y enérgica. Dentro de la furgoneta había una alfombra oriental extendida, sobre la cual obligaron a Duane a tenderse de espaldas. Grover también había subido, y mientras Colt mantenía el cañón de la pistola apretado contra el cuello de Duane, Grover había inmovilizado los brazos del hombre con cinta americana, le había amordazado con un trapo sujeto con la misma cinta, y después le había envuelto en la alfombra. Todo el episodio, desde que habían entrado en el vehículo de Duane hasta que le habían envuelto en la alfombra, no había durado más de un minuto, y el único testigo había sido Jack. Gracias a la conversación de la noche anterior, había reparado en el todoterreno y lo había vigilado todo el rato.

—¿Giro en dirección este? —preguntó Colt, mientras iba hacia el sur por Central Park West.

—Por la Cincuenta y nueve o por la Cincuenta y siete —respondió Grover—. La Cincuenta y nueve nos irá bien.

Iban camino de Woodside, Queens, donde habían alquilado una casa de dos pisos. Era de ladrillo, con un garaje al que se entraba desde un callejón posterior. El garaje había sido esencial. Querían evitar a los curiosos cuando sacaran del vehículo a su invitado.

—¿Crees que estará lo bastante aterrorizado? —preguntó Colt. Parte de la técnica consistía en asustar a la víctima para que soltara prenda.

—Creo que sí —dijo Grover—. Yo lo estaría, seguro. —Consultó su reloj—. Espero que no tardemos demasiado. Hoy tenemos mucho que hacer.

Cruzaron el puente de Queensboro y pasaron a Northern Boulevard, y después a la calle Cincuenta y cuatro. La casa que habían alquilado se encontraba en mitad de la manzana. Colt entró en el callejón. La puerta del garaje se abría con un mando a distancia, uno de cuyos botones apretó Grover cuando se acercaron. La puerta del garaje se elevó con un traqueteo. Colt entró y apagó el motor.

—Vamos a sacar primero las herramientas, montamos el tinglado y volvemos a por nuestro invitado.

—Me parece bien, pero vamos a tomárnoslo con calma —contestó Grover.

40

Sábado, 27 de marzo de 2010, 12.50 h

El teléfono volvió a sobresaltar a Laurie y Jack y el pulso se les aceleró. Media hora antes había sido Warren, quien se disculpó por molestarles, pero dijo a Jack que un puñado de chicos estaban ya en la cancha y que iban a empezar el partido antes de lo acostumbrado. Quería saber si Jack se uniría a ellos para distraerse un poco. Jack lo había sopesado un momento, pero después de mirar a Laurie decidió que no. Pensó que necesitaban estar juntos, aunque ya no tenían nada que decirse. Para ambos, lo más duro era sentirse impotentes mientras basculaban entre el abatimiento y la ira.

Antes de colgar, Warren comentó algo interesante, cuando no esperanzador. Dijo que Flash y él habían descubierto a un posible espía, y Grover y Colt lo habían secuestrado.

—Fui testigo del rapto —admitió Jack—. ¿Sabes adónde le llevaron?

—Ni idea, pero debemos esperar a que traigan otra vez al tipo. Por eso hemos decidido empezar antes el partido.

La segunda vez que el teléfono sonó, ninguno de los dos quiso descolgarlo. Laurie estaba sentada en una butaca, Jack en el sofá, al lado de la mesa del rincón sobre la que estaba el teléfono.

En aquel momento se encontraba en pleno bajón depresivo y no estaba seguro de poder interactuar con alguien. No obstante, al cabo de varios timbrazos más, descolgó. Esperaba que fuera Warren, para insistir en que bajara a jugar, pero era el detective Mark Bennett.

—¿Cómo lo llevan? —preguntó—. ¿Han dormido algo?

—Hoy no toca dormir —dijo Jack—. ¿Ha pasado algo? ¿Sabe que recibimos otra llamada?

—Por supuesto. Escuché la grabación varias veces, y hasta he ido al Laundromat desde el que llamaron, con la esperanza de hablar con algún empleado que viera algo, pero no hubo suerte. Al menos sabemos cómo piensan comunicarse con nosotros, lo cual ya de por sí es importante.

—¿Va a servir de algo?

—Sí y no. Todavía quedan muchos teléfonos públicos en la ciudad, no podemos vigilarlos todos. Pero lo tendremos en cuenta a medida que la investigación progrese. Lo fundamental es que presentaron una exigencia concreta, lo cual significa que las negociaciones van a empezar. Se trata de un elemento clave.

—Y nos recordaron una exigencia anterior. Nada de acudir a la policía. Amenazaron con hacer daño a J. J. si no respetábamos esa exigencia.

—Es una exigencia que suelen hacer todos los secuestradores y, por motivos obvios, somos sensibles al problema. No vamos a anunciar nuestra implicación de ninguna manera. Depende de ustedes contarlo a los medios, aunque nosotros no lo recomendamos.

—¿Y el hecho de que usted entrara y saliera de aquí? ¿Y el agente de abajo?

—El agente de abajo se quedará de momento, pero no entrará ni saldrá por su puerta. Le agradeceremos que le faciliten comida y bebida. Pensaremos en una forma de que entre y salga y sea relevado sin que nadie que vigile el edificio lo vea. Es una de las ventajas de vivir en una casa adosada con múltiples entradas a la zona común trasera.

—¿Nadie va a entrar o salir por la puerta principal? —preguntó Jack, solo para estar seguro.

—De ninguna manera.

—¿Han hecho algún progreso?

—Sí. Recibimos una llamada de la gente que estaba examinando la furgoneta blanca utilizada para el secuestro. Tal como sospechábamos, era robada y estaba cuidadosamente limpia. De todos modos, pudimos obtener algunas huellas parciales y otras completas, y todas han sido enviadas para analizarlas. Algo así podría significar un gran adelanto. Además, hemos lanzado orden de busca y captura de su compañero de trabajo, Vinnie Amendola. Hasta el momento, la ha esquivado. Con esto no intento insinuar que lo haga a propósito, solo que no hemos obtenido respuestas.

»Voy a sugerirles algo —continuó Mark—. Como ya saben, les han indicado que quieren el rescate en diamantes de clase D, lo cual es inteligente por su parte. Diamantes valorados en un millón de dólares serán fáciles de obtener, pero no sin dinero. Temo que deberían empezar a pensar en cuánto dinero podrán reunir, y en cómo van a hacerlo.

—Todos nuestros ahorros están invertidos en esta casa. No tenemos ningún tipo de hipoteca.

—Les animo a hablar con su banco y preguntar cuánto dinero podrían obtener con un acuerdo financiero. ¿Tienen seguro de vida?

—Yo sí, pero no es gran cosa.

—Bien, pruébelo. Cuando lleguemos a ese punto de la negociación, nos haremos una idea de cuál es la cantidad máxima con la que podremos trabajar. ¿Quiere hacer alguna pregunta? Estamos concentrando todos nuestros esfuerzos en su caso. Ayer hablé con el jefe de policía. Está muy interesado en que se resuelva lo antes posible.

—Voy a hacerle una pregunta: ¿es posible averiguar dónde retienen esos tipos a mi hijo?

—Sucede, pero en escasas ocasiones. Por otra parte, y en nuestra opinión, expone a un gran peligro a la víctima. La experiencia nos ha demostrado que hay que conseguir llevar a los secuestradores a la mesa de negociaciones y acordar las mejores condiciones para la liberación.

41

Sábado, 27 de marzo de 2010, 13.00 h

—Estamos preparados —anunció Grover después de colocar el soporte de la intravenosa al lado de la cama. Estaban en el dormitorio más pequeño de la casa de Woodside. Sobre la cama había un tablón de contrachapado de dos centímetros de espesor, de unos dos metros de largo por sesenta centímetros de ancho, con una tablilla de sesenta centímetros que sobresalía por un lado. Una bolsa negra que contenía una serie de medicamentos y jeringuillas descansaba sobre la mesita de noche, junto con un rollo nuevo de cinta americana.

—Es hora de traer a nuestro invitado —dijo Colt. Grover y él llevaban guantes de látex tanto para protegerse como para no dejar huellas en la casa, que había sido alquilada bajo un nombre falso con dinero en metálico. El lema de CRT era: toda precaución es poca.

Volvieron a la furgoneta y desenrollaron a Duane, quien parecía aterrorizado, tal como habían supuesto.

—Arriba —dijo Colt, mientras sentaba al hombre—. Nos vamos de fiesta.

Al principio, Duane intentó resistirse a salir de la furgoneta, hasta que Colt sacó la pistola de debajo de la chaqueta. Duane cambió al instante de actitud y salió con movimientos desmañados. Con Grover delante, seguido de Colt, sacaron al tembloroso hombre del garaje, que olía a petróleo, subieron la escalera y entraron en la pequeña habitación. Cuando Duane vio el tablón sobre la cama y la intravenosa, intentó resistirse de nuevo y empezó a forcejear.

—Basta de peleas —dijo Grover, y empujó a Duane hacia la cama—. Vamos a hacer lo que nos dé la gana, colabores o no, a menos que nos digas lo que queremos saber.

Duane hizo un esfuerzo por hablar.

—¿Estás intentando decir que quieres hablar con nosotros? —preguntó Grover. Clavó la vista en los ojos oscuros del hombre, mientras Duane asentía.

Grover miró a Colt con aire inquisitivo.

—Prueba —dijo Colt.

Grover cogió el extremo de cinta americana que cubría la boca de Duane, le dio un fuerte tirón y se llevó unos cuantos pelos del bigote. Duane chilló y apretó los dientes.

—¿Quiénes sois? —preguntó cuando se recuperó.

—Temo que eso carece de importancia —contestó Grover, con más acento inglés que nunca—. Tienes dos segundos para mostrarte colaborador.

—¿Qué significa ser colaborador?

—Significa decirnos dónde está el niño al que tú y tus cómplices secuestrasteis. Dinos dónde está o te obligaré a confesarlo. Tú eliges.

—No tengo ni idea de qué estás hablando.

—¿Qué estabas haciendo sentado en tu coche en la calle Ciento seis?

—Viendo un partido de baloncesto en la cancha del barrio.

Disgustado con la respuesta y la actitud, Grover lanzó un repentino golpe de kárate contra el cuello de Duane. Al principio, las rodillas del hombre cedieron, y habría caído al suelo si Grover no le hubiera sujetado por debajo de los brazos. Colt se anticipó a los movimientos de ambos y agarró las piernas de Duane, y juntos lo depositaron sobre la tabla de la cama. A continuación, vino la cinta americana, que Grover cogió de la mesita de noche. Mientras Duane todavía seguía aturdido por el golpe, Grover y Colt consiguieron sujetarle con cinta a la tabla.

—¡De acuerdo! —dijo desesperado Duane en cuanto pudo hablar—. Lo siento. No quería hacerme el listillo. Estaba vigilando una casa para comprobar que la mujer no saliera. Lo juro. Es lo único que estaba haciendo, comprobar que nadie salía de la casa.

—Demasiado tarde —replicó Grover—. No tenemos tiempo que perder.

Con la destreza que procura la práctica, Colt preparó una intravenosa.

—¿Qué coño estáis haciendo? —gritó Duane, mientras forcejeaba en vano—. ¿Qué me vais a poner?

—Comprueba mis cálculos —dijo Grover—. Son 0,7 miligramos por kilo. ¿Cuánto crees que pesa, unos ochenta kilos?

—Eso diría yo.

—Muy bien, eso significa cincuenta y seis miligramos —continuó Grover—. Que sean sesenta.

Introdujo la medicación en la jeringuilla, le dio unos golpecitos para eliminar las burbujas y se la entregó a Colt por encima del cuerpo de Duane.

—¿Qué coño me vais a poner? —repitió Duane. Tenía los ojos abiertos como platos. Colt, disgustado con el hecho de que todavía quedaba un poco de aire en la jeringuilla, la sostuvo en vertical y dio unos golpecitos, como Grover había hecho.

—¡No! —suplicó Duane—. ¿Qué es? ¿Qué efectos causa?

—Se llama Versed, si de veras quieres saberlo —dijo Grover—. Pero decírtelo es perder el tiempo, porque no vas a recordar nada de esto. Entre otras características, este fármaco es un maravilloso amnésico retrógrado.

—¿Qué coño es un amnésico? —clamó Duane.

Ni Grover ni Colt le hicieron caso. Colt utilizó el puerto de la intravenosa para inyectar la droga.

—Jesucristo que estás en los cielos —masculló Duane cuando vio que Colt volvía a tapar la aguja con el capuchón de plástico—. ¿Qué vais a...?

Duane había intentado formular otra pregunta, pero su voz enmudeció. Ya se había dormido.

—Cada vez que utilizamos este fármaco me quedo asombrado —dijo Colt, mientras devolvía la jeringuilla vacía a Grover.

—Es una droga maravillosa —admitió Grover. Cogió la primera jeringuilla después de llenar una segunda con diez miligramos de Valium, que utilizaría más tarde—. Comprueba si es fácil despertarle.

—¡Eh, Duane! —gritó Colt, al tiempo que le abofeteaba—. ¡Venga, despierta! —Le dio otra bofetada más fuerte y luego le aferró la barbilla y la sacudió—. ¡Vamos, chavalote! Vuelve a la tierra.

Los ojos de Duane se abrieron con una mirada extraviada.

—Caramba —dijo, con una sonrisa que iluminó su cara—. Qué... —empezó a preguntar, pero olvidó lo que estaba pensando.

Durante unos minutos, Colt le hizo preguntas inocuas, que Duane contestó con cierto humor. El único problema era que tenían que despertarle cada dos por tres.

—¿Qué está pasando con el secuestro? —preguntó de improviso Grover. Las anteriores preguntas habían sido de naturaleza más personal.

—Poca cosa —contestó Duane—. Todos estamos esperando a que empiece la diversión.

—¿Qué clase de diversión?

—Intentar pensar en cómo intercambiar al crío por los diamantes sin que nos pillen.

—No querréis que os pillen, desde luego —admitió Grover—. ¿Dónde está el niño?

—En casa de Louie.

—¿Louie qué?

—Louie Barbera.

—¿Dónde vive Louie?

—En Whitestone.

—¿Cuál es la dirección?

Duane no contestó. Colt le abofeteó varias veces, y sus ojos volvieron a abrirse a regañadientes.

—Te he preguntado la dirección de Louie —dijo Grover—. Louie Barbera.

—Powells Cove Boulevard, 3746.

Grover anotó a toda prisa la dirección.

—¿Quién se ocupa del niño? —preguntó.

—La mujer de Louie. Está encantada con el crío. Quiere adoptarle y no para de insistir a Louie al respecto. Louie quiere trasladar al chico.

—¿Adónde?

—No lo sé. A un lugar junto al río. Intentan poner calefacción en un viejo depósito.

Grover y Colt intercambiaron una mirada de complicidad sobre el cuerpo inmóvil de Duane.

—Un motivo más para intentar rescatarle esta noche —dijo Grover—. No queremos asaltar la casa y salir con las manos vacías.

—Me gustaría contar con un día como mínimo para ir a examinar el lugar —se quejó Colt.

—¡Lo haremos esta noche! No podemos correr el riesgo de desaprovechar la oportunidad. Ahora que tenemos la dirección, es preciso. Iremos esta tarde a echar un vistazo.

—Ir a echar un vistazo no sirve de nada —volvió a lamentarse Colt.

—Es un inconveniente que deberemos asumir. ¿Quieres hacerle alguna pregunta más a nuestro invitado?

—¡Duane! —gritó Colt, y le abofeteó con más fuerza que antes, como si fuera culpa de él que no pudiera contar con un día y una noche enteros para su investigación—. ¿Louie tiene perros?

—Dos. Dos dobérmans con malas pulgas que vigilan el terreno.

—Mierda. Ya me parecía a mí que era demasiado bueno para ser cierto.

—Míralo por el lado positivo. Si alguien tiene perros grandes en su propiedad, es probable que sea descuidado con sus sistemas de alarma.

—Bien dicho —admitió de mala gana Colt—. Larguémonos de aquí y vayamos a ver la casa.

Recogieron su equipo y devolvieron a Duane a la furgoneta. Grover regresó para dar un último repaso y asegurarse de que no se dejaban nada, y después depositó las llaves sobre la mesa de la cocina.

Volvieron a la calle Ciento seis Oeste y Grover llamó al despacho. Descolgaron enseguida, porque en CRT había gente las veinticuatro horas del día los trescientos sesenta y cinco días del año.

—¿Eres Beverly? —preguntó Grover. Con los años, se había acostumbrado a identificar a las recepcionistas por la voz.

—Sí —contestó jovial Beverly.

—¿Está por ahí alguno de los investigadores?

—Sí, he visto a Robert Lyon hace un momento.

—¿Podrías enviarle un mensaje al busca y pedirle que me llame al móvil?

—Ningún problema. Lo haré ahora mismo.

Robert llamó enseguida.

—Necesito ayuda hoy —dijo Grover.

—¿Qué necesitas?

—Tengo la dirección de una casa de Whitestone, Nueva York. Averigua todo lo que puedas sobre ella. Conéctate con la web de la oficina catastral, a ver si tienen un plano disponible. También quiero saber quién es el propietario, y llámame de nuevo a este número en cuanto dispongas de más detalles. Esta noche allanaremos la casa, de modo que consigue la máxima información posible.

Dio a Robert la dirección y cortó.

Su siguiente llamada fue a Warren.

—Estamos en camino —dijo Grover cuando Warren contestó sin aliento—. Vamos a necesitar ayuda para meter otra vez al espía en su vehículo. Después de tantos nervios, está dormido como un tronco.

—Ningún problema. Aquí estamos todos jugando a baloncesto, como de costumbre. ¿Conseguiste lo que necesitabas?

—Creo que sí. Fue muy amable.

—Bien. ¿Cuánto tardaréis en llegar?

—Yo diría que entre treinta y cuarenta minutos. El tráfico de los sábados es relativamente fluido. Volvemos desde Woodside.

—Hasta luego —dijo Warren, y colgó.

Veinte minutos después, Colt giró en la calle de Jack y Laurie. Frenó detrás de la furgoneta de Duane. Grover bajó en cuanto Colt paró. Para no atraer demasiado la atención, Grover corrió hacia la cancha de baloncesto, en lugar de gritar desde el otro lado de la calle. Esperó a que el partido terminara y atravesó la alambrada de tela metálica para llamar a Warren.

—Flash y yo vamos enseguida —contestó Warren, en cuanto vio a Grover haciéndole señas.

Con cuatro personas, no hubo ningún problema en trasladar a Duane hasta su vehículo. A instancias de Grover, le depositaron en el asiento del conductor y sobre el volante.

—Está totalmente inconsciente —comentó Warren—. ¿Qué le habéis dado?

—Una droga llamada Versed —explicó Grover—. Y está a punto de recibir una inyección intramuscular de Valium. Queremos que duerma durante un buen rato, pero que parezca que está como una cuba. —Grover sacó una botella de vodka de la furgoneta y, cuando Colt le levantó, obligó al hombre a tomar un trago de licor, que se derramó en su mayor parte sobre la camisa de Duane—. Perfecto. —Volvió a enroscar el tapón en la botella y la tiró medio vacía sobre el asiento del pasajero—. Si sus cómplices vienen en su busca, le encontrarán comportándose como un borracho, pero jamás adivinarán que ha sido secuestrado y le han dado una droga que suelta la lengua.

—Pero él sí que se acordará.

—No —contestó Grover con seguridad, mientras administraba la inyección de Valium a Duane en el antebrazo a través de la camisa—. El Versed no solo te pone parlanchín, sino que provoca amnesia retrógrada. Tendrá suerte si se acuerda de que esta mañana se despertó.

—Muy logrado —dijo Warren.

—¿Podríais vigilar este vehículo, chicos? Me gustaría saber si sus cómplices aparecen. También su número de matrícula, sin levantar sospechas. No quiero que se enteren de que hemos estado aquí.

—¿Hasta cuándo quieres que vigilemos?

—Al menos, hasta las dos o las tres de la madrugada, pero sé que eso es pedir mucho. No obstante, lo agradecería, siempre que contéis con ganas y personal suficiente.

—Ningún problema. Esos hijos de puta mataron a mi prima y han secuestrado al hijo de Laurie y Jack. No me importa pasar la noche en vela si hace falta. Estaremos en la cancha hasta el anochecer. Después llamaré a los colegas que convocamos para hoy pero que no han podido hacer nada, para que vigilen esta noche.

—Siempre que no se dejen ver. Esto es muy importante. Si los secuestradores piensan que les están vigilando o siguiendo, se pondrán muy nerviosos, lo cual pone en gran peligro a la víctima. Si sospechan que las autoridades les van detrás, no dudarán en matar al rehén y se desharán del cadáver, que jamás será encontrado.

—Comprendido —dijo Warren, y era verdad.

Después de abandonar el barrio, y antes de dirigirse a Whitestone, Grover y Colt fueron a Midtown para pasar por la oficina. CRT ocupaba toda una planta en la calle Cincuenta y cuatro. Por lo general, era un hervidero de actividad, pero era sábado y, de los treinta y nueve socios, estaban trabajando en casos activos en ocho países, por lo que la oficina parecía un mausoleo.

—Robert me ha dicho que estaría en el comedor —dijo Beverly cuando Grover y Colt aparecieron. El supuesto comedor era una estancia sin ventanas, más adecuada para guardar trastos de limpieza que para comer. Había varias máquinas expendedoras de chucherías y un espacio para la máquina de café. Robert estaba solo, acunando un café mientras trabajaba en un ordenador portátil.

—¿Has tenido suerte? —preguntó Grover.

—No mucha, pero algo hay. En primer lugar, acertamos con la oficina del catastro, lo cual, debo añadir, fue una gran idea por tu parte. Tenían un plano rudimentario del solar y mejores planos del edificio, pues la propiedad experimentó una renovación y se revalorizó a gran escala después de que el actual propietario la comprara, hace una década.

—¿Utilizas la palabra «propiedad» literal o figuradamente?

—Literalmente. Abarca unas dos hectáreas y media. Es grande para la zona, con piscina, pista de tenis y un muelle.

—¿La propiedad da al río?

—Sí. Hay ciento veinte metros de fachada al East River. La casa mide más de tres mil metros cuadrados y abarca casi todo el terreno, salvo por la piscina y la pista de tenis. En mi opinión, eso es una propiedad.

—Estoy de acuerdo —admitió Grover—. Vamos a ver los planos.

Robert había impreso los planos de la oficina del catastro en papel de veinte por veintiocho. Colt guardó el plano del solar, pero le devolvió de inmediato el plano de la edificación.

—Hazme una copia al doble de tamaño. Tal vez tenga que buscar al niño y he de conocer la casa como la palma de mi mano.

—También tengo un callejero de la ciudad —dijo Robert, y se lo dio antes de ir a ampliar los planos de la edificación.

—Ajá —dijo Grover, después de echar un breve vistazo al plano. Robert había señalado la casa con una cruz roja—. Está en una calle sin salida.

—Eso no es problema —dijo Colt—. Nos acercaremos por el río. No vamos a quedarnos atrapados en una calle sin salida.

—¿Acercarnos en qué? No conseguirás que vuelva a meterme en el agua, de ninguna manera.

Unos diez años antes, Colt había insistido en utilizar equipo de buceo para acercarse a otra propiedad encarada al agua en Cartagena, Colombia.

—Alquilaremos algo similar a una zódiac y pararemos debajo del muelle. Tiene que haber un puerto deportivo en la zona.

—¿Con qué datos contamos sobre el propietario? —preguntó Grover a Robert cuando volvió con las ampliaciones.

—Escasos. Sale como propiedad de una compañía financiera panameña que paga los impuestos y servicios, pero cuando intenté investigar a la empresa panameña, descubrí que era propiedad de una empresa brasileña, etcétera, etcétera. Ya conoces la historia.

—Empresas fantasma —asintió Grover—. Otra señal de que este secuestro apunta al crimen organizado.

Colt consultó su reloj.

—¡Son más de las dos, Grover! Hemos de ir cagando leches a Whitestone, sobre todo ahora que hemos de alquilar un barco. Además, necesitaré tiempo para preparar un equipo de operaciones para lo de esta noche.

—Muy bien, vamos allá. Robert, si descubres algo más sobre la casa o el propietario, llámame al móvil. Esta operación ha de llevarse a cabo esta noche, así que haz lo que puedas.

—De acuerdo —dijo Robert.

—Otra cosa, Robert —dijo Colt—. ¿Has visto a alguien de logística esta mañana?

En CRT, logística significaba un solo hombre. Se llamaba Curt Cohen, y era un maestro en la obtención y mantenimiento de casi cualquier cosa en el mundo, sobre todo en la parcela de la electrónica y las armas, cualquier cosa que un gestor de riesgos, ex Fuerzas Especiales, necesitara para llevar a cabo su misión como asesor de secuestros.

—Curt estuvo aquí esta mañana, buscando algo especial para Roger Hagarty, que está en México trabajando en un caso.

—Muy conveniente —dijo risueño Colt—. ¿Puedes localizarle y pedirle que me llame? Yo también voy a necesitar cosas especiales.

—Será un placer —respondió Robert, muy contento.

—Vámonos —dijo Grover, al tiempo que asía el brazo de Colt y le empujaba en dirección a los ascensores—. Tú eres el que no para de quejarse de que vamos justos de tiempo.

En este segundo desplazamiento a Queens, optaron por utilizar el túnel Queens-Midtown. Mientras Grover conducía, Colt aprovechó el tiempo para estudiar los planos y aprendérselos de memoria.

—Creo que no te causará ningún problema localizar a J.J. —dijo Grover, consciente de lo que Colt estaba haciendo.

—Me alegro de que seas optimista, pero no quiero entrar allí e ir dando tumbos en la oscuridad.

—Más vale prevenir que curar, y perdona la expresión, pero si a la mujer le gusta tanto el crío, apuesto a que este estará en el centro de la habitación de matrimonio.

Cuando volvieron a salir a la luz del día, Colt repasó de nuevo los planos, pero el móvil le interrumpió.

—Soy Curt. Robert me ha explicado que necesitáis un equipo especial.

—Así es, una pistola de dardos cargada con suficiente ketamina para tumbar a un búfalo adulto en celo. Que tenga mira de láser verde. La verdad es que nos enfrentemos a un par de dóbermans.

—Muy divertido —dijo Curt—, pero una dosis de caballo no servirá de nada. Con dardos de ketamina, los animales no se desploman al instante, incluso si me paso en la cantidad. Eso es una leyenda urbana. El perro caerá al cabo de unos minutos, y puede que todavía siga siendo peligroso. No lo olvidéis.

—¿De modo que un perro podría devorarme varios minutos después de haberle disparado un dardo de ketamina?

—Me temo que sí. Puede suceder, a menos que quieras matar al perro.

—Gracias por la buena noticia. Además de la pistola de dardos, necesitaré mi habitual equipo de escalada, con varios metros de cuerda. Y un anclaje para escapar deprisa.

—Ningún problema. ¿Algo más?

—Una especie de bolsa para colgar al hombro capaz de aguantar unos veinte kilos.

—¿Muy grande?

—Como de un metro de largo y entre treinta y treinta y cinco centímetros de alto. Lo suficiente para alojar a un niño de año y medio. Ah, y un cuentagotas.

—¿Alguna arma especial?

—Dame algo pequeño y ligero, pero que haga mucho ruido y no tenga que apuntarlo.

—¿Algo así como una Uzi?

—Eso estaría bien.

—¿Qué más?

—Las herramientas habituales para un allanamiento de morada, como ganzúas, ventosas y cortadores de vidrio.

—¿Eso es todo?

—Creo que sí. Si se me ocurre algo más, te llamaré.

—¿Cuándo quieres recogerlo todo? Lo dejaré en el mostrador de recepción a tu nombre. ¿Gafas de visión nocturna?

—Gracias por recordarlo. Se lo preguntaré a Grover.

—Pues claro que quiero gafas de visión nocturna —se adelantó Grover, que estaba escuchando la conversación.

—La previsión meteorológica para esta noche habla de cielos despejados y luna entre cuarto creciente y luna llena —dijo Curt—. Por si no lo habías mirado.

—Aun así, quiero las gafas de visión nocturna —insistió Grover.

—Lo mismo digo —añadió Colt.

—Y también un rifle con mira telescópica de visión nocturna, por si persiguen a Colt cuando salga de la casa con el niño.

—Ni se te ocurra.

—Es mejor...

—Sí, lo sé, «prevenir que curar». ¡Dejémonos de tópicos, por favor! —suplicó Colt.

—¿A qué hora? —preguntó Curt, interrumpiendo a los dos agentes—. ¿A qué hora queréis tener preparado el material?

—A eso de las once. No entraremos en la casa hasta después de la una, o más tarde.

—Os estaré esperando a las nueve. Si se os ocurre algo más, llamadme y haré lo que pueda.

—Gracias, Curt —dijo Grover, y Colt le imitó.

42

Después de recoger todo el equipo que Curt había reunido, Grover y Colt repitieron la ruta que habían recorrido aquella tarde, desde la oficina principal de CRT hasta Whitestone, Queens, un desplazamiento que había resultado muy provechoso. Lo primero que habían averiguado por la tarde era que el grupo responsable de secuestrar a J.J. no eran los aficionados que Grover y Colt habían sospechado al principio. Los perpetradores estaban vigilando el lugar, de forma inteligente y disimulada, donde retenían al niño, Powells Cove Boulevard, 3746. Durante los últimos cincuenta años los secuestradores profesionales se habían dado cuenta de que la vigilancia era un factor decisivo, pues si las autoridades, de una u otra forma, estaban cercando el escondite, cabía la posibilidad de huir si tenían tiempo, o matar a la víctima y esconder los restos en un lugar pensado de antemano. Sin los restos de la víctima o víctimas, la acción judicial era siempre difícil, en el mejor de los casos. El único motivo de que Grover y Colt hubieran descubierto a los espías era porque los habían buscado. Eran dos tipos en un 4×4 negro, encajonado en el camino de entrada de un vecino.

La segunda cosa importante que lograron en su reconocimiento de la tarde fue localizar un puerto deportivo de tamaño mediano en la ciudad, justo al otro lado de Whitestone. Aunque el puerto aún no estaba técnicamente abierto para la temporada, habían podido alquilar una zódiac y una rampa. Tuvieron que alquilarla durante una semana para justificar el hecho de sacar la embarcación de su protección invernal.

Para probar la barca, habían vuelto hacia Powells Cove Boulevard, 3746. No vieron a nadie, en especial guardias, como había pasado desde el lado de tierra, y se acercaron bajo el muelle tal como harían aquella noche. Sentados debajo del muelle, Colt había utilizado el ordenador portátil para buscar las habituales frecuencias de alarmas inalámbricas y anotarlas, mientras Grover vigilaba. En un momento dado, Grover creyó escuchar el llanto de un niño. Miró a su compañero, por si él también lo había oído, y Colt levantó la vista de la pantalla del ordenador, sonrió y alzó ambos pulgares.

La casa de tres pisos se veía mucho mejor desde el agua. Estaba construida de cemento reforzado, en falso estilo mediterráneo. Medio enterrados en lo alto de los muros circundantes había fragmentos de cristal, y encima rollos de alambre de espino. Pese a sus formidables defensas por el lado terrestre, la fachada que daba al mar estaba desprotegida, a unos treinta metros de la orilla. Delante de la casa estaba la piscina. Al lado, la pista de tenis. Habían visto los perros, pero solo de lejos cuando se habían marchado.

Ahora, justo después de medianoche, volvían a encontrarse en el puerto deportivo donde habían alquilado la barca aquella tarde. Grover apagó los faros del todoterreno. Iluminados tan solo por la luna, rodeó la fachada marítima del edificio y retrocedió hacia el muelle donde se encontraba la rampa que también habían alquilado. El puerto se hallaba a oscuras, salvo por las tenues luces de un escaparate de la carretera, el cual albergaba relucientes complementos marinos, como cornamusas de acero inoxidable y bloques de caoba. Por el lado del agua, las únicas luces estaban situadas en el complejo del muelle, en lo alto de largos postes y dirigidas hacia abajo para arrojar conos de luz sobre diversos lugares. El tiempo no habría podido ser más perfecto, sin una nube a la vista. No soplaba el menor viento y la superficie del agua estaba en calma.

Sin hablar, los dos hombres descargaron el equipo en la base del muelle. Mientras Grover devolvía el 4×4 a la zona de aparcamiento, donde llamaría menos la atención, Colt llevó el equipo a la zódiac y lo guardó a bordo. Trabajaron a toda prisa y en silencio. Solo dos coches pasaron por la carretera, y ninguno se detuvo. De hecho, ni siquiera disminuyeron la velocidad.

Con una mano sobre una de las grandes cornamusas del muelle para amarrar yates, Colt sujetó la barca, mientras Grover subía. Al instante, puso en marcha el motor, antes de que Colt saltara a bordo. Grover deslizó la barca por la rampa sin forzar la marcha y salió del complejo del muelle. Podía utilizar las gafas de visión nocturna, pero no eran necesarias en esta fase de la operación. Tampoco encendió las luces de navegación.

Antes de internarse mil metros en Little Neck Bay, Grover aumentó la velocidad. Como la mayor parte de fuerabordas, el motor era ruidoso, de modo que mantuvo la potencia limitada.

A medida que se alejaban de la orilla, donde la iluminación artificial era considerable, se iba haciendo cada vez más oscuro, salvo por la zona que rodeaba la luna y miles de estrellas más que centelleaban en el cielo nocturno. Con la temperatura alrededor de los cinco grados, el viento levantado por la aceleración de la zódiac era muy frío, y ambos hombres se acurrucaron como mejor pudieron.

Tras rodear Willets Point, Colt y Grover vieron de repente la extensión iluminada del puente Throgs Neck, con el puente de Whitestone al otro lado, que se elevaban del agua desde Queens hasta el Bronx. Diez minutos después, pasaron bajo el puente de Throgs Neck.

Cuando lo dejaron atrás y apareció ante ellos el de White-stone, Colt desvió la zódiac a la izquierda y se dirigió hacia la orilla, más o menos en dirección a Powells Cove Boulevard, 3746. A unos quinientos metros de distancia, Colt apagó las luces. A cien metros, apagó el motor. Los dos hombres continuaron remando el resto de la distancia.

Casi todas las casas de la orilla estaban a oscuras. Algunas tenían una o dos luces encendidas, bien en sus adornadas terrazas o dentro. Una casa situada muy a la izquierda estaba completamente iluminada. Desde donde ellos se encontraban, supusieron que se estaba celebrando una fiesta, porque había luces encendidas dentro y fuera, y se veía gente en varias terrazas y balcones. Pese a la distancia, el lejano rumor de voces llegaba hasta sus oídos.

Aunque Grover y Colt habían hablado en voz alta hasta entonces, con el fin de confirmar sus planes, una vez apagado el motor, y como se estaban acercando al extremo del muelle de Barbera, guardaron un silencio absoluto. Incluso remaron al unísono para reducir el chapoteo de los remos, mientras la barca se iba aproximando al muelle.

Salvo por un leve resplandor que surgía de una ventana del segundo piso, la casa estaba a oscuras. Una luz más intensa surgía del lado que daba a la calle, donde estaba el garaje. Solo se oían los ruidos de la fiesta y las olas que lamían la orilla.

Debido a la marea, la profundidad del agua en la parte inferior del muelle de madera se había reducido a algo más de un metro. De todos modos, la proa de la zódiac se deslizó con facilidad. Grover se quedó en la barca, mientras Colt saltaba al muelle para recoger el equipo que Grover le iba pasando. Después de sacarlo todo, Grover también bajó.

Colt ya se había vestido con lo que él llamaba la indumentaria de asalto, prendas con bolsillos y clips especialmente diseñados. La ventaja era que tenía acceso inmediato a todos los complementos, como la pistola de dardos de ketamina sujeta a un clip en el lado izquierdo o la Uzi que colgaba en el derecho. Grover se puso un traje similar, y ayudó a Colt a preparar el asalto. Después de cargar un bolsillo concreto, dio una palmada sobre él y susurró el nombre de lo que contenía, para que Colt lo anotara mentalmente. Sería un desastre encontrarse en plena tarea y echar de menos una herramienta específica. Otra ventaja de contar con bolsillos o clips separados para todo era que Colt podía moverse en silencio sin herramientas u otros artilugios que entrechocaran.

—¿Preparado? —susurró Grover.

—Preparado —contestó Colt. Probó la pequeña radio sujeta en el extremo del hombro derecho. Un aparato similar, sujeto al hombro derecho de Grover, cobró vida—. Probando: uno, dos, tres. Probando.

La frase tópica resonó en el micrófono alojado en el oído derecho de Grover.

Una vez listos, y con una bolsa colgada al hombro derecho, Colt recorrió a toda prisa el muelle y desapareció en las sombras de la escalera que subía hasta el nivel de la piscina.

Entretanto, Grover movió parte del mobiliario de la cubierta para apoyar el rifle con mira telescópica. También dio la vuelta a la zódiac para salir huyendo con más rapidez. Volvió al mobiliario de la terraza, se subió y miró por el visor del rifle.

Gracias al visor, Grover distinguió el problema antes que Colt. Fue un veloz movimiento que llamó su atención. Eran los perros, que llegaban por el lado izquierdo del edificio, desde el lado de la calle del recinto. Utilizó la radio de inmediato para advertir a Colt, apuntó al primer perro y disparó un solo proyectil. Supo al instante que había alcanzado al animal, porque agachó la cabeza y se precipitó al fondo de la piscina. El segundo perro, ajeno al destino de su compañero, rodeó el borde del edificio, esquivó la piscina y corrió lateralmente ante la línea de fuego de Grover.

Gracias a la advertencia de su compañero, Colt había subido a toda prisa la escalera, al tiempo que extraía del cinturón la pistola de dardos. Atento a los dos perros, había corrido hacia la pista de tenis. Aunque no había oído ladridos, sí los gruñidos y el sonido de sus patas golpeando contra el suelo. Fue en aquel momento cuando percibió la detonación apagada del rifle. Llegó a la puerta de la pista de tenis, la abrió, entró alrededor de su borde, pero aún no la había cerrado del todo cuando uno de los dóbermans se estrelló contra ella a toda velocidad. Si Colt no se hubiera aferrado a la puerta con todas sus fuerzas, tal vez el perro le habría arrollado debido a la aceleración.

El animal se levantó, exhibió los dientes y se lanzó contra Colt, quien respondió disparando la pistola de dardos. El sonido se pareció más a un silbido que a una detonación. El dardo se hundió en el pecho del perro, pero no impidió que intentara morder a Colt a través de la malla que componía el grueso de la puerta. Preocupado tanto por los gruñidos como por la posibilidad de que le mordiera, Colt cargó la pistola de nuevo y volvió a disparar, esta vez en la cadera. Pese a la segunda dosis de ketamina, el perro se levantó y trató de atacar otra vez a Colt a través de la malla. Sus temblores se fueron intensificando, hasta que al fin se derrumbó.

Colt aprovechó el momento para llamar a Grover.

—Gracias por cargarte a uno —dijo enseguida.

—De nada.

—¿Dónde está?

—En la piscina.

—¿Algún cambio en la casa?

—No que yo vea. Como el resplandor de la ventana del segundo piso no ha cambiado, yo diría que es una lamparilla de noche. En cualquier caso, no se han encendido más luces, así que puedes continuar.

—Ya voy —dijo Colt, y apagó la radio.

Después de empujar la puerta para apartar al dóberman anestesiado, Colt salió de la pista de tenis y siguió el lado de la casa hasta llegar a la piscina iluminada. El otro perro estaba flotando en la superficie, pero con la cabeza sumergida y desangrándose en el agua. En aquel momento, las luces de la piscina se apagaron, y a Colt le dio un vuelco el corazón. Consultó su reloj y suspiró de alivio. Eran las dos de la mañana en punto, lo cual sugería que un temporizador controlaba las luces de la piscina. Sin más dilación, se encaminó hacia una de las puertas de cristal deslizantes que conducían al solárium. Extrajo una ventosa y la aplicó al cristal, junto al mecanismo de cierre de la puerta. Después pasó un cortador de vidrio alrededor del aparato y practicó un círculo perfecto. Repitió la maniobra con una ventosa más pequeña y abrió un agujero en la capa interna de la ventana aislante. Luego introdujo la mano y abrió la puerta.

Colt hizo una pausa. En cierto modo, la primera fase de entrar en una casa era angustiosa. Antes, utilizando el ordenador, había desconectado las diversas alarmas inalámbricas, aunque no estaba seguro al cien por cien de haberlas desactivado todas. El éxito de la operación dependía del estado de las alarmas antes de que Colt las hubiera interferido. Respiró hondo y atravesó la puerta. Incluso antes de que se activara, se dio cuenta de que había tropezado con un detector de movimientos infrarrojo, porque una luz roja parpadeó cerca de la moldura de la cornisa. Justo cuando la alarma empezaba a sonar en toda la casa, Colt pulsó el botón de entrada para desconectarla. El sonido cesó, pero ya era tarde.

Se aplastó contra la pared y aguzó el oído, conteniendo el aliento. Creyó oír voces lejanas, pero después cayó en la cuenta de que las voces iban acompañadas de música que se colaba por la puerta abierta. Era la fiesta del otro lado de la bahía. Después oyó un sonido bajo y atronador, el cual provocó que contuviera el aliento de nuevo, mientras intentaba identificarlo. Esta vez era el compresor de un refrigerador.

—Salgo —susurró Colt en la radio, después de cerrar la puerta que daba a la piscina y ponerse las gafas de visión nocturna.

—Todo despejado —oyó en su auricular.

Colt se movió con celeridad como un gato desde el solárium hasta la cocina. Gracias al equipo de visión nocturna, veía lo bastante bien para evitar obstáculos. Por haber estudiado los planos, sabía cómo se llegaba al dormitorio principal, que estaba justo encima de la cocina del primer piso, encarado al agua.

Por desgracia, las escaleras de atrás eran tan antiguas como la parte principal del edificio, construido en los años veinte, y no demasiado robustas. Mientras Colt subía a toda prisa, produjo diversos crujidos y chirridos que le obligaron a detenerse al llegar al segundo piso. Se quedó escuchando. Además del compresor de la nevera, solo oyó ronquidos tranquilizadores procedentes del dormitorio principal.

Colt permaneció inmóvil un minuto entero. Los ronquidos no se alteraron, ni percibió otro tipo de sonidos. Estaba a punto de avanzar hacia la puerta de la habitación de matrimonio cuando oyó que su auricular cobraba vida.

—Houston, tenemos un problema.

El código de Grover para anunciar que debían abortar la misión.

—Diez-cuatro —respondió Colt, lo cual significaba que había recibido el mensaje, pero no podía conversar.

—Intruso acercándose por el lado derecho del edificio. Debe de ser una comprobación rutinaria. No tiene prisa. Le veo con toda claridad. Se alterará si ve a los perros o me ve a mí.

—Procedo —contestó Colt.

Siguió avanzando, llegó a la puerta de la habitación principal y examinó el interior. Lo primero interesante que detectó fue una cuna. Avanzó y vio la cama. Era de tamaño gigante, con una hornacina encima que albergaba una estatua de la Virgen María con el niño. La hornacina estaba iluminada con una tenue luz, que hacía las veces de lamparilla de noche. Había dos personas en la cama, seguramente Louie Barbera y su mujer. Tras otra breve pausa para comprobar que ambos estaban dormidos, Colt cruzó la gruesa alfombra hasta la cuna y vio por primera vez a J. J. En la oscuridad, y utilizando sus gafas de visión nocturna, el pelo del niño parecía gris verdoso en lugar de rubio, tal como se lo habían descrito, pero su cara era tan angelical como le dijeron. Estaba tumbado de espaldas con los brazos a los lados y los puños junto a la cabeza.

—Ha dejado atrás la pista de tenis sin problemas —dijo Grover—. Ahora enciende un cigarrillo. De momento, todo bien.

Colt miró hacia la cama, que se encontraba a menos de tres metros de distancia. Aunque las probabilidades de que les oyeran eran ínfimas, se sintió alarmado debido a la cercanía. No obstante, no quería abortar la operación en aquel momento, de modo que se volvió hacia el niño. Sacó el cuentagotas que antes había llenado con la cantidad exacta de Versed y desenroscó el tapón. Se inclinó sobre la cuna e introdujo el extremo del cuentagotas en la boca del niño.

—Va hacia el extremo de la piscina del edificio —dijo Grover, vacilante—. Sigue adelante. Gracias a Dios que las luces de la piscina están apagadas. Parece satisfecho de que todo esté en orden. Ahora baja por el lado izquierdo hacia el lado de la calle del recinto.

Poco a poco, Colt apretó la perilla del cuentagotas e introdujo la solución en la boca de J. J. Casi al instante, el bebé reaccionó chupando el cuentagotas. «Eso es, pequeño», dijo Colt en silencio, sabiendo que se estaba aprovechando de los reflejos de J. J. Después de hacer sitio en la bolsa durante unos segundos, Colt levantó al niño de la cuna y lo introdujo dentro. Tal como esperaba, no se quejó ni emitió el menor sonido. Colt estaba a punto de colgarse la bolsa al hombro cuando Louie Barbera tosió estentóreamente, lo cual provocó que tanto él como su mujer se despertaran.

—¿Te encuentras bien, querido? —preguntó la señora Barbera.

—Sobreviviré —dijo Louie. Sacó las piernas de debajo de las

mantas, se sentó en el borde de la cama y plantó los pies en el suelo.

Colt se quedó petrificado, salvo por la mano izquierda, con la cual extrajo la pistola de dardos del cinturón.

—¿Te vas a levantar? —preguntó la señora Barbera mientras se arrebujaba bajo las sábanas.

—Un momento —respondió Louie.

—Comprueba que el niño esté tapado.

Louie gruñó algo acerca de que el mocoso recibía más atenciones que él, luego se puso en pie y a continuación se dirigió hacia la cuna.

Asombrado de que no le hubiera visto, Colt retrocedió cuando Louie se lanzó hacia él. Pensó en lo que debía hacer. ¿Debía esperar, en el improbable caso de que no se produjera un enfrentamiento, o debía actuar? La pregunta se contestó sola cuando Louie llegó a la cuna, se agachó y bajó la cabeza. Sin duda estaba confuso mientras su mano tanteaba con desesperación en el interior de la cuna sin encontrar nada.

Colt le disparó en el voluminoso culo un dardo de ketamina.

—¡Mierda! —aulló Louie al tiempo que se erguía. Arrancó el dardo de su nalga izquierda y trató de distinguirlo en la oscuridad.

—¿Qué ocurre? —preguntó la señora Barbera, porque el berrido de Louie había conseguido que se incorporara en la cama.

—¡Algo me ha picado! —gritó Louie con voz algo vacilante. Extendió el dardo hacia su mujer, pese a que era imposible que lo viera en la oscuridad. Después soltó la cuna con la intención de caminar hacia ella. No llegó muy lejos. Al cabo de unos pasos vacilantes, cayó de costado.

La señora Barbera saltó de la cama entre un remolino de gasa. En cuanto se inclinó sobre su marido, Colt disparó el tercer dardo de ketamina. La mujer soltó un grito que eclipsó el de su marido.

—Houston, tenemos otro problema. Dos hombres se acercan corriendo por el lado derecho de la casa. Tal vez se ha disparado una alarma silenciosa.

Colt se colgó la bolsa al hombro y cerró la cremallera. Por suerte, J. J. no emitió el menor sonido.

—Han descubierto el segundo perro —dijo Grover en tono perentorio—. Hombres con armas desenfundadas corren hacia la terraza. No intentes salir por donde entraste. ¡Aborta, aborta!

Con las gafas de visión nocturna todavía puestas, Colt corrió desde el dormitorio hasta el vestidor, y del vestidor salió al pasillo del segundo piso. En ese momento se encendieron las luces de la cocina.

—Solo un hombre ha entrado en la casa —dijo Grover—. El segundo se ha quedado vigilando en la terraza.

Colt corrió por el pasillo y entró en un dormitorio de la derecha. Cerró la puerta con llave a su espalda, pero sabía que la cerradura era muy endeble y no detendría a un perseguidor decidido ni un segundo.

—Saliendo por el dormitorio del segundo piso a la derecha. Liquida al de la terraza. Dispón la barca para una huida rápida. Apunta al blanco.

Colt quitó el anclaje y extendió sus brazos. Llegó a la ventana y levantó el bastidor. Después alzó la contraventana. Asió un trozo de cuerda ceñida a su costado y sacó el bulto, antes de sujetar el extremo al anclaje, que solo abarcaba la abertura de la ventana. Puso la bolsa delante y después sacó una pierna, manteniendo la tensión en la cuerda sujeta al ancla. Sacó la otra pierna y bajó a rápel por el lateral del edificio.

Una vez en el suelo, Colt desenganchó la Uzi del cinturón y corrió hacia la orilla del agua. Cuando pasó ante la pista de tenis, vio al perro anestesiado. Llegó al borde de la casa, aminoró la velocidad, colocó la Uzi a la altura de la cintura, preparada para disparar, y saltó adelante. La precaución fue innecesaria. Grover había seguido su sugerencia. El secuestrador estaba despatarrado en la terraza con un limpio agujero en mitad de la frente, sin duda más trabajo para el equipo jurídico si los raptores estaban lo bastante locos para llamar a la policía.

Colt bajó corriendo los peldaños desde el nivel de la piscina, atravesó el jardín y después recorrió el muelle. Grover había dejado la barca a la vista. Cuando Colt llegó, el motor ya estaba en marcha. Luego puso la bolsa delante de él y saltó a la barca, mientras Grover aceleraba. Una vez más, dejó apagados los faros.

Casi sin aliento, Colt abrió la cremallera de la bolsa. J. J. estaba acurrucado contra unas toallas, dormido como un bebé, ignorante de que había vuelto a cambiar de manos.

—¡Has sido un socio excelente, amiguito! —gritó Colt al niño sobre el ruido de la zódiac.

Colt miró hacia la casa y vio unos destellos.

—¡Nos disparan! —gritó a Grover, quien inició una maniobra evasiva, aunque ni Colt ni él la juzgaron necesaria mientras estuvieran en el río. Su plan era dirigirse hacia el norte, en dirección a la orilla opuesta, hasta que la barca, baja y negra, ya no fuera visible, y entonces desviarse hacia el este, por donde habían venido.

Faltaba un cuarto de hora para las cuatro cuando Colt frenó ante la casa de Laurie y Jack. El vecindario estaba en silencio, sin un peatón o perro a la vista. De no ser por las farolas de la calle, habría reinado la negrura más absoluta, pues la luna había desaparecido. La casa estaba también a oscuras, salvo por una sola luz encendida en el dintel de la puerta principal.

Grover bajó y abrió la puerta de atrás. Se agachó, echó un vistazo a J. J., quien todavía continuaba dormido en la bolsa, y la sacó del vehículo. Cuando Colt se acercó, le entregó al niño.

—Esta noche eres tú quien merece los honores. Comparado contigo, yo he sido un simple espectador.

—Has tenido tus momentos —dijo Colt—. Abatir al primer perro y al secuestrador de la terraza lo ha hecho posible.

—Eres demasiado generoso, pero gracias.

Se lo tomaron con parsimonia mientras subían la escalinata. Al llegar a la puerta, se detuvieron con la bolsa entre ambos.

Grover apretó el timbre durante un minuto entero. Después de soltarlo, volvió a bajar la escalera y alzó la cabeza. Una sola ventana estaba iluminada. Grover bajó y se situó donde había estado antes. Por fin, Jack y Laurie abrieron la puerta.

—Señor Collins y señor Thomas —dijo Jack, sorprendido y no sorprendido al mismo tiempo—. Llegan sumamente pronto o sumamente tarde. ¿En qué puedo ayudarles?

Prefería no hacerse cábalas.

—Creo que hemos encontrado algo que les pertenece —dijo Colt. Levantó la bolsa y la depositó sobre las manos extendidas de Jack. Como la cremallera ya estaba abierta, se limitó a apartar los lados de la bolsa y vio a su angelical ocupante.

Laurie, que intentaba refrenar sus esperanzas por temor a llevarse una decepción, salió y echó un vistazo a la bolsa. Aunque chilló de placer, al principio no quiso levantar a su hijo por temor a estar viendo un producto de su imaginación. Pero su reticencia se esfumó enseguida, y su confianza aumentó hasta el punto de introducir las manos en la bolsa, sacar al niño dormido y apretarlo contra su pecho.

Medio riendo y medio llorando, Laurie bombardeó a Grover y Colt con preguntas, mientras J. J. continuaba durmiendo en sus brazos.

—Mañana o pasado ya habrá tiempo de contestar a sus preguntas. De momento, digamos que una mujer que, al parecer, le quería mucho, lo ha tratado extraordinariamente bien.

Con una enorme sonrisa en el rostro, gracias al veloz y feliz giro de los acontecimientos, Jack preguntó a los dos consultores de secuestros si querían entrar en casa, pero Grover y Colt declinaron la invitación, diciendo que debían devolver todo el material a CRT antes de despertar a su equipo jurídico e ir a ver a la policía.

—Hemos de confesar los pecados cometidos durante el rescate de J.J., mejor antes que después, aunque no pensamos admitirlos todos —dijo Grover, y guiñó un ojo—. Gracias por darnos la oportunidad de devolverles a su hijo.

—¿Nos está dando las gracias? —preguntó Jack con incredulidad.

Epílogo

Jueves, 1 de abril de 2010, 10.49 h
Nueva York

El capitán Lou Soldano se llevó una sorpresa al encontrar aparcamiento en la calle de Jack y Laurie, a solo dos puertas de su casa. Ambos se habían tomado una excedencia indefinida del IML, después del breve pero traumático secuestro de su John Junior. Aunque Lou no les había vuelto a ver desde aquel fatídico viernes, había hablado con ellos por teléfono en diversas ocasiones. La última fue la noche anterior, cuando Lou concertó la cita para ese día. Hasta ahora, creía que necesitaban privacidad.

Después de subir los cinco peldaños y llamar al timbre, Lou consultó su reloj. Faltaban diez minutos para el inicio de las redadas, que iban a tener lugar en tres lugares al mismo tiempo. El conocimiento de lo que iba a suceder proporcionaba a Lou una gran satisfacción, así como cierta agitación. Por otra parte, le dolía no poder participar, pero como no había forma de estar en tres sitios a la vez, había decidido no estar en ninguno y celebrar lo que iba a ocurrir con Laurie, puesto que ella era responsable de las redadas inminentes. Había sido una combinación de su intuición, tozudez e inteligencia forense lo que le había permitido descubrir un homicidio donde otros veían una muerte na-

417

tural. Había sido ella la que había relacionado el homicidio con el crimen organizado, en especial el vínculo existente entre la mafia y la yakuza japonesa.

La puerta se abrió, y Jack y Lou se saludaron cordialmente.

—No has de programar una visita oficial —le reprendió Jack mientras subían la escalera—. Puedes dejarte caer por aquí cuando quieras.

—Teniendo en cuenta las circunstancias, pensé que lo mejor era llamar —explicó Lou—. Los secuestros son acontecimientos emocionales muy especiales, por decir algo. ¿Cómo estáis todos?

—Todos bien, salvo yo —bromeó Jack—. J. J. parecía estar como siempre cuando despertó de la anestesia, y se ha portado con normalidad desde entonces, siempre que consideres normal el comportamiento de un niño de año y medio.

—Me acuerdo vagamente —dijo Lou. Sus dos hijos habían terminado la universidad.

—El único problema es que Laurie continúa culpándose del secuestro, por más que le digan. Y ahora se halla inmersa en esa batalla interna de si quiere ser madre a tiempo completo o madre y médico forense de primera clase. Habla con ella, por favor. Yo no puedo, porque seré feliz de cualquier manera. Quiero que haga lo que desee.

Pasaron por delante de la cocina y entraron en el salón. Laurie se levantó del sofá y se fundió en un largo abrazo con Lou, para luego darle las gracias por sugerir que contrataran a Grover y Colt.

—Ha sido extraordinario —dijo Laurie, mientras las lágrimas se agolpaban en sus ojos.

Lou se sintió un poco violento.

—Solo pensé que podrían rescatar a J. J. más deprisa —murmuró Lou, con la intención de minimizar el protagonismo que Laurie le otorgaba.

—¡Más deprisa! —soltó Laurie—. Lo trajeron al día siguiente. Fue como un milagro. Si no nos hubieran ayudado, estoy convencida de que J. J. seguiría en manos de los secuestradores.

—Sin duda —admitió Lou—. ¿Grover y Colt os confirmaron por qué secuestraron a J. J.?

—No, solo hablamos con ellos una vez, y eso fue el lunes. Llamaron para saber cómo estaba J. J. No hemos vuelto a tener noticias suyas, porque nos dijeron que iban a encargarse de un caso en Venezuela aquella misma noche.

—Tal como habían intuido, el secuestro se llevó a cabo como un último y desesperado esfuerzo por impedir que trabajaras en el caso de Satoshi Machita. La exigencia de rescate era la guinda del pastel. Te tenían miedo, Laurie, no al IML en general, sino a ti.

—Me cuesta creerlo.

—Y no deja en muy buen lugar al resto del IML —dijo Jack, intentando introducir un elemento humorístico. Jack se agachó y levantó a J. J., quien se sentía ignorado por los adultos y les estaba informando del problema.

—A ti tal vez te cueste creerlo, Laurie —dijo Lou—, pero es lo que creen el NYPD, el FBI, la CIA y el Servicio Secreto. Tu reciente trabajo con Satoshi Machita, combinado con el rapto de J. J., ha dado como resultado la creación del destacamento especial más eficiente en el que jamás he participado. Desde el domingo, este destacamento especial ha llevado a cabo una exitosa investigación equivalente a meses de trabajo, de modo que...

Lou hizo una pausa para consultar la hora. Faltaban tres minutos para las once.

—¿De modo que qué?

—Esto es supersecreto —dijo Lou, y bajó la voz para subrayar sus palabras—, pero dentro de dos minutos, en tres lugares diferentes, representantes de las cuatro agencias que acabo de mencionar lanzarán una redada en tres empresas diferentes: iPS USA, propiedad del doctor Benjamin Corey; Dominick's Financial Services, propiedad de Vincent Dominick, y Pacific Rim Wealth Management, propiedad de Saboru Fukuda. Todos los ordenadores, unidades de almacenamiento de datos y documentos serán confiscados, y todos los mandamases serán detenidos, incluidos los directores generales, directores económicos y jefes de operaciones. Esto será un bombazo. Lo siento hasta en los huesos. Obrará un gran efecto en la colaboración de la mafia con la yakuza japonesa, si es que no la destruye por completo. Reducirá de manera drástica el tremendo problema del cristal aquí, en la Gran Manzana. Gracias, Laurie. Eres un gran activo para la ciudad, de modo que cuando te plantees ser solo una mamá o una mamá con una carrera, no olvides que se te echará mucho de menos si eliges lo primero.

Laurie fulminó con la mirada a Jack, fingiendo furia.

—¿Has estado hablando de mí?

—Siempre hablo de ti —contestó Jack, al tiempo que alzaba las manos en señal de burlona rendición—. Pero te aseguro que no he influido en absoluto en la valoración de Lou.

El agente especial del FBI Gene Stackhouse había sido elegido jefe supremo del destacamento especial que comprendía representantes de la Oficina Federal de Investigación, la Agencia Central de Inteligencia, el Servicio Secreto y el Departamento de Policía de Nueva York. Él, al igual que los demás agentes, salvo el grupo del NYPD, iban vestidos con un uniforme azul oscuro con letras negras que indicaban su agencia. La mayoría portaban armas, ya fueran Glocks o rifles MI5. Los agentes del NYPD, todos miembros del SWAT, iban vestidos de negro y portaban diversos tipos de armas. Todo el mundo utilizaba cascos y chalecos antibala. Todos habían sido informados a conciencia y estaban ansiosos por iniciar la misión.

El agente especial Stackhouse estaba particularmente eufórico y preparado para cuando estallara la actividad coreografiada hasta el último detalle que había planificado para el momento en el que el segundero del cronógrafo llegara a las once. La hora de inicio sería a las once en punto en los tres lugares, con el fin de eliminar cualquier posibilidad de que una empresa avisara a otra para ocultar pruebas.

—¡Poneos las máscaras! —gritó cuando faltaban cuarenta y cinco segundos. Un pequeño micrófono sujeto a la charretera de su hombro transmitió su voz a las nueve furgonetas camufladas: tres en cada emplazamiento, con seis agentes de la ley en cada una, en total cincuenta y cuatro.

Gene Stackhouse iba en el asiento del pasajero de la primera furgoneta de su posición, que era el lado izquierdo de la Quinta Avenida, justo al norte de la calle Cincuenta y siete. Las otras dos furgonetas aguardaban detrás. Cuando el segundero pasó de las once, contó, «diez, nueve, ocho...». Desenfundó su Glock.

—Cuatro, tres, dos, uno... ¡Adelante!

Las cuatro puertas de las tres furgonetas se abrieron de repente, lo cual sobresaltó a diversos peatones de la Quinta Avenida. El equipo cruzó la amplia acera a toda prisa, abrió las puertas del edificio que alojaba a iPS USA e invadió el mostrador de recepción. Ordenaron a los guardias que no establecieran comunicación con ningún inquilino del edificio, sobre todo con iPS USA.

—¿Qué está pasando? —preguntó uno de los guardias de seguridad, intentando sonar autoritario. Se había quedado impresionado y aterrorizado al ver el armamento de los intrusos, pero aliviado cuando vio FBI, SERVICIO SECRETO, CIA y NYPD en la parte posterior de las chaquetas.

—¡Vamos a ejecutar una serie de órdenes de registro! —chilló Stackhouse, al tiempo que dirigía a sus hombres hacia un ascensor que esperaba—. ¡Permanezcan sentados! ¡No hablen! ¡No telefoneen!

Chasqueó los dedos en dirección a un agente de la CIA y le ordenó que se quedara con los guardias de seguridad del edificio, para asegurarse de que obedecieran sus órdenes.

En cuanto los demás agentes entraron en el ascensor, las

puertas se cerraron y subió al piso de iPS USA. Cuando llegó, fue como si el ascensor vomitara agentes impacientes que pasaron corriendo ante una estupefacta Clair Bourse y se desplegaron en la oficina de iPS USA en direcciones predeterminadas. Clair habría gritado si uno de los agentes no la hubiera inmovilizado; se había lanzado hacia ella, le había apuntado con su arma y había ordenado: «¡Quieta!». La idea del veloz y repentino asalto consistía en negar la oportunidad a cualquiera que intentara borrar pruebas. Jacqueline, al oír la orden lanzada en recepción, había tratado de cerrar la caja fuerte, pero dos agentes que irrumpieron en su despacho le ordenaron que desistiera.

Tras haber estudiado el plano por anticipado, todo el mundo sabía exactamente adónde debía ir. Stackhouse y otro agente del FBI, Tony Gualario, habían ido directamente a la oficina de Benjamin Corey. Sorprendieron al director general y al director económico en una reunión.

Cuando Stackhouse y Gualario irrumpieron en la habitación con las pistolas desenfundadas, Ben empezó a ponerse en pie.

—¡Sigan sentados! —ordenó Stackhouse. Apuntó con la pistola a Ben, quien al instante se hundió en su butaca de cuero. Por su parte, Gualario apuntaba a Carl.

—¿Es usted Benjamin Corey, de Edgewood Road, 5901, Englewood Cliffs, New Jersey? —preguntó Stackhouse.

—Sí —dijo Ben, con una sorpresa que se convirtió enseguida en miedo. De repente comprendió lo que estaba pasando.

—Soy el agente especial Gene Stackhouse del FBI. He venido para ejecutar cierto número de órdenes de registro, incluido el registro de iPS USA, y apoderarme de toda clase de pruebas relacionadas con lavado de dinero, fraude electrónico, fraude postal, conspiración para estafar al gobierno estadounidense y evasión de impuestos. También traigo una orden de detención contra usted por violación de las mismas leyes federales.

Hizo una pausa, carraspeó y sacó un papel del bolsillo.

—Traigo otra orden de detención contra usted, pero será mejor que la lea, porque nunca he ejecutado en persona dicha orden. —Volvió a carraspear—. «Orden de detención de Interpol: IP10067892431. Benjamin G. Corey, de Edgewood Road, 5901, Englewood Cliffs, New Jersey, Estados Unidos. Interpol solicita el arresto y extradición desde Estados Unidos a Japón del individuo arriba mencionado, de acuerdo con los tratados firmados entre ambos países, para ser juzgado por asesinato en primer grado cometido hacia o el mismo 28 de febrero de 2010, en la prefectura de Kioto, Japón».

—¿Cómo? —exclamó Ben—. Yo nunca...

—¡Espere! —ordenó Stackhouse—. No diga nada hasta que le lea sus derechos.

—He encontrado los cuadernos de laboratorio desaparecidos —dijo uno de los agentes del FBI, que había entrado por la puerta de comunicación del despacho de Jacqueline, y se los entregó a Stackhouse.

—Estupendo, George —dijo Stackhouse al ver los dos libros azules y reconocer la voz de George—. El gobierno japonés se sentirá muy complacido. Pero deja que acabe de leer los derechos constitucionales. Si quieres hacer algo más útil, llama a los otros dos equipos y comprueba que las redadas han salido tal como habíamos planeado.

Stackhouse carraspeó de nuevo. Había sacado una tarjeta de 10×15 en la que estaban escritos los derechos constitucionales, para asegurarse de que los leía bien.

—Ya conozco mis derechos constitucionales —rezongó Ben. Estaba indignado por el hecho de que el gobierno japonés le acusara de un crimen que había hecho lo imposible por evitar.

—De todos modos, he de leerlos —insistió Stackhouse, y procedió a hacerlo, mientras Tony hacía lo mismo con Carl.

Cuando Ben y Carl ya estaban esposados, George volvió a evitar entrar en el despacho.

—Las otras redadas han salido a pedir de boca —dijo—. To-

423

dos los directivos han sido detenidos, y se ha recogido una to-
nelada de pruebas.

—Perfecto —dijo Stackhouse—. Vamos a seguir recogiendo
todas las pruebas de esta oficina. Recordad que debemos apoderarnos de todo: ordenadores, memoria, faxes y móviles. Además
de todos los documentos, cartas o apuntes. ¡Manos a la obra!

Domingo, 18 de abril de 2010, 13.45 h
Nueva York

—Aquí viene —dijo Laurie, cuando vio a Lou Soldano caminando al norte de Columbus Avenue. Laurie, Jack y J. J. estaban sentados en la terraza de uno de sus lugares predilectos,
Espresso Et. Al., situado justo al sur del Museo de Historia Natural. De hecho, solo Laurie y Jack estaban sentados, porque en
aquel momento J. J. dormía en el cochecito reclinable. Gracias al
emplazamiento del café, en el lado este de la avenida, recibía
todo el sol disponible en aquella hermosa y tibia mañana de primavera.

Laurie echó hacia atrás la silla metálica y movió las manos
por encima de la cabeza para llamar la atención de Lou. Este le
devolvió el saludo y modificó su trayectoria para atajar. Pasó
por encima de la cadena baja tensada entre dos macetas que de-
limitaban la terraza del café.

Después de un rápido abrazo con Laurie y entrechocar las
manos con Jack, Lou tomó asiento en la silla que le habían reservado. Daba la impresión de que acababa de saltar de la cama,
despeinado y con los párpados todavía cargados de sueño. No
obstante, había tenido tiempo para afeitarse, y aún tenía un poco
de crema de afeitar pegada al lóbulo de la oreja derecha.

—Gracias por venir a vernos —dijo Laurie.

—Gracias por invitarme —contestó Lou—. Me alegro de
que me hayáis obligado a salir. Hace un día precioso. Habría

sido una pena malgastarlo vegetando en mi sofá, cosa que muy probablemente habría hecho si no me hubierais llamado. Decidme, ¿cuál es esa buena noticia que queréis contarme? ¿Es lo que yo espero?

—No lo sé. —Laurie rió—. En cualquier caso, vuelvo al IML.

—¡Fantástico! —dijo con sinceridad Lou. Levantó la mano y la entrechocó con la de Laurie—. Esperaba que dijeras eso. Ir al IML no es lo mismo si la única persona a la que veo es al aburrido de Jack. ¡Felicidades! ¿Cuándo será eso?

—Dentro de una semana. No puedo explicarte lo bien que se ha portado el jefe.

—No ha sido bueno, ha sido listo —respondió Lou.

—¡Sí, señor! —dijo Jack, y levantó la copa de vino para brindar. Después, al recordar que Lou era «abstemio», se incorporó en la silla y buscó con la mirada a la camarera.

—No podría sentirme más contento por ti —dijo Lou, y se inclinó hacia Laurie—. Es una reacción en parte egoísta, por supuesto. Te he echado de menos en el IML desde que empezó tu baja por maternidad. Pero además de ser egoísta, creo que es la mejor decisión que podías tomar por ti y por J.J. Eres una patóloga forense magnífica, y te satisface en más de un sentido. Pensaba que volverías, pero la verdad es que creía que tardarías más en darte cuenta de que podías hacerlo y seguir siendo una mamá estupenda. Si no te importa que te lo pregunte, ¿qué consiguió que tomaras esa decisión con tanta rapidez?

—No fue una cosa, sino un montón. En primer lugar, la tragedia de la muerte de Leticia, pues no quiero que haya sido del todo en vano. Tal vez te parezca un poco extraño, pero a mí no. Murió porque estaba cuidando a J.J. para que yo pudiera volver al trabajo. Creo que estoy en deuda con su memoria.

—No me parece nada extraño.

—También comprendí que el secuestro de J.J. fue un caso entre un millón. No volverá a ocurrir. Pero el descubrimiento más importante es que hay canguros soberbias, están encantadas con su trabajo, e incluso se han marcado como objetivo ser las mejores canguros posible. Para ir a trabajar con tranquilidad, necesito a alguien que tenga verdaderas ganas de estar con J.J. todo el tiempo, y que también desee ser mi cómplice, para que yo pueda estar implicada lo máximo posible. ¿Sabes a qué me refiero?

—Sí. Necesitas a alguien que sea una mamá tan buena y tan atenta con J.J. como lo serías tú si no fuera por tu profesión. A la hora de la verdad, las necesidades de J.J. podrían frustrar cualquier carrera...

Jack interrumpió a Lou, tras haber llamado la atención de la camarera.

—Estamos tomando un Vermentino. ¿Quieres probarlo, o quieres otra cosa? También tomaremos ensalada César con pollo. ¿Qué dices?

—Como quieras —repondió Lou con un ademán. Era un adicto al pastel de carne, salvo en compañía de Jack y Laurie. Además, en aquel momento estaba más interesado en conversar con Laurie que en el tipo de vino y comida que prefería—. Supongo que el hecho de que vuelvas con tal rapidez es que ya has encontrado a alguien que consideras adecuado para la tarea.

—Creo que sí —admitió Laurie—. Hace una semana sondeé a todas mis amigas, sobre todo a las de la universidad, y me hablaron de una irlandesa que había sido canguro de una compañera cuyos dos hijos son ahora adolescentes. Mi amiga había estado intentando colocar a la mujer, pues la querían tanto que prácticamente había pasado a formar parte de la familia. Cuando la conocí, supe que era perfecta nada más empezó a hablar. Y tiene muchas ganas de venir a vivir con nosotros. O sea, ser canguro es la misión de su vida.

—¡De acuerdo! ¡Vamos a brindar otra vez! —dijo Jack cuando la camarera trajo la copa de Vermentino a Lou. Jack alzó la suya, y los demás le imitaron—. Por el regreso de Laurie al IML. Por la resistencia de J.J., puesto que se está portando con absoluta normalidad, y por la memoria de Leticia y la beca escolar.

Los tres amigos entrechocaron sus copas, y después bebieron el vino con fruición.

—¿Qué es eso de la beca escolar? —preguntó Lou, después de dejar la copa sobre la mesa.

—Intentamos pensar en algo para honrar la memoria de Leticia —dijo Jack—. Se nos ocurrió crear una beca universitaria destinada a la gente del barrio. Laurie se ha puesto en contacto con la Universidad de Columbia, y al parecer les gusta la idea, como un bonito complemento a sus esfuerzos por colaborar con el vecindario. Laurie y yo ya hemos empezado a aportar fondos, fijando una cantidad anual e invitando a los demás a hacer lo mismo. Además, estamos planeando diversos eventos para recaudar fondos en el barrio. Creemos que será bueno para la comunidad.

—No se me habría podido ocurrir algo más apropiado —dijo Lou—. ¡Excelente idea!

—¿Qué ha estado pasando en el aspecto legal? —preguntó Laurie—. He sentido curiosidad desde que te dejaste caer por casa y nos hablaste de las redadas.

—Un poco de todo, como de costumbre. Las tres empresas han pagado la fianza de sus directivos, salvo en el caso de Benjamin Corey. Todos serán procesados esta semana y, por supuesto, todos se declararán inocentes, incluido Corey. Lo que está haciendo la fiscalía en este momento es ejercer presión sobre los directivos de menor rango para que se declaren culpables de un delito menor a fin de obtener una sentencia más leve, a cambio de declarar contra los peces gordos. Saldrá adelante, por supuesto, gracias a las pruebas obtenidas durante las redadas, las cuales sacarán a la luz los secretos concernientes a todas las empresas fantasma del crimen organizado. Lo más importante es que la cómoda relación entre la mafia de Long Island y la yakuza japonesa es algo del pasado, al menos a corto plazo, y espero que a largo también. Gracias a ti, vamos a ver menos cristal por la ciudad.

—¿Por qué no se pagó la fianza de Benjamin Corey?

—Debido a la orden de busca y captura internacional por el asesinato del guardia de seguridad de Kioto. Se la habrían concedido si solo se hubiera tratado de un delito de guante blanco. Si existe el riesgo de que alguien huya, es él. En este momento, está concentrando todos sus esfuerzos en evitar la extradición. No me gustaría estar en su lugar. Aunque consiga zafarse de la extradición, aún tendrá que afrontar la acusación de lavado de dinero. Vamos, es que no lo entiendo. Un tipo con esos antecedentes y cultura. Era como si estuviera intentando probar hasta cuándo podía salirse con la suya.

—Yo lo veo más como una tragedia griega —dijo Laurie—. El defecto fatal de la codicia manifestándose en un individuo que, lo más probable, empezó con el deseo altruista de ayudar a la gente, como el noventa y nueve por ciento de los estudiantes de medicina.

—Pero ¿cómo pudo ocurrir? No lo entiendo.

—Es el desgraciado matrimonio entre la medicina y los negocios. A mediados del siglo xx, podías vivir bien de la medicina, pero no podías llegar a ser muy rico. Todo eso cambió cuando la medicina de este país no se planteó como una responsabilidad del gobierno, como la educación y la defensa, algo que sucede en la mayoría de los países industrializados. Añade a eso que el gobierno estadounidense contribuyó sin querer a la inflación médica al no llevar a cabo controles de gasto eficaces en Medicare, al subvencionar con generosidad la investigación biomédica sin conservar la propiedad de los descubrimientos resultantes para el pueblo estadounidense, y al conceder su oficina de patentes las relativas a los procesos médicos, como las secuencias del genoma humano, cosa que no se debería hacer por ley. La situación de las patentes médicas en este país es un completo desastre que ya está empezando a afectar a la industria biomédica, pero eso es otra historia.

»Por desgracia, en estos tiempos, si un médico quiere hacerse muy rico, y muchos lo consiguen, tiene a su alcance escoger la especialidad apropiada, trabajando en la industria farmacéutica, la industria de los seguros médicos, la industria de las especialidades hospitalarias o la industria biotécnica. Todas dicen que existen para ayudar a la gente, cosa que pueden hacer, pero es más un subproducto, no el objetivo. El objetivo es ganar dinero, y lo ganan siempre.

Durante unos momentos, Lou miró fijamente a Laurie. Después lanzó una risita burlona.

—¿Esperas que entienda lo que acabas de decir?

—La verdad es que no. Confórmate con deducir que no me sorprende que alguien como Ben Corey haya pasado de ser un individuo con verdadero interés en convertirse en un médico conciencciado, a ser un individuo cuyo único objetivo es convertirse en multimillonario. Casi todos los estudiantes de medicina, cuando no todos, son seres altruistas, pero también competitivos. Han de serlo para matricularse en la mejor universidad, para entrar en la facultad de medicina y para hacer lo posible por acceder a las residencias más codiciadas y seguir la mejor especialidad médica, o sea, la que proporcione más beneficios para así devolver los préstamos solicitados para sus estudios lo antes posible. Lo que no comprenden es que la profesión ha cambiado drásticamente en este país durante los últimos años, sobre todo por culpa de la economía.

—Y la nueva legislación sobre la sanidad, ¿no será de ayuda?

—Siendo generosa, podría decir que es un comienzo. En el fondo, existe un objetivo de alcanzar cierta igualdad social en lo tocante a la asistencia sanitaria como recurso y responsabilidad de un gobierno. Pero en este país la asistencia sanitaria es una industria participativa competitiva, y la nueva legislación no cambia eso. Solo reordena el poder relativo de los accionistas. Temo que el efecto a largo plazo sea más presión para que los gastos aumenten, puesto que, como en el caso de Medicare, no existen suficientes controles de gastos específicos.

—Jack, ¿eres tan negativo como Laurie? —preguntó Lou.

—Por supuesto —replicó Jack sin vacilar—. ¡No me tires de la lengua!

—Cambiemos de tema —sugirió Laurie—. ¿Qué has averiguado sobre el secuestro de J.J.?

—Bien, como ya dije antes, ahora sabemos con seguridad que fue orquestado para apartarte del caso de Satoshi Machita. La exigencia del rescate no era más que una tapadera. También me complace informaros de que hemos detenido al pistolero que mató a Leticia. Se llama Brennan Monaghan, pero la persona que estaba detrás de todo es uno de los capos de la familia Vaccarro, llamado Louie Barbera, con el cual ya hemos tenido tropiezos en el pasado. Me alegraría sobremanera que este episodio le enviara directo a la cárcel, pero no será el caso. Una vez más, saldrá libre.

—¿Cómo es posible? —preguntó Laurie.

—Desde el punto de vista de la policía, es el problema de utilizar empresas como CRT. Tal como hablamos aquella fatídica noche, cuando os presenté a sus dos jefes, su objetivo principal es resolver el secuestro en beneficio de la víctima y de sus familiares. Sus métodos no tienen en cuenta que cualquier prueba obtenida de forma ilegal no puede utilizarse en los tribunales, tal como sucede en el caso de J.J. CRT descubrió dónde le retenían secuestrando y drogando a un esbirro de los Vaccarro, una estrategia muy poco legal. Es estupendo que cuenten con buenos abogados defensores. De lo contrario, ya estarían a buen recaudo.

—Prefiero tener a J.J. conmigo antes que haberme ceñido a la letra de la ley —admitió Laurie.

—Por supuesto. Por eso os sugerí contratarles. Os di el consejo como amigo. Como policía no lo habría hecho, puesto que sus métodos suelen pisotear los derechos constitucionales, y tal comportamiento, a la larga, no es bueno para la sociedad en conjunto.

—¿Qué sabéis de Vinnie Amendola? ¿Sigue fugitivo?

—Hace más de una semana que regresó —dijo Jack—. Hemos estado tan inmersos en el asunto de la canguro y la beca, que olvidé decírtelo.

—Muchísimas gracias —contestó Laurie en tono burlón—. Bien, ¿cuál es la primicia? ¿Se ha metido en algún lío? ¿Escribió él la carta amenazadora?

—Pues sí —explicó Lou—. Al final, las autoridades del sur de Florida le localizaron y le devolvieron a Nueva York mediante una orden de busca y captura. Fue de lo más colaborador, y no se le ha acusado de nada, pese a su presunta complicidad. Todo el mundo reconoció que le estaban chantajeando y se encontraba en una situación difícil, pues temía por la vida de sus hijas y esposa. Además, al fin y al cabo, te advirtió con la carta. Supongo que no estarás interesada en acusarle de nada, ¿verdad?

—Cielos, no —dijo Laurie, con una expresión que revelaba que era lo último que deseaba hacer—. Tengo muchas ganas de darle las gracias por advertirme.

En aquel momento, la camarera llegó con las ensaladas César. Todo el mundo se apretujó para intentar encontrar un hueco sobre la pequeña mesa de hierro forjado con sobre de cristal. Cuando la camarera se alejó, Lou levantó la copa.

—Permitid que haga un breve brindis. Por los forenses y lo que son capaces de hacer por la ley. ¡Al menos, los malos no cuentan con eso!

Los tres amigos entrechocaron sus copas por segunda vez, entre cabeceos y carcajadas.